編集復刻版

「職場の歴史」関係資料集

第2巻

『職場の歴史』
第11号〜第23号

六花出版

序文

竹村民郎

「職場の歴史をつくる」とはどういうことなのか。

一九五〇年代──敗戦前の皇国史観を否定することはもちろん、英雄の活躍や政権の変遷をたどるだけの歴史を批判し、「民衆」「市民」の視点から考察する歴史観が、ようやく主流となっていたが、それでもまだ歴史は学者ら専門家によって叙述されるものであった。

三井三池、日鋼室蘭、近江絹糸などの労働争議とのかかわりあいのなかから誕生した「工場の歴史をつくる会」は、いわゆるブルーカラーの労働者にとどまらず、働く女性たちの積極的な参加をえて、自分たちの歴史は自分たちで書く、という活動をはじめた。これが「職場の歴史をつくる会」の誕生である。歴史学者やその卵である学生たちは「知識の革新」をもとめて運動にどっと参加してきた。

自分たちの歴史を書くということは、働く職場の記録をつづることにとどまらなかった。機関誌『職場の歴史』が一時期「職場と生活」と改題したのもそのためで、職場だけではなく、ひろく「生活」を記録することで、自分たちの現在やこれからを見つめようとしたのである。

一九五八年に書かれた職場の歴史をつくる会品川客車区のサークル誌『仲間には』では、自分の歴史を集団で書くことについて、つぎのようにまとめている。

「自分の歴史を書きあげると、分会機関誌に発表し、それを全会員や職場の人々に読んでもらい、必ず合評会を開いてその中で書いた人の考え方、生き方を自分の問題として考え、又、批判しています。」

こうした批評活動は、職場の歴史をつくる運動におけるすべての職場サークルに共通するものであった。ここで注目することは、集団で「歴史」を書くことが、書き手の対象化をうながし、結果として自己の「発見」になるということである。

近年、全国的に若い研究者や学生の間でひろく一九五〇年代に展開された生活記録運動や多彩なサークル運動と結びついた文化運動の機関誌や文集などを発掘し、その「自立」主義に基礎を置く多くの作品についての研究が目覚しく展開している。

今回復刻された職場の歴史をつくる会の機関誌や運営委員会ニュースを網羅した全四巻の記録集は、時代が大きく動いた一九五〇年代のサークル時代、自らのアイデンティティをもとめて職場に生きた若者たちの真実の姿を直視するものとして、注目に値する。

（編者）

編集復刻版『「職場の歴史」関係資料集』第2巻

刊行にあたって

一、資料集では、一九五〇年代に日本全国各地でおこった生活記録運動のひとつである「職場の歴史をつくる会」の機関誌および関連資料をあつめ、収録した。原資料はすべて竹村民郎所蔵のものである。

一、第1巻巻頭に竹村民郎氏による序文、古川誠氏・稲賀繁美氏による解説、永岡崇氏による年表を掲載した。

一、本資料集は、原寸のまま、あるいは原資料を適宜縮小し、復刻版一ページにつき一面または二面を収録した。

一、資料中の書き込みは原則としてそのままとした。

一、資料中には、ページ数などの表記に誤記と思われる箇所があるが、原本通りである。

一、資料の中の氏名・居住地などの個人情報については、個人が特定されることで人権が侵害される恐れがある場合は、[redacted]で伏せ字を施した。

一、原本はなるべく複数を照合して収録するようにしたが、原本の状態が良くないため、印刷が鮮明でない部分がある。

一、資料の中には、人権の視点から見て不適切な語句・表現・論もあるが、歴史的資料の復刻という性質上、そのまま収録した。

（編者・編集部）

［第2巻 目次］

誌名●号数●発行年月（推定したものは＊）●発行者は「職場の歴史をつくる会」――復刻版ページ

《機関誌Ⅱ》

◉全巻収録内容

第1巻	『職場の歴史』第1号〜第10号	序文＝竹村民郎　解説＝古川誠・稲賀繁美 年表＝永岡崇
第2巻	『職場の歴史』第11号〜第23号	
第3巻	運営委員会ニュース／諸資料Ⅰ	
第4巻	諸資料Ⅱ	

機関誌Ⅱ

砿場と生活

11

砿場の歴史をつくる会編集

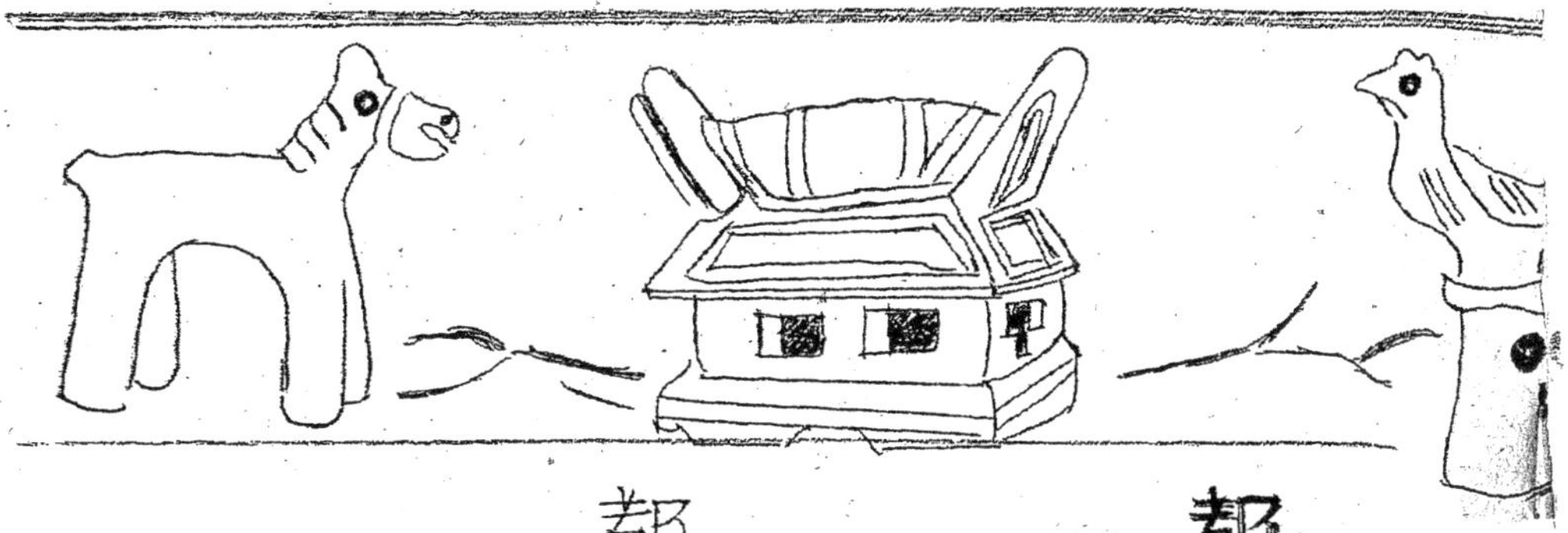

目次

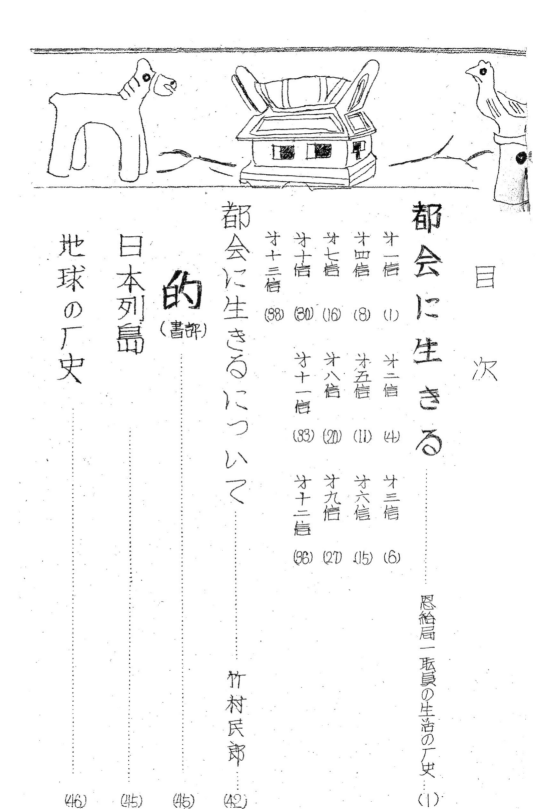

赤坂見附

生活歴史の

一職員の

都会に生きる

——友への手紙——

恩給局職場の歴史をつくる会

第一信

今日、君にやっと良いニュースを知らせることができるのがほんとうにうれしい。私が東京へ出てから二か月、ほとんど君に出す手紙に仕事のことを書かなかったが、それを君は不思議に思っていただろう。私が君の家に行った時「Kちゃん職決ったかい」といわれたとき、私は「S書店に就職することになった」といっていたことがある。今でも君はS書店に私が勤めていると思っているだろう。しかし私が上京する前の日だったと思うが、東京の叔父から手紙がきて、「S書店は話の経営がかんばしくないから……」というのでやめてしまったが、東京に出るばかりになっていたので君にも話さないで東京の叔父の家にいることになった。

　この二ケ月、職もないので叔父の家でぶら〳〵していなくてはならないのが苦痛でたまらなかった。君にその時の不安な気持を知らせようかと思っていたが、一時の気休めなら書くのはよそうと思い今日まで知らせずにいた。ところでニュースというのはようやく職が決ったことだ。私の叔父が○○警察に勤務していることを君は知っていると思うが、そんな職業がら知合の人をたよって私の職をさがしていた。此の間、知合の某代議士が「総理府恩給局の局長の知合だ」という話から恩給局で職員を募集しているというので叔父は某代議士に頼んでようやく就職することができた。

　君は「総理府恩給局」と聞くとたぶん驚かれると思う。修学旅行の時バスガイドに案内された国会議事堂周辺の官庁街を思いだすだろう。最高裁、警視庁、人事院のビルを……。私も「総理府恩給局」と聞いたとき、すぐに大きな建物の役所を想像した。しかし、私の想像は当らなかった。国会議事堂の隣に七棟からなる木造建築の建物が恩給局であった。議事堂と比較すると恩給局はちっぽけなバラックの建物しか見えない。君はいつも私に「Kちんは、いつも現実とかけはなれた想像をする」といっていたが本当だった。

　十七日、雨の降る国会議事堂前で都電を降り、ポケットに採用通知の速達のハガキを持って議事堂正面の銀杏並木を通り過ぎ、恩給局の門をくゞった。始めて勤める私の気持はいえ知れない喜びで胸は一杯だった。私と同じく入局した者が十数名総務課の廊下で待っていた。係の者がきて、私たち十数名のものを部屋に案内した。階段を降り、渡り廊下を渡り、長い廊下を過ぎた。廊下を過ぎるごとに何か雑然としてくる感じであった。雨の降りしきる中を私たち十数名は背をまるめて次の庁舎に渡った。部屋とも廊下とも見さかえのつかないところに雨傘が列をつらねてひろげてあった。私たちはその廊下を縫うようにして、つい立てのたてゝある内側に入った。部屋の中はうすぐらく、何かしめっぽい感がした。大きな部屋の中は柱が立ち並び、電燈が所々に灯いていた。たぶん百名近くの人がいるだろう。私

2

たちは部屋のかたすみの何もない机を前に腰掛けた。私はこうして社会への第一歩の日が始まった。その後一週間、私はその部屋のかたすみで仕事の研修を受けた。最初の日は係長がきて、私たちに仕事上の注意をした。仕事の能率をあげるためといって係長は、インク壷は机の右上に、書類は左端においてと係長みずから机の上にインク壷や、書類をおいた。君は何だ馬鹿らしい小学校の一年生の教わることではないかと思っているだろうが、私は真険になって聞き、係長のいわれるとおりにペンや、インク壷、そして書類をおいた。

私が今、研修をうけている仕事は、恩給を大別して、文官恩給と旧軍人恩給の二つに別けられる、その旧軍人恩給の中の公務扶助料の恩給証書をかく仕事だ。この恩給証書をかくのに原書といって金額計算書や、戸籍謄本の綴られた書類を見ながらかくのだ。始めの二日間はほとんど封筒かきだったが三日目からようやく告知書（恩給証書）をかくことができた。原書を手にしたときは何か緊張するのを感じた。案外想像していたより告知書をかくのはらくだったが、しかし、一日中鉛筆を握っていると指の間節が痛い。

私たちのかいた告知書を以前からこの公務扶助料の仕事をしていた人でもあるのか、三人ばかり校合といって金額、氏名、住所等を検査していた。氏名などは謄本どうりに書かないといけない。誤りがあれば個人個人の成績表があって誤りが幾つあるか統計に出され帰り間際に成績が発表される。今日も私は五カ所ぐらいまちがえてしまった。君はこのような規律正しく研修を受けている私たちのことを知るとさぞかし驚かれることだろう。私も一番最初は驚いたというよりも、あまりに仕事を厳格にし、成績を発表されたり、注意されることが不安でもあった。しかしそうでもないらしい、学生時代は期末の試験がその人の成績を左右するのだが、社会生活はすべて一日いちにちが試験だと思っている。まもなく研修も終る、その間、私も頑張って成績をあげようと思っている。

まだ職場のこともよくわからないので後日、知らせたいと思っている。

第二信

もう田舎も秋の取り入れ、稲刈り、麦まき、そして脱穀と猫の手もかりたい毎日を君は朝早くから夕方おそくまで農良仕事にかまけておられると思う。

　私もようやく職場になれてきた。私もまだ給料も安く背広も着れないので学生服を着たまゝ役所に通っているが、驚いたことに恩給で働いている人々は皆といっていゝほど学生服を着ている。私も当座はちょっと不思議に思えたが、どんな疑問もすぐに解決した。というのは恩給局という役所は昭和二十八年旧軍人恩給の復活に伴い急激に業務量が増加したために、学徒援護会や、職業安定所を通じ、或いは伝手をたどってアルバイトとして恩給に入ってきたためだった。これらの学生は生気のない毛をバサバサさせ、顔は青白く、みるからに弱々しい感じを与えられた。私はこれらの学生たちは昼は恩給局に勤め、夜は大学へと大変だろうと思った。私は君にも話したようにどんなつらい仕事をしても学校へだけは行くといったことがあったが、結局経済的な余裕もないので勤めだけだが、一緒に働いている学生を見たとき、来年こそは試験を受けてみようと考えている。

　私が研修を終って各班に配置がえされた。公務扶助料の告知書をかいている班はA、B、CとE班まで段階別になっていて私はE班にまわされた。私一人だけがE班にまわされたのかと思っていたが、だいたい皆んな研修を受けたものはE班だったので私も安心した。研修のとき私のうしろに掛けていた人が同郷だったのに驚いた。話によるとF高校の出身で今はW大学にいっていることだった。この人の名はH君といって、それ以来話をするようになった。E班に配置がえされたときもH君と一緒だったので心細くなかった。一昨日、十時の休に私の前に掛けていたOという人が私に「すみませんが、タバコ持っていませんか」といってきたので、私はタバコをあげた、それ以後、O君と友達になり、昼休みには皇居前広場や、比日谷公園にも遊びに行った。

　だけれど仕事の方は一行に面白くない。班長が新しく入った私たちに「君たちより一週間も早く入った人はもう一二〇件もかいている」といゝながら、うしろに手を組んで話していった。私たちの仕事は告知書を一枚かき上げるのを一件と数えている。だいたい一日一生懸命に仕事をしても七五～八〇件位いだ。それをもう二〇件も書くといわれては休んでもいられない。そんなことか知らないが十時の休みや、三時の休みには仕事を続けている人もあった。こうして仕事の件数を上げるのが各班で競争のようになり、班長は隣のD班の出来高を聞いてきては、「今日は発送が少ない、D班では……」何件だしたと私たちをあおりたてる。或る日などは「皆さん、ありがとうございました、今日は何百件できました」と班長が私たちに報告する。

私たちが学校へ通っていた時分、社会は競争がはげしいところだと聞いていたが、恩給局のようにせまい職場の中でも、このように隣の班同志が互いにけん制し合って仕事量を高めようという意識があるのに驚いてしまった。

　ところで、君に知らせるのが心苦しく、なぜか今、私自身がいたたまらない気持をおさえることができない……。そんな心持でいる一方君に知ってもらいたい考えが浮んでくる。というのは、さきほども書いたが、恩給局に働いている人のほとんどがアルバイト学生だと……。私の現在おかれている状態も決して安定したものでなく、アルバイトと同じようなものだ。私が某代議士を通じ恩給局に入ったが、その時は職員と同じだと信じていたが、入局してまもなくわかったことだが、私たちは臨時職員という身分だった。だから結局、給料も月給制でなく、日給二百四十五円という決して良い賃金ではない。私は不安でたまらなかったので、それを知ったときすぐに某代議士をたずねて話した。某代議士は「そうだったのか、よく私の方から局長に話してやる」といっていたので、何か心のわだかまりも安らいだようだったが、今君に手紙を書いているうちにいたたまらない気持にかりたてられ書いてしまった。

　友達の学生のSさんも、私と散歩していたときに、深刻な顔つきで私にこう話したことがあった。「僕は日給二百四十五円で働いているのだが、休むと金がもらえないし、結局、病気になっても休めない」と……。Sさんは家から仕送りもしてもらわずに、大学に通っているのだった。不安でたまらないのが私だけと思っていたが、みんなそんなことで苦しんでいるのだなあ、と思うと、いてもたってもいたたままれない気持にかきたてられてくる。

もう時間もおそいせいか、外の人通りもたえ、前の松林の梢を流れる秋風の音がたゞサワ〳〵と聞こえるだけだ。ではこのへんでペンをおかせて頂く……。

第三信

もう十一月、えびす講もすぎると田舎の方もめっきり寒くなったことゝ思うが……。

私も今、実書販売にでたあの頃のことがつい懐しく、走馬燈のごとく脳裡をかすめては、すぎ去って行く、水のまかれたU市のはんか街の道路は凍りつき、もうその頃は東の浅間連峰にも白い雪が峰の頂きをつゝんでいたことが……。静まりかえった街をオーバーのえりをたてゝ駅に向いながら実書費として店からもらった金をどう使おうかと胸をときめかせて帰ったあの頃のことが……。

こうして一年、私は曲りなりにもサラリーマンとなって、もらう給料はわずか、喜びというより不安が先に立つ現在の私だ。

私が恩給局に勤めだして一、二ケ月、その間これほど緊張感をかんじたのは初めてだった。君と話し会ったときも何かすると君は「労仂組合」とか「革新政党」ということばを口にしていたが、今始めて労仂組合に接することになった。というよりは接しなければならなかったのだ。

十一月十八日に恩給局職員組合が結成されたのだ。君は組合が今までなかったのかと驚いていると思うが、私は組合などはほとんど無関心だった。この間も君に知らせたと思うが、恩給局の職場は臨時職員が千二百名、職員、監理職を含めて四百名位いという不変則な職員構成らしい。そのような中で、臨時職員は安い賃金で身分の保障もない日々雇入の自分たちの身分の安定をさせるためにと組合を作る動きがなされたようだった。十月二十八日頃だと思う。私は役所に出ると、誰がおいたのか、誰もいない職場のすべての机の上に紙がおいてあった。よく見ると「華」というパンフレットのようなものだった。私はそれには気をとめず掃除にかゝった。後で知ったのだが、組合を作ろうという人たちが作った機関紙だった。そうして、「組合を作ろう」とか、「組合をつくるのに、あなたは賛成ですか、反対ですか」といったパンフレットや、アンケートが撒かれたが、ほとんど活動している人たちの姿が見えないので不思議に思った。

組合結成大会が始まる直前に、私たちの職場に、組合加入用紙がくばられてきた。私は組合のことについて全然関心もなく、できる限り遠ざかっているようにしていたが、このように加入用紙をくばられてしまうとどうしてよいかわからなくなってしまった。

席を立って廊下に出ようとしたが、考えてみると結局後で又、くるにちがいないと考えると又、椅子にかけてしまった。君は私のこのふるまいが、あまりにもいくじがないと思っているだろうが、私には全然ふん切りがつかなかった。この間も、代議士の某さんに会った時に「君の所で組合をつくるそうだが入いらない方がいいぞ」といわれたことがあったが、そんなことが私の念頭にあったのかもしれない。加入用紙を机の上において考えていたが時間は過ぎる、誰か見知らぬ人が集めている。まだ書いている人もいた。私は思い切って加入用紙に名前と捺印を押した。

あの組合結成の十八日の日は、曇りがちの肌寒い日だった。私が庁舎前の広場に行ったときには既に、人は数百名ちかくも集まっていた。恩給局で今だかつて広場にこんなにも人が集まったことがなかった。何か一生懸命に人をかきわけながら走りまくっている人もいた。演壇でもあろうか、その上にマイクを取りつけている人もいる。一種異様な空気がただよっているような気がした。寒さのせいでもないらしい、私の身体はなにか震えがきて、アゴがガク／＼していた。

誰か演壇に立って、「皆さん、今日の組合結成大会を最後まで成功裡に進めるために、たとえ当局より業務命令が出ましても、最後までこの会場にいて下さい」といっていた。私は業務命令そのものがどのようなものであるかわからなかったが、何か不安な予感をした。昼の休みの終りを告ぐベルの音が恩給局全体に響き渡ったが、大会はその時始まったばかりであった。

私はこうして始めて組合というものを知り、組合に接した。その印象はただ不安なものだったがしかし、組合ができていまだ変化もなく以前と同じように私に向って告知書作成に指の関節の痛くなるほど一日のノルマをあげなければならない。

7

正月にはなるべく早く帰ろうと思っている、その日をたのしみにして––––。

第四信

正月久しぶりで君に会って話ができて本当にうれしかった。私は君の仕事ぶりを見てうらやましくつてたまらなかった。君は長男、私は四男、私のよう猫のしっぽのような者には家財を受ける物もなく、東京にでてしまわなければならなかったが、君は、おや父さんの築いた商売を受けつぎ、先祖伝来の田畑を耕すことはどれほど君に張合になるだろうか。そして君は何の不服もいわず仕事にかまけている姿を見ると、うらやましくなってくる。

この間、君から聞いたM部落の青年団が作っていた研究会のつぶれたことを叔父に話した。私たちが学生の時からM部落は養鶏飼育の研究をしていたのをおぼえている。あの部落の青年団の人たちは今までの飼育法では不可能だと思われていたことが、研究を重ねる内に狭い養鶏場で、何百羽の雛を飼うことができ、傷のささいな養鶏場でも、今までよりたくさんの卵を生ませることができるようになったと聞いた時には、私も家の雛に飼料をやってみたくてたまらなかった時もあった。それが今年の正月に帰った時、君から聞いて驚いてしまった。M部落の青年たちが夜おそくまで研究をするようになったからといって、村の人たちは、うたがいをもたなくてもよいではないかと思った。

八ツの部落からなる私たちの村、そして十一ケ町村からなるY地区一帯が、さほど耕地にも恵まれず昔はM町を中心に製糸工場もあってY地区は養蚕も盛んだったが、戦争のため、増産だといって、桑の根をこいで麦、さつまいも等をつくるようになって、次才に養蚕を営む農家は少なくなったが、戦後、桑にかわってリンゴ栽培がなされるようになったが、四方山に囲まれた私たちの村は耕地も少なく、結局は、リンゴ栽培とか、薬用にんじんで年の収入をカバーしなければならないのを君も知っていると思う。しかし、こうしたリンゴとか薬用にんじんを作る畑のない家では、だいたい近所の工場に勤めるか、あるいは農繁期にたんぼの仕事をして、忙がしい農繁期もすぎると村の若い人たちはひりょうとり(註)に出

8

かけることがあるのをおぼえている。

曲、ひようどりとは信州の方言で農繁期のすぎたひまな時期に若い人たちが遊ぶのがもったいないので、一時働きに出ることをいうらしい。

君は学校に入るにも普通科を選んだが、私はどうにかして就職しなければいけないというあせりかりから商業科を選んだ。しかしながら卒業も間近になるにつれ好む職もなく、学校から推薦されて入社試験に望んだおりも、私ちを迎える社会の目は冷たく結局、伝手による就職という、現実社会の醜さをまざ〳〵とみせつけられた。

このような時にM部落の青年団の人たちは、どうにかして新しい農業経営を進めようと試みていた清らかな考えを、年よりや、村の人たちがM部落の青年たちを「赤」あつかいにして、指導に当っていたHさんもひたゝまらず、東京にでゝしまったとか聞いたときは失望の念で一杯だった。叔父も「Hさんという指導者がM部落にいなくなってしまってはおしまいだ」とこぼしていた。

私が田舎にいたときは、M部落の人たちが村民運動会に優勝したり、野球大会に優勝したことがあったが、結局あれだけの力をだせたのは部落の人たちがまとまっていたからだと思う。昨年、田舎から来た公民館報をみると何かM部落がかげをひそめているのに不思議に思えた。叔父は私が見ていたとき「M部落もだめになったなあ」といっていたが、結局そんなところに原因があるのではないだろうか。

私は叔父とこんな話をしたことがある。「もし俺に金でもあったらYさんのあの山を買って酪農をやりたいと思っているんだがなあー」と叔父はいっていた。君も知っているだろうが、K峠へ行く途中に小高い丘のような山があるのを、あそこな隣に池で水も豊富にあるし、南傾は日当もよく雑草もあるそこに雞や、牛を飼って村の余った大根や、大根の葉、そしてワラを買えば村の人もたすかるし――。と叔父と私で想像したこともあった。君は馬鹿らしい空想はよした方が良いと思われるだろうが、私はM部落の研究会がつぶれたのが残念でたまらないのだ。

叔父はこんなことをいっていた「村の若い人たちがたびたび出るのは何か原因があるのではないか」と、私もそう思う。田舎の人たちは盆、正月、そして村のお祭を何か農良仕事の区切りのように考え、その時には村中の人が遊ぶ。しかし、若い人たちは農繁期のさ中でも疲れた体で町に遊びに出かけてしまう。私でもそうである。疲れたときは何かじっとしていることができず、遊びに出たい衝動にかりたてられるときがあるが、田舎の人たちもそうした一時の楽に満足感を求めてというより、彼等は満足感を満されないために毎夜遊びに出るのではないだろうか。

　私は、この間ラジオである農村のルポルタージュを聞いたことがあった。村は農業だけではやっていかれないというので、一戸に一頭ぐらい小牛の乳牛を飼うことを計画したそうである。しかし小牛はすぐにも大きくなり乳をしぼることは不可能であるので、村の若い人たちが乳をしぼるときにそなえてと、各自持っている楽器を持ちよって楽団を作ったそうである。君は楽団と酪農が何の関係があるだろうかといわれるかも知れないが、乳牛の乳をしぼるときに指先がそうとう疲れるそうである。そこで村の青年たちは指先をつかって互が楽しめるものはないかと考え、ギターや、マンドリンからヒントを得て楽団をつくったそうである。この放送のとき、あるお母さんは「小供も前はよく遊んで困ったが楽団ができてから遊ばなくなった」といっていた。田舎の人たちも何か共通した娯楽なり研究の場を求めているのではないだろうか……。

　私は君にこんな手紙を書いているうちに、日常こんな会話のやりとりをしているのが頭に浮んだ。

「あんた家の○○ちゃんはセッコウがようごわすなあー、うちのやっときたらズクがなくって……」と、こんな言葉が今でも聞かれると思う。「セッコウ」と「ズク」という私たち田舎の方言を、私なりに解釈したら忍耐強いとか、根気がある、という言葉が一つの「働き者」という言葉の中に含まれ表現されているのではないだろうか。

しかしながら「セッコウ」とか「ズク」が安外、旧来のことにこだわりがちな田舎の人たちに、阻害されている傾向があるではないだろうか、農業を営むに地味で、根気と忍耐が必要でないかと考えているが、君はどう考えているだろうか……。

　正月に帰ったとき、君は私に何かしなければいけないと言っていたのを思い起し、帰省したときの印象を感じたまゝ、文の羅列に終らせてしまった、その御勘辨して頂きたい。

第五信

今頃は田舎の方は梅の花も咲き、もうそろ〳〵麦の草とりが始まるころと思うが――。

東京はもう桜のつぼみも、ふっくらと赤味をおびてきた。

私は今までやっていた公務扶助料の告知書かきから、公務扶助料の統計をとる方にまわされた。今までソロバンを持たなかったが久しぶりでソロバンをはじくのは、何か心地がよい。

ところが統計をとるようになった、ある日、突然私は課の担当の課長補佐に呼びだされ、組合の情報を知らせてくれと頼まれた。私はそのときどうしようかと迷った。こんなとき君が東京にいたらなあーとさえ考えたこともあった。私はむやみに悲しく、自分の無気力さをこれほど痛感したことはなかった。

私は君に同情してもらおうとは考えていないが、君はいつも私をはげましてくれた、そこで君に、私のとった行動をどう思うか素直に批判してもらいたい。次に書いてあるのはその時の私の日記である。

三月×日

係長のMさんにいわれて、課長補佐のAさんの所に行った。私は何故呼びだされたのかわからなかった。しかし不安でたまらない気持はあった。係長のMさんが原書の高く積まっているそばで仕事をしていた私のところにきたときも、何かMさんは人目をさけるようにして言いた言葉、「Aさんが呼んでいるから昼休みに行きなさい」と課長補佐のAさんは仕事のことだったら「K君、これ調べてくれ」と受給者からの調査を頼みにくるのに……。

課長補佐のAさんがいる一号庁舎の二階の部屋に行った、窓べの深椅子に掛けた課長補佐のAさんは一人タバコをふかしていた。私の姿を見つけると笑顔を浮かべて私を迎えた。隣に置かれてある椅子に私をすゝめた。私はちょっとためらったが腰をかけた。

課長補佐のAさんは「君は○の町だったね」と私の住んでいる町のことを話しだした。

話によると昔、兵隊の当時町にいたらしい「蚕糸試験場がまだあるか」と聞いた。私は何で呼びだされたのかわからなかった。課長補佐のAさんは私たちが入局した当時、研修を受けている私たちに軍隊に行っていたときのことを話していたが、今日もそうであった。上官に対しては礼儀正しかったとか、気をきかせて掃除をしたとか話すことはきまっていた。

「ところで君の叔父さんはたしか○○の警察に勤めているんだってね」

「ええ、そうです」

今まで微笑を浮べて話していた課長補佐のAさんの顔は不思議なほどまじめな顔つきになっていた。椅子から中ば半身をのりだして、

「君は叔父さんに組合のことを話しているかね。ずいぶんよく知っているが」

意外であった。課長補佐のAさんの口からこのようなことをいわれるのが……。私の心は電気に打たれたように全身固くなったのを感じた。

「いいえ、僕はべつに……。」

これだけ口にするのがせい一杯であった。

「なあに、いいんだよ。君が叔父さんの家にいるのだから決して話して悪いといっているのではないんだ。しかしね君、こんなことも考えられるんだ。君が局舎のことを叔父さんに話しても、ある場合においては叔父さんの職にかかわることにもなり兼ねないからね。そこで君に今直ぐとはいわないが、叔父さんに話している程度のことを教えてくれないか」

今、そんなことをいっていた課長補佐のAさんの言葉が一語一語思いだされてくる。

明日ある執行委員の立会演説会の模様を知らせねばならなくなってしまった。どうしたらよいだろう。あの時「叔父さんと世間話をするぐらいだ」といったけれど……。事実そうだ。叔父の帰りは不規則だったし、組合のことも話したこともない。

以前、いつだったろうか、叔父の帰りが遅いので叔母と先に食事をすませようとしたところに帰ってきた叔父は、オーバーのポケットから一枚の紙切れをとりだして「お前、このような人を知っているか」と聞いた時があった。しかし名前をつらねてある人

を誰も知らなかった。「僕、ぜん〳〵知らないけれど」と小首を振ったとき叔父はちょっとあわてた調子で食卓にだされた紙切れを拾い上げてポケットに入れてしまった。そんなことはたった一度だけだった。

それを断わることもできず帰ってきてしまった私の意気地なさ。たとえ課長補佐のAさんが、不利なことはさせないといったからとて、こうして今、私自身悩んでいるのではないか――――。

三月×日

まだ朝は寒い。なんだか役所に出るのは気が進まなかったが、やむなく叔父と一緒に家を出た。正門前に執行委員の人たちが数名早朝ビラを撒いていた。いつもの私だと、何にも考えずに通りすぎるのだが、昨日の事件があってから何か人目をさけたい気持だった。

昼休み、庁舎前の広場で執行委員の立会演説会が開かれた。会場には出まいと思っていたが職場委員のT君がきたのでやむなく会場に出た。そのときはもう演壇を囲んで二、三百名の組合員が集っていた。四課のFさん、五課のSさんと次々に演壇に立って演説をした。

昨日、課長補佐のAさんが今日の模様を知らせてくれといっていたが、どうしても知らせる気にはならない。しかし、断わるとどうなるだろうか。今の私には断わる勇気もないのか――――。では今日のことをかいて、正職員になりたいのか。いや、私は人を利用してまでよい地位につきたいとは思わない。では課長補佐のAさんがいわれたように、叔父の職に何か阻害を及ぼすだろうか。そんなばかなことはないだろう。今まで組合のことを話したこともないし、叔父も決して聞こうとしなかったではないか。

そうだ、断った方が良い、断わろう。

そして翌日、三月×日、

朝早く手紙を持ってA課長補佐の部屋に向った。この時、私の気持は何かいえしれない不安と胸の動悸が、部屋に近ずくにつれて増してきた。階段を踏みしめる足は重く、以前、映画で見た一場面が思いだされてきた。一人の死刑囚が絞首台に昇ってゆく足は一歩、二歩、と階段を踏みしめた。あの息ずまる光影が現実の私の姿となつたような気持だつた。

火鉢には赤々と炭が積まれ、時計は八時一五分まわつたばかりで部屋の中はまだ早いのか二、三人の人かげしか見当らなかつた。窓べのAさんの机の上は何もなく、さみしくインク壷にペンが一本たゞつているだけだつた。

Aさんの姿が見えないのに一瞬ホットした気持なつたが、後のことを考えたら不安で入口でうろ〳〵していると横合から声を掛けた人がいた。声の方をふり向くと、でっぷり肥った課長補佐のMさんだった。「何か用か」とたずねてきた。私はドギマギしながら用件を話してよいのか、悪いのかも判断がつかないまゝに頼まれた手紙を持つて来たことを話してしまつた。Mさんはうなずきながら手をさしだしてきた。「見せろ」ということだったろう。私は否むこともできず手紙をさしだした。さしだす手紙は小刻に震えているのが私にもわかつた。

封のしてない封筒から手紙をとりだしたMさんは読み始めた。足がガク〳〵してたまらなかつた。私はその場に立つているのが息苦しく、いつそのこと逃げだそうかという衝動にかられた。

Mさんは読終るや、無言で大きくうなずき、「わかつた」とひとこと、一文字にとじたMさんの口からもれた。私は逃げだすようにして部屋に帰つた、又新しい不安がわいてきた。

君は私のこの事件を知つてどう考えるだろうか、たぶん君は私の気持を知つていることゝ思うが、課長補佐のAさんから呼びだされて組合の情報を知らせろと頼まれたのも、偶然私に当つたのではないと思つている。

叔父が警察官という職務につき、私の職を世話して下さつた某代議士は局長の知人、こう考えていくうちにすべて私は一人ぼっちになつてしまう。このような事件があつたことを一緒に働いている友達に話せるだろうか、たぶん君が私のような存在におかれたならば苦しんだと思う。友達は叔父が警官だと知つたならば私はどんな立場におかれるだろうか。こうして私は誰にも話さずきた、だけれど君は私を知つていてくれるだろう……。

今日はもう時間もおそく、昼の勤めで疲れてしまつた。次の手紙には良いニュースを約束して……。

14

第六信

前略

この頃、職場にでて毎日顔をあわせるOさんと、S君がやすんでいるのに気がついた。もう一週間もするだろうか、もしや病気にでもなったんではないだろうかと思ったが、Oさんといつも学校へ行くS君まで同じ頃から休んでいる。私はあまり長いので友達に聞いてみた。友達は「O君はクビになったそうだ」と小さい声でいっていた。クビと聞いて驚いた。どうしてなったのか……。

今、組合では十五日の線撤廃といって局側と交渉しているようだった。この間、どこの課の人かしらないが、盲腸炎で入院していたが手術の経過がよくないので三週間ぐらい長期欠勤したらしい。ところがその人が退院して役所に出てみると自分の出勤簿がなかったそうである。その人は不思議に思って係長に聞いたそうだ。すると「君は今日から出なくともよい」といわれたそうである。これを聞いた組合は、その人の問題をとりあげ交渉に入ったらしい。

聞くところによると、盲腸炎で入院していた人は医師の診断書を局の方に出していたのだそうである。しかし、私たちは日々雇入として恩給に入ったのだから十五日間以上欠勤した者は事情がどんなことであれクビになるというのが局側のいい分らしい。そのために組合はこの十五日の線を撤廃するよう要求しているようだった。職場へは連日のようにビラがまわってきた。盲腸炎で入院して退職になった人や、神経衰弱で田舎に療養に帰っている人のことが書かれてあったが、Oさんや、S君のクビのことはぜんぜん書かれていなかった。

そんなことを聞いてからまもなく、クビになった原因を知ることができた。組合のビラにS君とOさんのことが書いてあった。それまで職場の人のほとんどがクビになったことを知っていなかったらしい。Oさんも、S君も病気でクビになったのではなかった。OさんとS君はいつも朝一緒に出勤していた。S君は外食のために朝いつもOさんに出勤簿に印鑑を押すよう頼んでいた。これが二人の間に習慣となって、ある日、OさんはS君が食堂にいるばかりと思いこんで出勤簿に印鑑を押してしまった。ところがたま〱、S君が出勤していなくこれが係長に知れOさんとS君の二人が退職を命ぜられたのであった。

病気ばかりと思っていた二人がもう恩給にこなくなったのかと思うと淋しかった。私の掛けている机からいつもOさんの笑顔が見えたのに見られない、私が田舎にいるとき、夜はいつも東の障子をあけて君の勉強部屋を見た、丁度、私の家のうらに当る君の勉強部屋に、電燈の灯がついているかをたしかめて君をたずねた。灯の見えない夜は淋しかったのをおぼえている。私の私もそんな気持だ。

幸い私も病気一つせずに勤めに出ることができるが、もし病気にでもなったらどうしようかと思う、健康保険もない私たち----賃金が安いのでましてやたくわえる経済的な余裕さえない。

言明でクビになった人も健康保険がないので苦しんだことだろうし、S君だって、Oさんだって失業保険もないので明日からの生活に路頭に迷っていることだろうと思う。

今の私は、ただからだだけをたよりにするよりしかたがない。

呉々も身体に気をつけて野良仕事に励んでくれ----、

第七信

五月の節句も過ぎ、議事堂正面の銀杏の並木や、歩道に立ち並ぶプラタナスの樹の葉も青さをまし、もう東京は初夏といった気分だ、

君に早速知らせる。五月一日の日曜に叔父の家を出て、下宿をすることになった。下宿は東京駅から中央線で約三十分、荻窪駅という駅の近くになった。叔父の家より近いために出勤も楽でよい、しかし東京に出て一年、都下の田舎町同然というよりある面においては商《み》店《せ》も少く、風呂に行くにも一時は電車で出なければならない、へんぴな所を寄り道もせずに朝夕出勤して帰るといった状態で一年、ようやく都心に下宿するとなると、東も、西もよくわからない私にはちょっと心細かった。

晩はおそくまで人通りがあり、時々、自動車の警笛と、走り去る軽いエンジンの音が下宿の窓ガラスをゆすぶりながら静に音を消してゆく、

私が下宿するようになったのをどう思っているだ

16

ろうか、よく友達は叔父や、兄弟と一緒に生活していると、きゅうくつでたまらないとか、喧嘩をしてやむなく下宿をするといったことを聞くが、私は叔父との間に感情的なものもなかった。私は叔父たちに何かたよりきっているのがたまらなかったのだ。私は叔父たちまかせの生活から切り抜けようと思ったが、そう考えれば考えるほど、私という個人が狭くなり、結局、自分の生活というものを一定の枠の中にはめてしまい、いつになっても抜けだすことができなくなるのを恐れていたからだ。

役所に出ると、家から仕送もされずに学校に通っている人の多いのを知り、私自身、あまりぜいたくな生活になれ切っているのを知った。ある日、自分の給料で学校に通っているKさんに、どの位あれば一人で生活ができるかを聞いてみた。Kさんは通勤費、月謝、食費、部屋代とこまかく紙に書いて説明してくれた。とうてい恩給の給料では生活ができないのでKさんは夜、アルバイトをしているといっていた。私はこのように多くの友達に当ってみた。私は学校に行っていないから月謝はいらない。どうにか、ぜいたくなことを望まなければ生活はできる自信がついた。

四月下旬、安い下宿をさがすことができた、というより、友達のKさんの紹介でみつかったのだ。下宿の奥さんとはもう話をつけてしまい、敷金も入れ、五月一日に引越すことまで約束してしまった。しかし叔父に話すことは何か心苦しかった。一日、一日と日がたつにつれて引越の日曜も近ずいてくる。二十八日の日だったと思う、叔父と食卓を前にしながら、今夜はどうしても話そうと決心して私は下宿のことを話した。叔父はちょっと驚いた様子で「下宿をな……」と聞きかえしてきた。

君も知っているだろうが、私が上京する時、隣近所のおばさん達が私を送りに集り、父や母に「叔父さんの家なら、送りだすおばさんも安心でしょうなあ」といっていた。父母も私を東京に送りだすのにさほど心配もしていなかったようであった。こうして一年、叔父の家で一緒に生活して来た私の口から下宿をするといわれるのが心苦しかったと思う。叔父は黙ってうつむいて何か考えているようだった。私はこの姿を見たとき何か息苦しいものを感じ、叔父の言葉を待たずに私はいった。「叔父さん、僕は決して家に居ずらいから出るのではなくって、下宿することによって僕自身何か良い結果になるのではないかと思っているんだけれど」叔父はそのとき不安そうに「うーん、だけどできるかな」といっていた。炊事をしていた叔母はこの話をいつの間に聞いたのか、エプロンで濡れた手を拭きながら驚いた様子で私たち二人のところに来て「Kちゃん、下宿をするんだって……」とさも心配そうな顔をしてきた。私は下宿をきめたことや、今の給料でもどうにか生活ができることをくわしく説明した。叔父は「そうか、いいだろう、おまえがそんなにも考えて下宿する気だったら……しかし、下宿はつらいぞ」とつけくわえていった。

こうして下宿をするようになったのだが、何かいえ知れない淋しさが胸にこみあげてくる日もたび〱あった。

私は荷物という荷物もほとんどないので引越は簡単にすんだ。部屋を見渡すと何か殺風景で、ミカン箱に詰められたわずかの本と、片角におかれたコウリ一つ、下宿とはこう不調和な味気ないものと思っていなかった。


君もそうであろうが、東京の生活を想像されるとき何か映画に出てくる色々な東京の場面が……、学生達が下宿している生活、しかしこれはほとんど画面に調和したもの、こんな考えが私の頭の中にはいつの間に深く入り込んでいた。しかし現実はそんな調和したものではなく、何かにつけ不調和な点ばかりであった。

北向に背丈もするところに一間半位の窓があった。一年中部屋には陽が入らないだろうと思われ、見えるものは空ばかりだった。風が吹くたびに外に植込があるのかサラ〱と葉音をたてゝ、高い窓に青々と繁った小枝をのぞかせていた。

部屋の中はうす暗くベニヤ板で四方がはられ湿気のおびた空気はベニヤ板独特のニオイを一層強くしなから私の鼻をついた。この部屋で私は生活することになった。君は下宿生活する私が、何か解放されていていゝだろうと考えるかも知れないが、下宿とはそう甘いものでもないのだ。想像にもおよばない部屋で朝夕一人で食事をとるのも心細いものである。君は両親のもとで三度の食事をとるにも母が膳の仕度ができるまで待っていれば良いのであるが、一人東京のど真中で朝早く食事の仕度をして出勤せねばならない。一番考えさせられるのは野菜や、さかなを買いに出るときだ。八百屋の店先でしばし考え、ふところの金に相談して、にんじんとか、きゃべつを十円位づつ買う。最初は「十円下さい」というのがはずかしくてたまらなかったが、今では十円、の買物をするのにも考え、五円の買物をするときもある。

この間、おもしろいと云うか、一寸した買物のしくじりをした。八百屋の店先に青いなんばんがあった。久しぶりに好物のなんばんを焼いて食おうと思って「なんばんをくれ」といったら、店の小僧が、「なんばんはうちにはございません」という。目の前にちゃんとなんばんがあるから「こゝにあるのではないか」と指さしたら小僧、「あゝ、これピーマンですか」という。田舎では赤なんばんも、青なんばんもなんばんというのに東京ではピーマンというらしい。それ以来私は、買物をするときは指さして、「これくれ」というようになった。指をさして買物するのが一番意志が通じてよいらしい。

下宿に移って三五の祭日に思いがけないアルバイトの口があった。二日とも五月晴れの暑い日だった荻窪から二つ目の吉祥寺駅、そして住宅地に入ったある会社員の家に下水用のカラ井戸掘りの仕事であった。私とK君と肩をそろえて商店街から静かな住宅地に入るにつれて、庭先にたてられてある竿の先のコイが空高くおよいでいた。なま暖い風が私たちのほゝをなでて通り過ぎた。そのたびごとに頭上にカラ〳〵と矢車のまわる音が聞こえた。

東京へ出て初めてクワを手にした。田舎のクワとは一寸違った感じのクワだった。カラ井戸を掘る道具といっても、クワとシャベルだけで私とK君の二人で掘り始めた。クワを二、三回ふり込むともう汗ばみ、次第に汗はひたいを流れ、昼ちかくにはもう、手のひらにまめができてしまった。昔はどんなに働いてもまめなど作ったことがなかったが、東京へ出ると体がなまになってしまうらしい。私はK君に仕事をしながら「せっかくの祭日なのになあ」といってまた黙って掘った。

二日目の五日の日には井戸の中の土を簡単に出せられなくなってしまった。こうした時には田舎では道具がそろっていて滑車でも使うこともできるが、私たちの仕事をするにはこんな道具もなかった。十尺も掘り下げると土を出すのに一苦労、荒縄を二本つかつて縄をない小さなバケツに縄を結んでつるべ式にひっぱりあげたがこれは大変な苦労であった。荒縄を握ってひき上げる私の手のひらのまめは荒縄のためにさけ、縄を握るたびに手はいたかった。つるべ式では引き上げる力と疲れが激しくなるので、物置から太い竹を探し出し井戸の上に物干台のしつかりしたようなものを作った。横に渡された竹に縄をかけ、ひっぱることにした、まあ滑車をまねた原始的なものだった。こうして十五尺あまりのカラ井戸を掘りあげ、井戸の中をのぞきこんだ時は、よくも私たち二人が揃わない道具でこれだけの井戸を掘れたものだと思った。この間も都下の住宅地で井戸を掘っているのを見たことがあったが、大変な道具を使っていた。土をだすにも動力を用い、穴の上に井桁組のように左右に動く滑車がとりつけられ、上にいる人はたゞ土をあけるだけだった、それを私たちが二日位で掘り上げることができたのは何か偉業のように思えた。これもたゞ金になるという一念からの偉業だったのかも知れない。

金をもらった時はうれしかった。二日間で九百円位になった。この金でナベでも買をうかと思い、その帰りに買って帰った。

私たちは四月二十八日、五月三日、五日の祭日は役所は勿論休であったが、私たちは日給なので三日間の休みは減収になる、そのため私はゴールデン・ウィークを遊ぼうとは毛頭考えていなかった。どうにか減収分だけでもうめ合せしたいと思っていた矢先思いもよらぬアルバイト口でどうにか生活を続けることができた。

第八信

本格的な夏が来たような感がする、都内の木々の葉は青さから黒みがおび街路樹の繁みは所々に木影をつくっている。

昨年の今頃だったろうか、君も知っているように新聞やラジオで近江絹糸のストで騒がれていたが、しかし、私はストとか斗争とか云う言葉をたゞ新聞やラジオで知っているだけで、実感として組合の斗争を身を持って感じたことはなかった。

ところが、五月の初旬から恩給局の組合は四月から五月にかけてのゴールデン、ウイークを有給休暇にしろといって斗争を始めた。この間も君へ書いた手紙にも知らせたと思うが、三日間の祭日が無給のため月の収入が少くなるのでそんな、ところから組合がとりあげたのだった。私はこの組合の斗争に参加して直接身をもって組合の斗いがいかに激しく、複雑なものであるかを体験した。

斗争の当時、連日のように決起大会やら、報告会がなされ、職場に帰れば仕事をする人も少なく、カべに貼るためのポスターを書いたり。プラカードを書いたりで、職場の中は雑然としていた。私たちの恩給局の職場にこんな問題が起っている頃、恩給局と関係のある援護局で大量のクビ切りがあって、援護局の労組の人たちが恩給の職場に来て、靴みがきをしている姿も見うけられる日もあった。ある日など、ラジオ東京のニュースで恩給局で何十名かのクビ切りがなされたという放送があったということが職場の誰の口とはなく聞かれた。このニュースを聞いた時、一時職場は騒然としたこともあった。

私はその時は驚き、もしやクビになった人の名簿の中に私の名前もあるのではないかと心配だったが、このニュースはデマだったか、その真意を知ることができなかったが、局の方では「そんな発表をしたおぼえはない」ということが組合から知らされホッとしたときもあった。君はそうとう労働運動のことについて学生時代から関心を持っていたようだが、しかし、労働者としての身分ではなく、農業を営んでいるので直接労働運動というものゝ実感を感じたことはないと思う。

私は丁度当時のゴールデン、ウイーク斗争を感じたきゝ日記に書いてあるので君に読んで頂こう。

五月二十日、

職場は緊張に満ちた空気がみなぎっていた。誰一人、席についている者がいない。職場で話合われた。プラカード作りをする者、一心に絵を考えている者等皆仕事を分担してやっていた。廊下ずたいにメガホンを口に「組合員の皆さん、全員広場に集合して下さい」という執行部の人の声がした。皆、「それ!」とばかりにできかけのプラカードをかついで広場に駆けていく姿もあった。

私はどうしようかと迷った。

「K君日計表をまとめてくれよ」と係長がうしろから声をかけたので、私は「仕事をしなくとも出すんですか」と問い返した。係長のいうのには仕事をしても、しなくとも提出すべきものは書くのだといっていた。

いつの間にか職場は静まり、係長、班長、そして私がとり残されてしまった。何か恐怖に似たものを感じ早く日計表を書けるだけの準備をして広場に行こうとあせった。

あけたてする引だしの音が職場中に響き渡った。万私の気持はあせりを感じた。

広場に出た。ムシロ旗がある。プラカードを持っている者もいた。

「局長よ、交渉に応ぜよ」

「十五日の線撤廃」

「ゴールデン、ウイークを有給にせよ」のプラカードがあった。中にはペリカンの絵を描かれ「二枚舌の局長」と書いてあった。又、狸が大きな出歯ぼうちょうを持って組合員でもあろうかスクテムを組んで立ち向っている絵が描かれているプラカードもあった。

組合員をおしわけてY君の隣にいくと、やっと執行部の報告が聞きとれた。「再三の組合の申し入れに対し局長は、業務多忙、国会出席の口実に一方的に交渉を拒否している」と、その報告がなされるや、組合員はどよめいた。

「これで解散するのはもってのほかだ」

「何かこゝで気勢をあげろ」

「デモ」〳〵の声があっちこっちから飛んできた。

しばらく時がたった。誰か壇上に立って、局内デモを行うことを指令した。

組合員は各課ごとにデモ体勢をとゝのえた。前方で組合旗がひらめき、歌声がどこで起ったともなく波のように押し迫せてきた。私とスクラムを組んでいる友達も声をはりあげて、「民族独立行動隊」の労働歌をうたっていた。

私もうたった。ほとんど歌詞がわからなかった。ただうたっているなと意識されるときは「進め、進め」というときだけだった。

先頭の方で「ワイショ〳〵」と掛声が聞こえてきた。両脇の友達は私の両の腕をギュッとだきかゝえるようにして腕を胸のところに持って行った。スクラムとはよく聞いていたがこうして組むのは始めてだった。

何か胸の高鳴るのを感じた。両脇の友達は緊張感に青ざめた顔に目だけを輝かせ大声をはりあげて労働歌を口ずさんでいた。

　組合旗がゆれた。プラカードが上に下に激しくゆれ、前方に進んで行った。デモが始まったのだった。笛の音がピッ、ピッと一定の規律をたもちながら鳴り響き、私は無我夢中で駈けだした。五列の隊伍は左右にゆれながら前進した。

デモはしばらくの間続いた。局内一周すると執行部の指図のもとに局長室の前の廊下に座込み、廊下から階段へ、そして入りきれない組合員は庁舎前の広場に座り込んだ。

　夢中で友達の腕にすがっていた私は、何ら考える余裕はなかった。座込みに入り時間が刻々と過ぎ去るにつれ仕事のことが気にかゝってきた。

「便所に行ってくる」といゝながら座込んでいる組合員をかきわけ外に出た。職場に通ずる庁舎はシーンと静まり、廊下を歩く足音がコツ〳〵と廊下一杯に響きわたった。職場に帰るとS君、N君が仕事をしていた。どうしたのか係長の姿は見えなかった。

私はS、Nの両君がデモに参加したのだろうか内心ドキ〳〵しながら片隅の椅子に掛け、きしむ引きだしをひきだし鉛筆をとりだして日計表の作成にとりかゝった。

時計は四時をまわっていた。誰一人職場へ帰ってこなかった。青ざめた顔をしながら駈けこむようにして入って来た係長は椅子につくや、班長を呼び、何か話していた。席にもどってきた班長は「今日は早いけれど仕事をしまって帰りなさい」という。正門にも、裏門にも組合の人たちがピケを張っているのに帰れといったって帰れっこないと思っていた。するとS君もN君も帰り支度をして「K君帰ろう」といった。廊下に三四人の人たちの話し声が聞こえた。M君や、Aさんたちだった。彼等は今までどこかに隠れていたのか、映画の話の続でもあろうかそんな話をしながら皆な笑いながら入ってきた。

　私は帰り支度をして廊下に出た。すると他の係の人たちも隠れるようにして便所の方に行くのが見えた。私はこんな方に行ったって帰れっこないと内心

S君たちを知っていた。

恩給局と外務所の空地との境に高い土手になっている。そこに背丈以上もする木塀でしきられている。丁度、恩給側の土地がかぎ形に出張り、そこに便所が建っている。その便所の建物と木塀の間が大人一人通れるくらいのすき間があいているのだった。帰り支度をした者は皆そこを通り、便所の裏側にまわつているようだった。私もようやく裏側の狭い建物と木塀の間にくることができた。三四人が立止り何かしきりに見つめていた。

空地をもつ誰かゞ駈け逃げるようにして帰る姿が見えた。木塀の板が二枚はずされ、人が一人くゞれる位の穴があいていた。くゞり抜けるときにちよっと足を踏みはずせば土手からころげ落ちそうなところを誰一人口を開く者もなく、われ先にとその穴に足を入れた。足が入ると胴を、手はしっかりと横に打ちつけられた板につかまり背を弓のようにまげて、顔を板にぶつけないように顔を穴から抜く。塀をくぐり抜けた者は土手を駈けおり、空地をつっ切って合同庁舎の方に姿を消して行った。

S君とN君、そして私も塀をくゞり抜けて一緒に帰った。私たち三人ほとんど話をかわさず駅に向い電車に乗り込んだ

五月三十日

今日の午後はほとんど組合の座込みに参加しなかった。いつか誰かゞ呼びに来るのではないかと心配でたまらなかった。

三時頃、自動車の警笛とエンジンの音にまじって笛の音と、人の掛け声が聞こえてきた。二十日の日のように又局内デモが始ったのかと思ったが声のする方角が局内ではないらしい。黙って仕事をしていたS君やM君、班長が「何だろう」と立ちあがって、ついたてと、戸棚でしきられた廊下の窓ぎわの方に出ていった。恐る、恐る、私も彼等のうしろに隠れるようにして外を見た。声は次才に恩給局の方に近ずいてきた。正門にピケを張っていた組合の人たちが拍手をしながらピケをといた。

煉瓦塀に竿先をのぞかせた赤旗が一本、二本と門を通り過ぎた。官公労、農林の各労組の旗だった。たぶん恩給の斗争に応援に来たのだろうと思った。

私は黙って席へもどった。職場はいつものように水を打ったように静った。日計表を作成するために

りロバンをはじいた。廊下に話声が聞こえた。足音は次才に職場に近ずいてきた。私は反射的に鉛筆を置いて声の方をふり向いた。M君たちだった。

「K君どうしたのだ、行かないのか……」

三人の友達は興奮した顔をやゝ紅潮させて声をかけた。何かもちに来たらしかった。もう私の存在をも考えずに引きだしをあけたり、しめたりして何かを探していた。

「おい誰かタバコを持っていないか」とM君が誰にとなくいった。私は「俺持っている」といおうかと思ったが何かいいたくなかったのでやめた。三人は職場に三、四分いるかいないか内に職場を出ていってしまったが、出がけに又、「おいK君行こう」と誘った。

職場はまたいつもの静けさにかえった。仕事がおわってしまったのでどうしようかと迷っていると、いつものように班長が「仕事をやめて帰りなさい」といった。こうして私たちは隠れるようにして門をくぐりぬけて帰った。

六月八日

今日は給料日、私は今日ほどつらい思いをしたことがなかった。

四時をまわった頃であった、いつもの給料日ならばその時間には給料は渡されるのにまだ出なかった。給料を待ちきれずに騒ぎ出す者さえいた。

ざわめきが次才に静まった。ようやく給料が渡され始めた。給料袋を持った職場の人たちは三、四人ところどころに集ってしきりに話をしていた。私は渡された給料袋を手にしてみると思ったより給料が多かった。不思議に思えたので再び袋をよく見ると残業手当がついていた。残業、残業のした覚えのない私はこの字を読んだ時、何かいえしれない不安感におそわれた。

職場の静けさも一瞬の間だった。執行委員のNさんという人が血走った目をして職場にかけ込んできた。「ちょっと、ちょっと聞いて下さい」と両手をかざして職場の人たちを制した。Nさんの話によると、今日渡された給料が各課において賃金カットがされていることがわかったということだった。そこでNさんは「この不当な組合に対する脅かしをはねかえすために、皆さんの受取った給料袋を職場委員に渡して下さい」といゝ終るや、

「賃金カット」

「そんなばかな、誰がつけたのだ」

「おい給料袋をあつめろ」という声があっちこっちから起った。

賃金カット、その言葉は私の全身に響きわたった。すばやく袋から金をぬきだして、屑籠の中に給料袋を誰にも気付かれぬように捨てた。その時、残業もせずにいつも早く帰ったのが残業手当がついていた。それを組合の斗争に参加したといって給料を差引かれているという現実を知り、私は直感的に月給袋を捨てた方が何か不安からとりのぞかれると思っていた。

M君が集めた給料袋を手に、机の脇にたゝずんでいる私に近より「K君」と手を出した。ドギマギしながら「捨てちゃった」といった。

「そんな事いうな、皆んなこうして出しているのだから」

M君は集めた給料袋をふりながら真剣なまなざしで私を見つめていた。私は捨てたことを頑張に言い張っていると、二、三人の者が「何だ、何だ」といって私たち二人のところに集ってきた。私はいたゝまらない気持に迫まられてきた。

瞬間、机の脇の置かれてある屑籠の中から給料袋をとりだしてM君に無言で渡した。しわくちゃになった給料袋を見つめたM君は、「そうか、K君こんなことにこだわっていたのか、心配するな」と微笑を浮べて私から遠ざかって行ってしまった。意外であった。あの時M君はさほど驚いた様子もなく笑って行ってしまったのが――

そして皆てんでに騒いでいた。

「おい誰が離席をつけたのか聞こうじゃねえか」

「そうだ係長をつるし上げろ」

と言うが早いか、もう誰かゞ係長を前に話をしている姿が見えた。皆係長をとりまいた。ふだんおとなしいH君まで係長にくってかゝっていた。係長は青ざめた顔をうつ向きかげんに、離席をつけたのが誰であるかの質問にたゞ「知らない」の一点張りであった。私はこの様子をそばで見ていた。これだけの行為が今日のせめてもの職場の人たちへの協力であったのかもしれない。

五時を過ぎても誰一人帰ろうとしていなかった。

他の課でも係長や課長、班長等を囲んで離席メモを

とつたのが誰であるか、との真意をついていること
が誰の口からともなく知らせられた。
「係長、他の係ではつけたと素直にいつているの
ではないか」
「それだのに知らないとはなんだ」
「係長、たゞ上司の命令でやつたと一言いえばい
いのではないか、それだのに五時を過ぎても皆帰
ろうともせず、係長の〃つけた〃の一言を聞きた
くて集つているのではないか」の言葉が飛んだ。
今まで「知らぬ」「ぞんぜぬ」の一点張りだつた係
長はしばらくうなだれていたが、スッと立ち上り、
「やりました」と青ざめた顔をもたげていつた。と
りまいていた者は一瞬、どよめきと、沈黙の瞬間が
あつた。
「言質をとれ」の声がかゝつた、こうして係長の言
質をとつた組合員は時間も遅いので、賃金カットの
問題を明日にまわすことになつた。
私は今、今日のできごとの一連を思いだした。あ
あした職場の中で何か自分のみにくさをまざくと
見せつけられたような気がした。
笑顔で私の給料袋を受けとつたM君の顔、そして係
長に向つたM君の二つの顔が瞼に焼きつき目に浮ん
でくる。

十時記

これが私の日記だ、君は読んでどう感じ、今まで
君が考えていた組合の斗争というものと何か当はま
るものがあるだろうか、
職場の人たちは賃金カットがあつた日から今日まで
私の残業手当のついていたことを口にする人もなか
つた。そして時々、M君や、N君が私のところに来
て「仕事がそんなに忙しいのか」と聞きにきたこと
もあつた。所で斗争中のことでようやくこの頃知つ
たのだが二十日と三十日の日に武装警官が恩給の正
門や交渉の場に入つてきたことを知らせられた。
長々と自分のことばかりまくしたてゝ君にすまな
い床に入つてからも書いていたので眼がつかれてし
まつた。呉々も身体に気をつけて……。

第九信

田舎の父の手紙によると何か田舎は東京より暑い
とか……。しかし田舎は日中だけ、朝夕は肌寒い

ほど涼しい、そんな実ではすっきりしていてよいが東京は朝から晩まで部屋の中にいても汗がたら〱とひたいを流れるのがなんともいえないくらい気分がわるい。

君は今でも恩給局という職場を仕事のやりよいところと思っているだろうが、いつかの手紙でも知らせたと記憶しているが、バラック建築だと……。これだけなら私たちも仕事をするのになんの仕障もないのだが、夏はむし暑く、冬は冬で寒むさに悩まされる。

この頃は暑さもたけなわとなってきて、私たちは休みの時間は風の吹く木陰をえらんでそこで休むことにしている。こんな暑くなった私たちの職場に、この頃、身の毛のよだつような事件が起きた。その事件のことを話すのにちょっと遠まわりをしながらというより局内の衛生面を説明して行った方が君にも恩給の職場がいかに不衛生かが理解できると思う。

恩給局に野良犬が住みつくようになったのはもう以前かららしい。この頃では小犬をまじえると七、八匹、いや遠くから姿を見かけるだけなのではっきりした数は知ることができない。この野良犬は見るからにやせこけ、毛なみも悪く、全身の毛がぬけたような、みるからに汚ならしい。東京の中心部の役所に野良犬が住みつくのも何か役所自体が古るぼけ、管理当局がいかに衛生観念がうすいかがうかがえるであろう。

そんな非衛生的な為か、日中仕事をしているさ中でも大きなねずみが床をかけあるくのが見られ、仕事中大騒ぎをすることもある。みんながつかまえようとするが、この大きなねずみはすばしっこくとうてい私たちにはつかまえることができない。職場でねずみを見ると大騒ぎするのも、朝出勤すると必ずといってよいくらい引きだしの中を荒されているからである。引だしの中に入れられた書類、石ケンあるいは腕カバーがねずみの糞や、しょべんで汚され、石ケンなぞはかじられて使いものにならないくらい汚されてしまう。この頃では、職場で皆帰りまぎわに引きだしをひきだし一カ所に集めてねずみが入らないようにして帰ることにしている。

ある日、私たち職場の二階に公務扶助料の審査をしている二課で多くの原書をあつかっているためダニがしばしば原書についているので消毒をおこなっ

28

たらしい。それを階下にいる私たちは知るよしもなかった。ところが消毒がされた間もなくだったろう、かべぎわに掛けておいたワイシャツを着ようとしたじさんが大騒ぎをした。

「うわあ、この小さな虫なんだ」といってワイシャツを持って皆のところに来た。えりもと、背中全体に小さな虫が数えきれないほどというより、もっと形容するなら白いワイシャツのえりが黒くなるほどだった。

誰かが「ダニだ！」といった。私はダニと聞いた突差、ゾーと寒気を感じた。田舎にいたときダニは牛や馬などの獣に付いて人間にはつかないと聞いていた。私が学生時代隣の家の犬のエスが大変かゆがっているとき見てやったことがあった。その時、腹のところに黒い虫がくいついているのをみつけ、とってやろうとしたが虫は頭を肉の中にまでくい入れ、とろうと強くひっぱるとエスはしきりに痛がって鳴いたのをおぼえている。私はエスにくいついていた虫がダニだと知った。そんな事が一瞬思い起され、全身に寒気を感じたのだった。

半袖のシャツを着ていた私の腕はとり肌がたった。ダニと聞くや仕事をしている者も皆大騒をして各自掛けてあったワイシャツや皆勤シャツを手にして見つめていた。椅子にも、原書にも、机の上にも黒いのや、赤い肌をしたのや白いダニがすばしっこく歩いていた。

この頃、わけもわからなく身体がかゆかったのもダニのせいだったかも知れない。裸になってみると腕や、腹やふとももがダニにくわれて赤くはれていた。

君は恩給局にダニがいることを知るとあきれてしまうだろう。たぶん清潔な官庁と想像されていたことだろうに……、それから後、DDTでダニ退治をしたが、たかゞ小さな筒でシュー〱とやる位ではとうていダニを退治ができるものではなかった。

私たちはこうして今でもダニと、暑さと、ねずみに悩まされながら毎日仂いている。

田舎はもう盆も過ぎこれから又忙しくなると思うが、まだ残暑もきびしい今日この頃、身体に呉々も気をつけて仕事に励んでくれ。

☆

☆　☆

☆

以十信

この頃二、三日東京はしのぎ良い日が続き、陰気な下宿の窓をあけると秋風を燕ばせるような風が吹き込んでくる。田舎のたんぼはもうめっきり稲穂も出そろい、秋風に出そろった稲穂がなびく頃かと思うが----。

この間の日曜、久しぶりに叔父の家に行った。叔父の家の前の松林からはもう日暮しの鳴く声が聞こえ、もう暑さも峠を越した感じがする。

私は月に一度ぐらいは叔父の家に行くのだが、行くたびごとに都心を離れた都下の目覚しい発展ぶりに驚かされる。私が年に一度田舎に帰るのだが昔ながらの家があり、林があるのを見るときは「あゝ家に帰ってきたんだなあ」と急に緊張した気持がゆるむような感じがするだった。

私が叔父の家を訪ねるときも落着いた静かな田舎の生活を想いおこしてくれるような気がしたが、この郊外も住宅はどんどん建てられ、自動車が走る、そうしたせわしさに緑につゝまれた住宅地も、今では灰につゝまれなにか淋しい感じがした。

その夜、私は叔父とお茶をのみながらこんな話を聞かされた時驚きと、失望とそしてあまりにも人間というものは弱いものだということを、これほど身近に感じたことはなかった。

と言うのは、Iちゃんの姉さんのH子さんがこの間、下宿に二通の書き置きをのこして東京から姿を消してしまったことがある。叔父は東京に長い間いるのでIちゃんの父さんから頼まれてH子さんの面を世話した関係で何かと心配しているようであった。Iちゃんから叔父のところに「姉ちゃんがいなくなった」と連絡のあったのが事件のあった翌日だった。叔父はすぐにIちゃんの下宿を訪れたそうである。二通の手紙の内一通は両親宛にもう一通は商業学校時代の同級生だったKさんという人に宛てであったらしい。手紙によると、学生時代好んで読んだ小説が、H子さんの脳裡から抜けきることができず、H子さんは小説に出てくるA県の静かな湖畔で死にたいといった手紙を書きのこしてあったそうである。叔父は直ちにA県の警察にH子さんの顔かたち、身なり、

30

身長等を連絡し、H子さんらしい死体があったら連絡をしてほしいという探査願いの電話をかける一方Iちゃんを現地に送り、警察の手をかりてH子さんの足どりを探ったそうである。泊ったらしい旅館をつきとめることができたが、既にその時はH子さんはいず、旅館の人の話によると、九州に行くといって旅館を出たということだった。Iちゃんは九州まで姉を追う旅費を持ち合せず一たん帰ったらしかった。

叔父はその夜も「まだみつからないところをみると本人も死にきれず、何処かで生きているかもしれないし」と心配そうな顔をしていた。たぶん叔父は生きているのを願っているようだった。

君はそんな事件があったのかと驚いているだろうと思う。私とて驚きというよりも死ぬということがこれほど身近に感じ、考えさせられたことはなかった。たぶんIちゃんの家を除けば村のほとんどの人がこの事件を知っていないと思う。私は村に入っていないこのニュースを名誉とか、好奇心半分で書くのではなく、こうしたH子さんの様な事件が田舎にいた時もあったし、君からの手紙でも知らされ、今私はいてもたってもいられない憂うつ感におそわれせめて君だけでも私の考えを聞いてもらいたく考え書いた次第である。

今年の正月に私が帰った時、GさんところのYちゃんが三輪車を家の門に止めて、卵の集荷にきたことがあった。私はYちゃんの姿を見たその時、どうして帰ってきたのだろうと不思議に思った。君は何故といわれるかも知れぬが、Yちゃんは中学を卒業するとすぐに東京の肉屋に奉公に入り、昨年の正月にYちゃんが帰ってきたときは村の人たちからうらやましがられ、こんな話をしばしば聞いた。「Mさんの○夫ちゃんは学校を出てもあのようにぶらぶらで帰ってくるが、GさんところのYちゃんは、家中のメリヤスシャツを持って帰った」ー、家でも上等なタオルをもらいやした」と……。私の母などは何もいわなかったがたぶん話を聞くたびに苦痛な思いをしただろうと。そうして今年の正月帰ってみるとそんなことで村におらなかった。母にきいてみたら昨年の十月頃帰ったとかで。母も直接聞いたのではないがYちゃんが帰ってきたことが村ではこんな噂があると前おきしてこういった。「一方のものをもちだして、やめさせられたって……」といっていたが本当にそうだろうか。

Ｈ子さんの行方不明になった事件やＹちゃんが東京から田舎に帰ったことにも色々原因があると思う。私はいまゝで君にできる限り東京の生活を知らせたつもりであるし、君もあるていど東京の生活がどんなものか想像はついているだろう。しかしながら私はまだ〳〵本当の東京の生活というものが厳しいような気がする。それを村のほとんどの人たちは東京に出ている私たちが田舎に帰ると、何か私たちがえらくなったような錯覚さえ感じるときもあった。高校時代親しく話のできた人も、いまでは話をするにもかしこまってしまい私としても話をすることができなかったこともあった。どうしてこうなるだろうか、私は村の人たちは本当の東京を理解していないせいもあるではないだろうか、村では日一万円の収入もあれば十分一家の生計をたてゝいかれるが、東京では一人生活するのも困難な状態を村の人たちはどう考えているだろうか、

Ｈ子さんだってＩちゃんという弟と一諸に一万円そこ〳〵の給料をたよりに生活しながら、Ｉちゃんを夜学に通せ、家からは金に困るから送金してくれとひんぱんに手紙が来ていたらしかった。そんなときにも何かと苦面しわずかの金を送っていたらしいが、Ｉちゃんは姉の苦労をさほど感じていないらしかった。私と新宿で会ったときも久ぶりだといって私の知らない新宿の街をつれて歩いたこともあった。こうしたことがＨ子さんを苦しめ、そこへ君も知っているように疑獄事件がひんぱんに起り、Ｈ子さんの勤めている会社にまで波及し、会社の営業不振といったことがＨ子さんをこのような結果に追いやったのではないだろうか。Ｈ子さんの父さんも気丈なところがあるが今では身の細る思いで苦しんでいることゝ思う。

君は家をつぐため外にも出ず、村で生活してきているのだが、親たちにもっと大らかな気持になって、もらいたいと考えたことはないだろうか、親たちは子供が一人前の大人になれば子供の世話になるのが当然のように考えているらしい。子供たちはこうした生活の中に自分も大きくなったら親たちのためになってやろうという単純な考えが次才に子供たちを卑屈な人間につくってしまうのではないだろうか。

Yちゃんだって、H子さんだってこうした目に見えない縄のようなもので、しめつけられ、しめつけらーれして結局あのような事件となってしまったのではないだろうか。

村のことを終始考えている君にこんな手紙を書くのは何か君を憂うつな思いにとじこめはしないか、私も今、深々と更けゆくあたりのけはいにペンを置いてじっと考えようとしても、静けさは一方私の耳をつき、いまでは静かなのがじゃまほどに感じてならない。

君の手紙によるとなにか田舎でうた声運動をやりはじめたとか、又年の若い青年から三十過ぎのオバさんたちまで参加して週何回か集って、中学の音楽室やっているとか知り何やらうらやましいような気持になってきた。私もこの頃恩給局の職場の中にコーラスや、学習サークルのあるのを知り、友達にさそわれるまゝに庁舎の片隅でやっているコーラスにも参加するようになった。最初は何か行きずらかったがこの頃では毎日手渡れる楽譜が一枚二枚と集るにつれ、歌も一曲、二曲とおぼえていくのが何だか楽しくなってしまった。

この間の二十二日の日曜日だった。私たちの恩給の中にあるサークルが合同してハイキングに行くことを計画していた。私はこのことを知ったのは、コーラスに出たり、あるいは職場で仕事をしているときに何の気なしに話し始めたKさんという人が私たちM高校の先輩であることを知った。このKさんは私に一諸にハイキングに行かないかと誘いに来たので私はサークルに入っていなかったが、日曜をただ下宿で憂うつ症にとりつかれたように日中溜息をもらしているより一諸に行った方が良いと思い仲間に入

郷土信

今頃、信濃路は春たけなわといった気分だと思うが、M公園の山の桜も見頃と思う。東京はもう桜の花も散り、今では葉桜といった感じ、まず〳〵新緑の季節が東京に一足先におとずれてきた感じである。

正月以来御無音してしまい申訳なく思う。今年の帰省に風邪をひいてしまい。思うぞんぶん君と語り合うことができなかったのを今考えてみると残念でたまらない。

88

れて頂くことになった。

二十二日の日、ハイキングに行く人たちの顔ぶれがどんな人たちか知らないので何か心細い気もしていた。しかし集ってみると、ほとんど話をしたことのない人たちばかりであったが、何か心のおける感じがしていつとはなしに一緒に話し合うようになった。私たちが行く目的地は都筑丘陵といって新宿より一時間電車にゆられ神奈川県との県境の丘陵地帯をあるくのであった。矢野口駅という駅で電車を降りたとき前方に小高い丘が新緑の色にいろどられ、目前にひらけているのをみるとき私は目を見ひらきあたりの景色にみとれた。都心よりわずか一時間、電車にゆられて郊外にでればこんなに静かな所があるのかと……。道の両脇には梨畑があった、まどかサークルの人たちや他のサークルの者は一団となってうたをうたいながら丘に通ずる道を歩いて行く。梨の花はその頃が見ごろであったかも知れない。木はよくせんていが行きとどき、丁度木の上に白紙を載せたように梨の花が咲き、畑は山の裾より平地に至り道の両脇に梨畑があるというより、梨畑の中を道が縫っているといった方がよいと思う。こんな梨畑を見ていると私は何か田舎のりんご畑が思いだされてきた。りんご畑は民家のあるところから山に至るまで、ところどころにあり山を越え、視界がひらけ畑に出ると又りんご畑がある。りんごの花は白に赤味をおびた小さなかれんな花が咲いているのが…。いつか道を歩いている内にそんな田舎の山道を歩いている錯覚さえ感じられてきた。

坂道をのぼり、梨畑を見透すと新緑の木々の茂ったかたまりに黒い屋根が点々と散在している、たぶん民家でもあるのだろうと思われる。山に近ずくにつれ畑に菜の花が黄色い花をほころばせているのにきがついた。田舎だと菜の花が咲く頃は丁度麦の草とり、たんぼには人で一ぱいなのを思いだす。頭にほゝかむりをしたオバさんが小さな草かきや、かまを手に麦のお取をはつている姿、そして男の人は、首に手拭を巻きつけ、クワをふりあげてひなたをつぶしている姿が思い出される。これを君と学校帰りに段々田の上を走る県道の上からいつも見かける姿であった。菜の花は黄色くたんぼをますのように、あるいは三角に、色々な形を青くなりかけたたんぼの麦の色とよく調和させていたのが……。

誰となくこの菜の花が目についたのか、中学の頃歌で教わった〃菜の花畠〃のうたをうたい始めた。私はこれまで歌ってきた歌の中には知らない歌もいくつかあったが、この歌なら大声をはりあげてうたえると思いうたった。歌もうたい終るころには菜の花の畠もうしろの方に見えた。

私はこうして二十二日の日曜一日を、山をかけあるき、うたいまくり童心にかえった心地ですごした。東京に出て二年あまりになるがほとんど郊外へ出て遊ぶことはなかったが、時には都心の雑音からのがれて静かな郊外で一日遊ぶのも何か心が一新されるような気がする。

ハイキングに行ってから色々と組合や、サークルの目新しいことを聞いたし、又君もうた声運動をやっていると知って何か私が今まで君に出した手紙が単なる想像としか君に与えなかったような気さえして、かえって私が恥かしくなってきた。これでは私もだめだ、何か行動を起さなければ、という衝動にかられてきた。

今職場では迫りくるメーデーのプラカード作りやメーデー歌の練習で活気に満ちた空気でみなぎっている。

メーデー、そうである昨年は引越であった。そしてその時はメーデーに対する関心もほとんどなかった。しかし今年はどうしてもメーデーに参加したいという希望がある。だけれどそういう希望に反し役所が休みではない、すると仕事をしなければならないのではないだろうかという考えがどこからともなく湧いてくる。現在の私は参加するともしないとも曖昧たる決心もつかないのが私の心境である。もしも参加したならその事を君に知らせたいと思っている。たぶん君は又、田舎のメーデーに参加されることだろうが、中央で開かれるメーデーは地方のメーデーと比較すれば色々な点で違うと思うが、今の私にはメーデーという雰囲気がはたして想像の出来るものではない未知のものゝようである。

私も頑張ってやるつもりである。君も田舎のうた声運動を益々発展させ、うた声をやるかたわら、農業においても村の人たちと一緒にやってもらいたい。

才 士 信

秋の足音は更けゆく夜のとばりから深々と部屋にしのびよってくるような時、いつも私は君のことや田舎のことが思い出されてくる。もう幾月なるだろうか、久しく君に手紙を書かなかった。益々君も元気で秋の取り入れに勢出していることゝ思う。

手を書きはじめる前に私は、ふとこんなことを想いだされてきた。その日は雨の降る日だったと思う。傘をさしながら君と二人で県道の水たまりのある道をひざまでズボンをまくりあげての学校の帰り道、君とこんな口論をしたのを……、この口論の発端は時事問題の時間、私のクラスで模擬選挙を行ったことからであった。君のクラスでもやったとかで、私と君との間で選んだ政党の問題に入った。君はその時社会党の左派を選んだといった。私は改進党と強く主張したことを今なんとなく想いだされてきた。あの時、君は左派の政策である再軍備絶対反対を主張して私にゆずらなかった。私は私で日本の財政のゆるす範囲であったならば軍備を持つことも必要だといった。しかしながら三年を過した現在、私は軍隊を持つこと自体に疑問をいだくようになった。あの時私は日本の財政のゆるす範囲といったがはたして財政のゆるす範囲とはどんなところに基準をおくのか考えてみた。

戦争中、私たちは週に二、三時間の勉強をするだけで毎日、毎日勤労奉仕にかりだされ、ドングリ拾いや、桑の葉さらい、あるいは麦の草とり、麦ふみと汗水たらして働いていた時、家では家でたんすのひきだしの金具からありとあらゆる金具類を拠出していもの入ったごはんや、いものつるまでたべた時期であっても、たとえ生活は苦しかったにしろ、国家財政の範囲で飛行機や、爆弾や、鉄砲のたまを作るために協力した、これも財政の許す範囲であったのかもしれない。そして終戦後、二十五年警察予備隊ができた。その予備隊も自衛隊になり保安隊にと名実ともに大きくなってきた。すると財政のゆるす範囲とはきわめて抽象的でありどこに基準をおいてよいのかわからない。それが今になってようやく考えるようになった。私が月給に勤めて二年、一行に生活は楽にならず常時というものしいたげられたレッテルをもらい、年をすぐるごとに生活は苦しくなつてゆくような気がする。この自衛と国民の生活に何か大きな矛盾があるような気がする。

君は私の考えもずい分変つたものと思つているであろう。一つこの再軍備に対する私の考えを書いたのであるが、このように学生時代から現在に至る思想的変化を今私はここで書かなければならないと思う、といつても決して私は急激に変つたとは思つていない、君自身もたびたびの手紙でよく知つていることと思つている。

私は今年の五月以降、組合、職場、サークル等の活動が激しくなつた。メーデーの参加も今考えてみても感慨無量なものがある。君は町のメーデーに参加したと知らせてくれた、町をプラカードをかついで町の工場の組合の人の群の中で村の駐在所のY巡査に見つかり、なんだか田舎のメーデーに参加するのは大変な決心が必要だというようなことを書いてよこしたが、私にだつていくら広い東京でも、そのような類似した問題にぶつかることもあつた。そうした問題にぶつかるときはいつも悩んだ、しかし私もこんな時に友達に自分の苦しみを話さずにはいられない衝動にかられた。

九月下旬、執行委員の改選に伴い職場においても職場委員の改選を行つた。その時、私は職場委員に選ばれ、一層組合、職場とのつながりが強くなる反面、私の叔父の警官という職業や、あるいは過去のスパイ事件を誰にも話さず心の中に留めて来たが、こうして職場の人が私を信頼し職場委員に選んだことに対し、あるいは職場から執行委員に出ているKさんや、Nさんが私を信頼して逐一、執行部の決定を私に伝えてくれるとき、どうしても私の気性として過去の事や、現在の私の立場を話さずにはいられない苦しみが増してきた。そんな時話しに乗つてくれるのも、サークルのN君や、職場の執行委員のKさんやNさんだつた。私は過去の出来事や、いまゝで話すことを恐れていた叔父の仕事のことを新宿のある喫茶店で話した。そうしてしまうと気分もさつぱりしてしまい話談にのつてくれたN君も、KさんNさんも一心に私を励ましてくれた。私はいかに友達が良いものかを考え、一層組合活動をせねばならないと考えるようになつた。

君も知つているように十月一日から十六日まで砂

97

川基地拡張の強制測量が予定されていたときも恩給の組合では執行部が毎日二、三人を現地に送っていたがしかし、それまで一人として職場から現地に行くものはなかった、その時私たちの職場は職懇において職場から現地の砂川へ送って砂川の現実の姿を見てきてもらいたいという意見が出て職場でカンパを行い、まず最初に現地に職場代表として私が行くことになった。私はこうして現実を見、考えて来た。しかしこうした日常の生活の中にも、もっとちがったものが私を変えたのではないかと思える。それは何かと君は聞くだろう、それは私自身だと思っている。恩給の職場においても、あるいはこの問題は一般的に言えるのかも知れないが、とかく組合運動をしている人々は警官という名を聞くと何だポリ公かと一種の軽視と、憎悪の念を持っていると考える。警官という職を持つ叔父をもって、では叔父は私の敵であるか、あるいは日頃叔父に対して憎しみというものを持っていたとは断定できない。私がこのように組合活動をさせるようになったのも直接叔父自身関係していなかったかもしれないが、しかし組合のできる時から現在に至って決して私を手先にしようとはしなかった。もし叔父が私に組合のニユースを持ってこいといったならばあるいはスパイ事件も又現在の私も正反対の方向に行っていたかもしれない。しかし叔父は私を自由にし、私自身の判断にまかせたこと自体叔父というものがある意味においては私を変えたと考えている。

　こうした一連の経過から現在、私はせめて平和なそして生活のできる賃金で身心ともに豊かな生活のできるのを願っている。

文芸陣

月日のたつのも早いものである。もう十一月、東京の街々にもこがらしが吹きはじめ、街行く人の足どりも何かせわしさを増してきたような感がする。とかく田舎を離れてしまうと、今田舎の農良仕事がどんなものかとんと見当がつかない。これも自然との接触が都会の灰色の空気にしゃだんされ、自然に対する感覚もとかく鈍くなるのであるかもしれない。だから私などただ街を歩く人の姿を見て四季の分別をするより致しかたがない。君に手紙を書くために

ペンを執ったときより、以前からこんな考えが私の念頭に浮んでいた。

「秋は厳寒と感傷の季節、そしておとずれくる冬は未来への出発点」と、せめて私はおとずれ来る冬が未来への出発点であってほしいものだと思っている。そんな考えを抱きながら私は君にたゞ〳〵私の考えを聞いてもらいたく手紙を書き綴る。

私はこの頃、自信というものに対し、何か恐怖とも似つかない疑惑を感ずるようになった。自信、私はこの言葉がいかに私を強め、又いかに弱いものにするかを考えさせられた。或る日は動揺と絶望とそして恐怖のうずまく真たゞ中で私自身がどう進んでよいのか暗呼たる目的をもたない夢遊病者のように歩きまわり、あるときは斗志と力と勇気を持って組合活動に職場に、そしてサークルの活動に動きまくるときもあった。

今、官公労及び総評で年末斗争に入っている。官公労では例年のごとく年末手当二ケ月分要求のスローガンを掲げ口会陳情デモを行うことを例としている。その日、恩給局の組合員も陳情のため三、三、五、五官邸へ集合することになった。私もその中に入っていた。恩給局の裏門から官邸に通ずる道路には、いつの間に手配されたのか警官が通行する人を呼びとめては何処に行くのか尋ねていた。そうした警官のたまりが百米位の間隔をおいて組合員以外の通行人に対しても官邸に向う道を通させないとはずんでいた。恩給局の組合は官邸に向う途中、一人二人と警に追い返されてしまった。以前の私だったならば警官の正服姿を見たきりで何か不安な恐ろしさにしどろもどろして返されてしまうのであったが、私はその時ガンとして「通行人である、私を何故返すのか」といって止める警官の腕をふりはらって官邸へ向った。残る組合員もすべて通行人をよそおってちりぢりに官邸前に集合したがその時既に他の組合の人たちも追いかえされてしまっていた。その時念頭に浮んだ考えは議事堂前のチャペルセンターの所ではないかと……。

口会議事堂の正門に通ずる銀杏並木の前にいつも官公労の陳情団は集ることを例となっていたのだが大きく議事堂を裏手に廻った。もう一人として恩給の人たちは見つからなかった、歩道には三、四と各企業の組合の人たちと、これも数多い警官によりさえぎられ

99

争合いをしていた。車道に止めてあった全逓の宣伝カーに乗っている組合員と警官で口問答している姿も見られた。

予期した通りにチャペルセンターの前に官公労の組合員が約十万てんでに各組合の標識の赤旗を風になびかせ集合していた。私は恩給の旗が見えないかと目を見ひらき探した。組合旗はあった。しかし多くの警官が二重にも三重にも組合員をとりまいているのでとうてい通れそうもなかった。私は意を決して警官の群の中を通り過ぎようとしたが、もうその時はおそかった。「何処へ行くのか」「何処から来たのか」としつこく聞いてきた。私はその時腹がたった。突嗟に私は恩給局の友達の所へ行っての帰りであるといゝながら強引に通りぬけ恩給の組合員の中に入った。恩給局の組合は警官と相対する最前線にいた。

組合員と警官との間に沈黙の対立が続いていた。遠くから姿は見えないけれども、陳情の報告をする声がはっきりきゝとることができないが拡声器から流れていた。

その後、一時ではあったがデモが始まった。しかし行手をはゞむ警官が数重となる列をつゝきることが出来ず、白い指揮棒とともに警官が前からデモの蛇行がうしろから押されてしまった。悲鳴、どなる声、息をはずませかける掛声がはっきりと聞えた。靴が片方足もとをころがるのが目についたが拾うことができなかった。悲鳴をあげながら将棋だおしの下じきとなってたおれる女の組合員、まさしくこの一時は幾千の警官と幾万の労仂者との力の頂点のうずまくまったゞ中であった。

こうした時に、この力と力との対立関係の中にある一つの事件が私の身におゝいかぶさってきた。ドスンと大きな体が私の目前に当ったのを感じた。チクショーと思ってふと顔を上げその顔を見た。叔父、叔父だったのだ。既に叔父は私の顔を見るのでもなく、すべて一人と一人との対立ではなくって私のいるのを認めていないかの様子で姿を群衆の中に消して行ってしまった。この事件は周囲の組合員が誰一人、認めることのできない対立いや、動揺と、絶望と、恐怖と、そしてその場から逃げたい感情が私の全身をかけはしった。

私たちのスクラムは波のようにうねっていた。私はもうすべての行動に対する考えは消滅してしまった。ただその場からのがれるということ、それだけが私の念頭にあった。

私はこうして君に手紙をかきながら、あの時のことを思い起してみた。こうした衝突も、組合運動に踏込んだ私にとっては宿命であると思っていた。あな時は私自身確呼とした信念と確信を持って組合運動をするかぎり、いかに叔父との衝突が起ころうとも動揺はしないと半ば自信のようなものを持っていた。しかしながら現実にぶつかった一瞬、自負していた自信という観念がたあいもなく崩れ去り、いかに私自身が弱いものであったかを考えさせられた。

君はこんなことを考えたことはなかったでしょうか、農作物をつくる場合に、米や麦、あるいは大根や馬鈴薯が良い出来でなかった時、来年こそは良いものを作くろうと考え、蒔入れを早くしたり、本を読んで研究したり、あるいは近所の老人に聞いたりして一生懸命に働いたが又良いものが出来なく絶望的になることが……。こうした努力の中に滑稽なことや、苦しみ、悲しみ、不安等が時折感情として出てくることがあるだろう。そうである、私だって自分の生活の不安や苦しみがある、そしてこんな事件が別人のように人が変ってしまう。私が君に手紙を書く前いや、書きだしてからも一種の不安がつきまとっていたが、こうしてペンを進め過去をふり返り、ふり返っているうちに新しい認識がわいてきた。農業をするにも、あるいは一つの行動を起すにも失敗圣験、認識、失敗、こうしたものが日常繰り返し、起っているのではないだろうかと……。その中に感情が入り行動を妨げあるいは急速に行動を発展させ、ある時は目にはみえないけれども目に日に前進しているのではないかと思った。事実、私も約二年君に手紙を書き続けてきた。ある時は課長補佐に睨まれ密告という重い荷をせおい社会に踏みだした当当大きな打ゲキを受けた。ある時は賃金カットという問題で私を組合からひきはなそうとした局側の策謀、又ある時は自他の弱さをふり返り下宿生活でしたこと、こんな時にもいつも私自身を拾てなかったと思っている。こうした中に私自身の考えも変ってきた。東京へ出る時にも、そして東京に来た時にも勉学という問題は私の生活に終始つきまとっていた、一、二度君への手紙に書いたと思っている。しか進学という問題はその時、私、いや家の経済のゆるすものではなかった。ある時はどうにかして自分自身金をためて学校へ行こうとさえ考えた時もあったが賃金の私たちにはとうてい生活するのが精一杯だった。ある時は友人のAさんがレポートを明日までに提出しなければならないからといって私に頼みに来た。大学の図書室でレポートを写している時は何か私の気持が現実からかけはなれ、私が学生になったような錯覚さえ感じた時もあった。

しかしながら今、私は進学をせねばならないという私に課せられた課題も現実という大きな漠然とした物にたち向う事もできず、矛をおさめて次にひかえている弟の問題を考えなければならなくなった。

私は考えた。再び弟に私の踏んできた卑屈な、あるいは人にしいたげられてきた道を二度と踏ましたくない。せめて私は弟に援助は出来なくてもこれが今私に課せられた問題であると。そして今、私は局舎につとめて二年となるが一日雇用の臨時転員から二ケ月更進の常勤転員となっても私は不安である。しかしながら手紙を書き始める時は絶望的な考えを持っていたが、従来蓄積されてきた強い力と人にたよる弱い気持から自主性のある私になろうとつとめるその時は不安もとりのぞかれるであろう。

互いに強く生きよう

草や

個人の歴史

〝都会に生きる〟について

―竹村民郎―

〝都会に生きる〟著者は昨年秋、会機関誌八号に、〝魂あいふれて〟を書いた。今度この号にのったものはそのとき書いたものを数回行はれた合評会の批判をいれて書き直したものである。私は著者に〝魂あいふれて〟を書くことをすゝめた一人として、又著者が書き直すのを援助した一人としてこのあとがきを書くことゝなった。

　本文にある様な著者が身を以て体験したスパイ強要事件そのものについては重要な問題をふくんでいるので別の機会にあらためて書くこととして㊟こゝではこの事件の中で著者がどう生きたかを考え、そこから私が学んだことを書いてみたいと思う。

㊟　この様な形で職場の中にひそかにしかし着々としのびこんでくる生活の危機をいち早く発見しこれと根強く斗う事はこれからますます大切となるだろう。このためにも、これまでの上から組織をつくっていくと云う方法だけを強調するのではなく、職場の人々の自覚による大衆的な新しい組織方法（論）が必要となってくるのである。

　著者はスパイ強要事件のあとすぐ叔父の家を離れ下宿している。当時彼の給料は五千六百二十五円であるから下宿料三千円を引いた残りの生で生活することは大変困難だった。しかし彼がその困難をおしきってまで下宿したのはスパイ強要事件の中で一人で苦しみ一人で考えぬいた結果、自前で生きることがいかに大切かを学んだからである。これは一見あたりまえのことの様であるが著者自身の歴史にとっては大きな変革であったと思う。

　私たちは自前、独立自尊が大切であることを頭では知っていても、日常のくらしの中で自前を貫くことは容易ならぬことである。

二年程まえ、ある歴史家の葬儀のとき私は新しい物のみかた、考え方についてしばしばジャーナリズムでものを書いている評論家と同席したことがある。たまたま話が最近の国内、国際情勢に及ぶと彼は、〝最近は国民の平和運動、労働運動の動きは苦しいから、間もなく良い社会が来るに違いない。私は家内に大きな長いさいふをつくらしてあると云った。大きな長いさいふというのは彼の説明によれば良い社会が来れば、ざくざくお金が入る様になるからその時の準備を今日からしているというのである。

　この話は実話の様な話であるが現実にはこの様に、希望的観測をたのんだり、一族郎党の威光に依頼したり、肉親の情実にすがる傾向は極めて多いのである。著者が課長補佐のスパイ依頼をことわり叔父の家を出て自活するまでの間には大変な苦労があったに違いない。当時、課長補佐のスパイ依頼をことわることは著者にとってやっと就職できた役所を失職する危険を意味するだけではなく、警察官の叔父の顔をつぶす様な結果にもなりかねなかったのである。

　著者は現在では組合のまじめな働き手の一人として、しっかりした人生観にもとづいて職場で活動している。彼にとってはあの事件以前は〃組合〃は遠い存在であり、むしろ恐怖を覚える団体ですらあった。しかし、著者が自前の立場に立ったことによって始めて〃巨大な官庁機構を支配する力〃孤立した個人の弱さ、〃団結の必要〃等々の大パイ謀略事件の渦中で頭にやきついた個々の事実の間の関連を理解することが出来たのである。まさに団結と認識の第一歩は自前の生活を実践する所に生れるものであり、このとき始めて人は、働らく人の立場に立った健康な物のみかた、考え方を自分のものにすることが出来るのである。
　五、六年前、進歩的な活動家同志の間での結婚が盛んであった。それらの人々は神前結婚のかわりに大てい自分たちで考えた結婚式をやり、平和の歌の合唱の中で斗いの言葉、誓いの言葉を宣誓したものである。しかし、会での話し合いの中や、私たちの知る限りでも、今日、それらの人々の多くはあの当時の様な情熱を失っている様である。思うにそれは結婚の第一歩とするに小さな／＼美しい勇壮な、しかし余りにも抽象的な思想と思想との結婚式だったのではあろうが、肝心の自前の男と女の結婚式はどこかに置き忘れられていたのではないだろうか。最近では職場の人々は組合や進歩的な人々の発言を直ちには信用しなくなってきている。職場の人々はそれらの人々がどの様な結婚をしたか、どの様な恋愛をしているかということを実によく観察しているものである。これは一がいに封建的な根性の発露とは言えないのではないだろうか。つまり職場の人々はどの活動家の思想が本物か偽物かをその人の生活に対するとりくみ方で検査しているのである。
　閑話休題
　著者の作品を読むと、巨大であり整然とみえる官庁の内部も実はガタ／＼であること、故郷の農村や、東京の人々の生活、叔父との複雑な関係などを矛盾にみちた日本の現実を背景として、細かく鋭く画かれている。
　これは著者の文章を書く能力にもよるのであろうがやはり彼が働くものとしての立場をしっかりと生

活の中で自ら築いていったことにも大きな関係があると思われるのである。

この様に働らく人間としての立場をしっかりと確立し、自分の経験を見事に整理できる人々が（即ち自分の思想を大衆的な生活的なやり方で鍛えあげることが出来る人々が）集って自分たちの職場の真実を画いた貴重な記録になるだけでなく、その職場の人々の今後の斗いにとって、又働らく人々全体にとっても大きな教訓をあたえるに違いない。

著者の"都会に生きる"を読んで教えられることは生活の中で働らく人間としての立場の確立がどんなに苦るしいことであるかということであり、又働く人間としての立場の確立こそ、困難と認識の第一歩であるということである。

的

この欄では私たちの会に書店、あるいは著者から頂いた本と会員（賛助会員）の書いた本について書評します。当り矢のように"そのものズバリ"の書評で本欄を充実させたいと思います。

日本列島

湊正雄　井尻正二　著（岩波新書）

中学の頃、地理と物理をまぜ合せた様な教科書を学んだ以外にそれらしい勉強もせず、地学という科学が有ることと以上に地学の知識もない私がこの本を読んだのですが思ったより易く読めた様な気がします。容易に読めたとはいっても、ことごとく理解出来たというわけではなく、ところどころわからない単語が出て来たりはしましたが、それもたいていはその文章の項の後に説明してある具合になっているので非常にわかり易く時々、理解出来ないのは恐らく、科学に対する私の常識が余りにもひく過ぎるただと考えます。それからこうゆう種類の本へ私から

45

見れば学問的である）は余り読んだためしがないのですが、たいていは特に厂史の場合は古代から近代という順序が普通と考えていたのに、この場合は必しもそうゆう风な形式でないことがとても珍らしくわかり易い。特に最初の頃で現在私たちが生活している上に最も身近である都市に於ける地盤の地下あたりから始まり、だん／＼つ込んで行き、次から次へと自然に疑問を解決し乍ら文章を進めて行く面白さを感じた。

欲を云えば必ずしもこの本の主題から离れたものでも、もっと専問的には無駄であっても詳しさがあったらまだ／＼広い意味で私たち、全く科学を知らないものにも楽しさが倍加したのではないだろうかと思います。

（I）

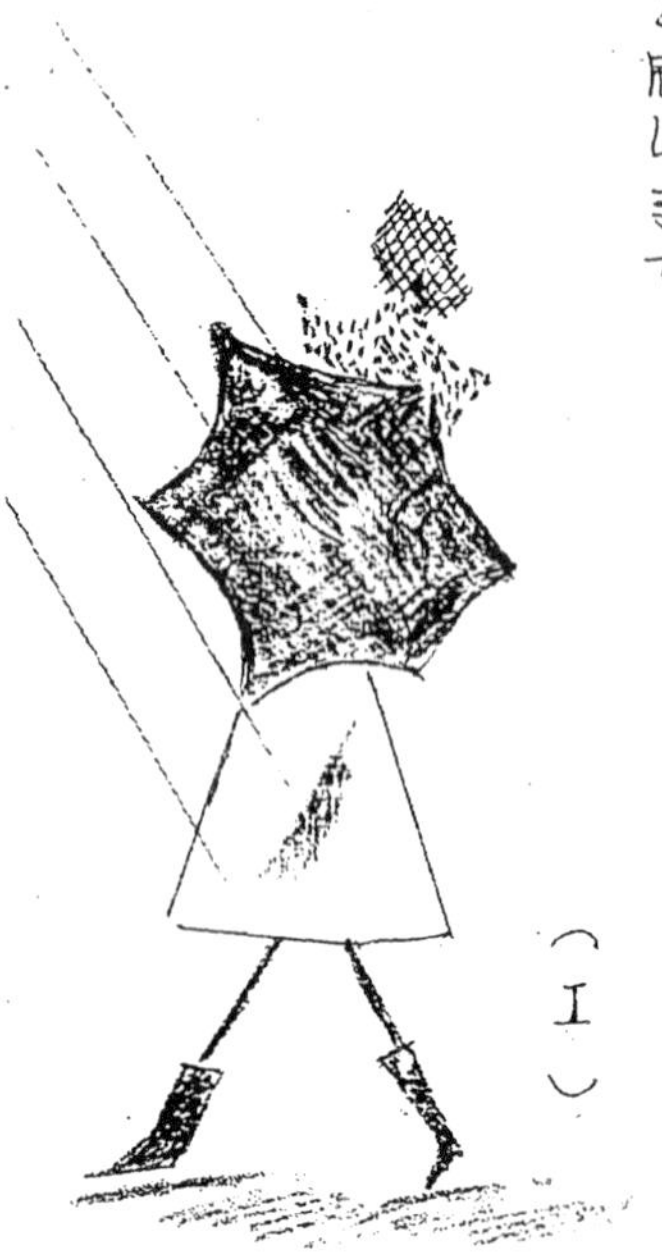

地球の厂史

井尻正二
湊　正雄　著（岩波新書）

子供の頃、信州に育った私は父や兄のお伴をしてよく山や丘を歩いたものだった。ある谷間では黒い土や赤い土の断層が垂直に近い傾斜で褶曲している様子に驚き、又上高地に行く途中にあるヘツトナー石という石は何万年も昔の氷河時代の遺物であると教えられ、物めずらしく小さな手でなでた事を覚えている。又大きな岩の間をくゞって水晶を拾いに行ったりハンマーを持って化石を採りに行ったりした化石は貝が入っていたが大きな貝の入っている石のを探して得意になり机の上に飾っておいたが、それらの生れた謎がくわしく解かれないうちにどこかえ失せてしまった。

今度読んだ〃地球の厂史〃は何十億年もの昔の地球誕生当時から現在までの非常に長い地球の進化の厂史にもかゝわらず実に間けつに書かれてあるため忘れていた子供の頃の生活を想い起こしながら楽しく読み終えた。

読み終って感じた事は地球は過去に進化を遂げ、もうこのまゝ変らないように考えていた私は、今も

46

尚進化を続けていることを教えられて、自分のうかつさを恥かしく思った。それに〃進化〃といへばすぐ動物や植物を頭に浮かべがちである私はこの本から「山がそこにあるからだ」など云って登っている高い山々も昔は海の底にあり、造山運動の結果もり上って出来たもので地球の進化の課程の一産物であり私達が毎日吸っている空気でさえ進化している事このように私たちをとりまいている有機物、無機物を問わず一切のものが進化して来たという事を学んだ。

地球の進化に伴い、過去四回もおそった氷河時代も単に過去ばかりのものでなく、五回目の氷河時代が必ずやってくるという予想に脅威を感じたが自然をつくりかえる能力を持つに至った人間の科学の力でそれを未然に防ぐ事が出来るであろうと明るい見通しを持ちホッとしている。

地球の歴史を読んで子供の頃無心に拾った化石や見聞きした自然を日本の地球の歴史の産物として大切にし、更にそれらをくわしく調べて行きたいと思っている。幸い、これの姉妹篇に「日本列島」があるそうだから至急読もうと思う。　（O）

昭和三十三年八月十五日 発行
編集兼 東京都新宿区諏訪町一五三
発行人 （竹村方）
耺場の歴史をつくる会

職場と生活

12

職場の歴史をつくる会編集

目次

負けちゃなんねえぞ

国鉄職場の歴史をつくる会

幼少の時

○倉づくりの町

「くりよりうまい十三里」と江戸の昔よりさつまの名産地として有名な川越の町で私は生れました。江戸時代より城下町として、今でも町の北側には倉作りの家が沢山のこっています。

○父母のこと

私の父母のことからお話しましょう。父は私が生れてすぐ亡くなりました。父の生れは長野県の浅間山のふもとの小さな村でした。父の母は父を生むとすぐ死んでしまい、その後父は義理の母に育てられましたが、その母に子供が出来ると、二人の間はうまく行かず、父が中学を卒業する頃、家族が満州に行くことになり父も一諸に行くわけでしたが義母との間がうまく行かず、父だけは日本にのこることになったのでした。父は卒業するとすぐ、鉄道に入り二年間ばかり働いたが、どうしても東京に行かなくては出世ができないと思い鉄道をやめて、東京に出ました。親戚も、友人もなく自分の力で生きて行く外しかたなかったので、職をみつけましたが、地方から出て来た人間にできるようなまともな職はなく、新聞配達や、牛乳配達をしながら独学して生活をたて、苦労して現在の東京大学、昔の帝国大学に入ったのでした。

その学生の時の話をよくしたそうです。父が学生時代にもアルバイト学生が沢山いたそうである時選挙の応援として九州まで行った時には一年分の生活費がもらえたと、よく話をする父でした。自分の生活のためにはなんでもした人でした。そのような父でしたが、私が生れてすぐ亡くなってしまったのです。

母についで書く前に私の祖母のことから話してみましょう。父が死んですぐ、母は私を祖母の所にあずけて家を出てしまいました。そのため私は祖母の手によって育てられて来ました。

○ 祖　母

祖母は、埼玉県の桶川から二里ぐらい入った小林村で生れたのです。祖母のおじいさんに当る人は村で一番の地主でした。その人は村の人達から"殿様"とよばれ尊敬されていました。徳川時代の末期から明治の初めにかけて、村の人達のめんどうをみてやったり、相談ごとにのってやったりしていました。家では油屋をやっていたのですが、明治になり家はつぶれてしまいました。そのような地主の生活から一ペンに生活がくるしくなったころ祖母が生れたのでした。祖母の母もすぐ祖母の子供のころ死んでしまい、祖母は長女であったため、地主の子として育てられ、父のかわりになって、家の中心になって働いたのでしたが、家にいたのでは一家が生きて行くことが苦しいので、東京に出て女中奉公をしたのですが、なかなかうまく行かず、その後看護婦になったのでした。当時、日本ではそのような医業につく女性が少く、看護婦といったら人だすけと思われていたぐらいで村では〃殿様の血が通っているよ〃といってよく噂されたそうです。

祖父は長野県の松本で生れたのですが、家が部落民でしたので、祖母は祖父と一緒になる時随分なやんだそうです。しかし祖母は祖父の転業が当時、いやしいといわれた靴屋でしたが、その生活力にひかれて結婚したのだそうです。

○幼い疑問

私が生れた時には九百メぐらいあって大きな赤子だったそうです。半年ぐらいたつと一晩で牛乳を五合ぐらいのんで、乳の出ない祖母の乳房をつかみながらそだてられて来ました。その当時家は町はずれにあって、そのそばを川がながれていました。祖母はせんたくする時、私の手を引いて川に行きました。五米ぐらいの幅の川で、せんたくする足場が所々川についていて、きれいな水が流れていました。私は祖母のせんたくしている間その足場にすわって、足で水をピチャ〱はねかえしたりした。その足のうらをメダカがすい〱と泳いでいました。水がサラサラ音をたて足元を流れ、たくさんの人達が、子供をつれてせんたくに来ていました。その頃の記憶に一番のこっているのは、他の子供達の母親はみんな若いのに、私の母だけが年をとっていたのがふしぎに思はれたことです。ある日祖母にきいたことがあったそうです。

「なぜ、かあちゃんはそんなにおばあさんなの」と。祖母は私のそのような気持がわかったらしく私にひがみを持たせないように、欲がるものはなんでもすぐ買ってくれましたし、私のやりたいことはなんでもさせてくれました。

現在いる家に越して来たのは、七才の時です。私の家は当時、私と祖母と、叔父と叔母の四人ぐらしでした。二人とも働きに行っていたので、家にいるのは私と祖母の二人でした。

○叔父

現在一緒に生活している叔父は、つとめから帰って来ると、毎晩フロに私を連れていってかえりに菓子を買ってくれました。小さな時からフロがきらいでしたが、帰りに菓子を買ってもらえるのが楽しみで毎晩、後からフロについて行った。私の八才の時、叔父は戦争に行ったのですが、その時一番さみしかったことは、これから菓子を買ってもらえなくなる様なそんな風な気がしてこれから毎晩どうしようかしらと、考えたりしたのです。

4
のおばあさん子

その頃、子供たちの遊びといったら、チャンバラか、戦争ごっこでした。祖母はあぶないといってチャンバラごっこにつかう刀を買ってくれませんでした。刀を持って行かないと皆が遊んでくれなかったので、どうして外の子供は刀を買ってもらえるのか始終考えていました。ある日遊びに行って、

「仲間に入れてくれよ」

といったら隊長に刀で頭をぶたれたことがあったことがあった、その時、ぶたれた痛さより、ようし、「どうしても刀を買ってやる」と思った方が先でした。しかしお金がなくて刀を買えなかったのでオモチャ屋の前に行って「どうしよう、買っちゃおうか……」と思ったり「いやいや後で祖母におこられるから、やめようか」と思ったりしましたが、刀を持って行かなければ遊んでもらえないと思うと、一思いにオモチャ屋へとびこんで行って、ふるえながら

「後で祖母さんがお金を持って来るから」

といって、そばにあった刀をつかんで、外にとび出してしまった、すぐ祖母にわかってしまい、

「おまえみたいな子供はどこへでも行っておしまい……」

といって腕をつかんで、外に突き出されてしまった。その時、外に立って星をかぞえながら、なぜ、私だけが刀を持ってはいけないのかと考えてみたが、どうしてもわからなくその時手に刀を持っているのに気がつき、それを足で踏んづけて折ってしまった。それを家の中で祖母が見ていて、家からはだしでとび出して来て私を両腕でだきか

5

かえて泣きだした、その時なんだか一緒になかないとわるいような気がして自然大きな声を出して泣いてしまった。

「何故、だまって買ったりするんだよ、そんな事をすると、大きくなってろくな人間にならないよ」

なんだかわからなかったが、祖母のいう事はいつも正しい事だと思っていたので

「おばあちゃん、すみません」

とあやまった。これからなんでも祖母に話をして買ってもらおうと思った。そのころから私の気持の中に、祖母にたよる気持がそだって来たのだろうと思います。

○入学

うれしいはずの学校に行くのが、私にとっていやであった。祖母と一緒に生活していた時間があまり長かったし、他の子供達とは話をしたり、遊んだりあまりしなかったので学校に行って他の子供達とならぶのが嫌で祖母のそばをはなれたくなかった。先生から、名前を呼れても返事をしなく、祖母がこまったらしかった。

学校に行ってから一週間ぐらいたったある日、祖母と先生が話をしていたのを祖母のそばで小さくなってきいていた。

「おばあさん、宮沢さんはおばあさん育ちのためかもしれないが、すこし智能の程度が低いようだけれど、すぐなれゝば、だいじょうぶですよ」

これを聞いていた私は馬鹿なんだなと思うようになった。

私はそんな風だったので、祖母は私を学校に連れて行き、授業が終るまでついていて家につれてかえった日が三ケ月ぐらいつづいた。そのためか私は自分一人で進んでやって行くということをあまりしなく、勉強にしても祖母や先生から

「勉強しなさい」

といわなければやらなかった。

○戦争と買出し

当時なぜすきになったがわからないが映画をみのがすきだった。そのころいつも大人の後からついて行き、いちばん前でみていた。映画といえば

戦争映画が多くそのうちでも、「軍神加藤少将云々」といった飛行機に乗って敵陣上空をかけ廻るといった風なのが好きで、飛行機乗りにあこがれをもった。ある日映画から帰ってすぐ
「僕、飛行機乗りになりたいんだ……」といいますと、

「ほう立派な軍人やで、飛行士になるには一生懸命、勉強しなければいけないよ……」

といわれました。飛行機に乗って大空を飛びまわりたいと小さな胸をふくらませていたので、祖母にいわれると、それでは一生懸命勉強してやれと思うようになり、それからは頭が良くなるには、頭のいい子と一緒に遊べば、いいなと考え、組でも頭のいい子の家に行って遊ぶようになった。私の方は早く頭が良くなって、飛行士になりたいと思っていたので、遊びに行く家でも、ただ遊んでばかりいないで「勉強しようよ」と相手をせめたりした。それを家の人達はみていて、祖母の所に来て、

「おたくの子供さんはかわっていますね」

と話したことがあった。

小学校（当時国民学校）二、三年になると戦争もだんだんとはげしくなって来た。その頃、私の家では祖母と私の二人きりの生活でしたが、お金の収入といったら叔父が働いていた会社から、送って来たお金と、叔母の仕送りだけでしたが二人のの生活には不自由をかんじなかった。しかしだんだんと米の配給もなくなり、毎日のたべる物にことかいて来るようになったので、私と祖母の二人だけで農家に行って、米やイモを買って来る事ができないので、近所の人に、農家に買いに行く時私の家のぶんも一緒にたのんでいたのですが、半年、一年とたって行くうちに近所の人達も自分達の生活する事だけで、やっと〜いったぐあいに食糧事情がくるしくなり、私の家まで、かって来なくなった。そうなると私の家でも買いに行かなければならなくなった。そのころ祖母は六十才をいくつかでていたが、私の休の日に祖母と一緒に一日がかりで農家に行って、イモや米を買って来るようになった。しかし一週間分、二人が生活する

するためには沢山の米やイモがいるので買いに行く時はいつでもどもでるだけイモや米を買って自分一人でかついで、普通の大人だったら半日で帰ってこられる所を私も一緒に一日がかりで歩いて帰って来る日がたび〳〵あった。
　その日も同じように、イモを買って帰えりしな、祖母はとう〳〵、それをかつぐことができなくなり、田圃のあぜ道でたおれてしまった。私はその時だどうしてよいかわからなく、水を水筒にくんで来て祖母にのませたりしたが、祖母はつかれてくるしそうに息をしていた。立つこともできづ、目をじっととじていた。だんだんまわりもくらくなってあぜ道の所でカエルが「ゲロ、ゲロ」「ゲロ、ゲロ」となき始めるし、あたりは暗くなり近くに見える農家の家の光がともるようになって来た。私は淋しくなり祖母の手をぎゅっとにぎりながら、泣きだしてしまった。その時祖母は、あぜ道にすわりながら「男の子はどんな事があっても泣くんではないぞ」といって、私をしかったのでした。私は祖母の顔をみながら、なんて祖母は強いんだろうと思ったりした。その時の事を今でも覚えているが、祖母はイモの入っているフロ敷をかたからははずしてはおりませんでした。

。先生の想い出

　四年になったある日、学校から工場見学に行くことになった。二時間後に工場に行くのでしたが誰でも、イモやオカユをたべているので弁当をもって来る人はいなく、昼休みには家に帰ってごはんをたべて来るのでした。その日は工場で弁当をたべることになった。弁当を家にとりに行くことになり、私も家に帰ってみたが祖母がいなく、どうしようかと思いながら、台所をさがしてみたが朝たべた残りのイモガユきりしかなく、学校に行くのをよそうかと思っていると、近所の友達がよびに来たので、そのオカユをいそいで弁当につめて、つゆをこぼさないように手でしっかりつかみ工場に行くまではすっかりそんなことをわすれてしまい、いざ弁当をたべる時に開けてみるとつゆが全部出てしまいイモだけが少し、弁当の角に

8

こびりついているだけだった、しやくにさわって、弁当箱を外におっぽり出してしまった。それを先生がみていたらしく、そのすてた弁当をひろってきてくれて、先生の持って来た。やはりイモの入っためしをその弁当の中にわけてくれた。その先生は女の先生でしたが、ふだんはよく僕達をこづいたのでその先生がきらいでしたがなんだかその時、今まできらいだった事がわるくなって来てその事を先生に話をしてしまった。すると

「私にはわかっていました」

と頭をなでながら、ニッコリ笑ってしまった。

○ 疎開

いよいよ戦争もはげしくなり、米軍の飛行機が毎日のように家の上をとぶようになって来た生活も苦しくなって来た、ある日、学校から帰ってくると、祖母が

「いよいよ、私達も祖父さんの所へ行くんだよ」といってさびしそうな顔をした。

松本から八里ぐらいはなれた、大糸南線の信濃松川というアルプスのふもとの小さな村でした

祖母と二人だけで、祖父の所に行ってみるとやはり小さな靴屋をやっていた。とても口のうるさい人だったので、なにかにつけてすぐもんくをいっていた、祖父をみながらどうして祖母はこんな人と一緒になったんだろうと、ふしぎでしかたがなかった。その村には都会なとから来た人は少なく、学校に行ってみると、みなきたない綿入れの着物を着ていたりした。私が教室に入って行くと皆がじろじろ私の顔をみるので、下をむいていると、先生が話を皆にしてくれたが、よく言葉がわからなくてこまってしまった。

その村に行って、米のめしがくえたのが一番たのしかった。毎日のんきな日を、おくっていると川越にいて、イモの入った米のオカユをたべていたのが、かえってなつかしく思えて来た。このように一生くらせたらたのしいだろうと思うようになって来ると、飛行士になりたいと思っていた事などわすれてしまった。

冬もちかくなると、その地方の名物のリンゴも

たくさんできた、それがめずらしく、学校の休みの時間になると、隣のリンゴ園に入って行って、リンゴを手でもいで来て、カバンの中に入れ家に帰って祖母にやったり、ねながらかじつたりした。

○敗戦～口破れて山河あり～

そのような生活が一年ぐらい続いた次の年の夏に戦争が終った、のんきな生活が続いたので戦争が終ったからといって別に感じがなかった。

直ぐその年に川越に帰って来た、川越の町は運が良かったのか、ぜんぜん戦禍をうけていなかった、学校に行くと、やはりなつかしかった。けれども勉強の方は、遅れてしまったので、なんとか皆においついていこうと、前の仲の良かった友達の所に遊びに行って勉強をおしえてもらった。

まず何といってもたまげてしまったのは女の子と一緒にならぶ事だった。戦争が終る前までは組も別だったのに、急に一緒に並ぶようになったのが、てれくさくて女の子の顔を時間中でもキョロキョロみていたりした。

学生の時

○叔父の結婚のこと

私と祖母は叔父夫婦と一緒に生活していたが、叔父はその頃、既に子供が二人もいて戦争中に勤めていた会社はつぶれてしまったので兵隊よりかえってから祖父の頃からの靴屋の道具が家にあつたので、見よう、見まねで靴屋の商売をはじめていた。

叔父は戦争中に結婚したのですが、それ以前に叔父は好きな人がほかにあったらしいが、農家の人と一緒になれば食べるものにことかゝないと、いわれ一諸になってしまったのだそうです。

叔父夫婦と一緒に生活するようになって、直ぐ気がついた事は、叔父がものすごく口がうるさくなっていた事で、私の小さい時は近所の人からもいい人だといわれていたくらいで、家の誰からも好かれていたし、私など、祖母よりもすきな事もあった。しかし何故、こんなに口うるさくなったのかしらと考えた事があった。

「なんでこんなに口うるさくなったんだろう戦争に行く前わ、どんな事をしたって決しておこりわしなかった。兵隊から帰って来てから変ったんだろうか。それとも結婚してからなんだろうか」

ある日

「あまりいい結婚でわなかったなあ、しかしあの時はしかたがなかったんだよ」と、私がねたと思って祖母が叔父に話していた夜があった私はその事をいつも考えていたので、ねたふりをして、フトンから首だけ出して目をつむって聞いていた。

「おれだって、そう思っているけど、あんまり気がきかないんだからなお、腹が立つんだ、子供が二人もいたんぢゃしかたないからなア」と、とぎれ、とぎれに話している。私は叔母がどんな顔をしているかと、うす目を開けてみると、あみ物をしながらだまって聞いている叔母の姿が見えた。時々手をやすめて叔父の顔を見ている。しかしながら何も言わないで又、あみものをしていた。

そのような気難かしい叔父にかわったのですがお金が少しでも、よけいに入ると、私にもノートを買ってくれたり、映画を一緒につれて行ってくれたりした。

○中学生

中学生になった年に新生中学に切りかえられて、才一期の新制中学の一年生になった。その頃、川越の町にもアメリカ兵が来ていて、ガムやチヨコレートをうしろからついて行くとくれたりした。中学生になって色々のスポーツを学校でやるようになった。皆の中で一番人気があったのは、何といっても野球だった。しかし私など、あまりきよでなかったので、一度は野球をやろうかと思ったりしたが、とてもあんな小さなボールなど、打ったり投げたり出来そうもないと思ったのでやめてしまった。だけれど皆が色々のスポーツをやるので私もなにかやらなくては、笑われるのではないかと思い、自分のできそうなスポーツはないかと考えた。自分のせいの高いのに気がつき、バレーボールがいいといわれたことがあったのでバレー部に入る事にした。

当時、今のように服装もきちんとしていなかったし、ボールなども古かったしコートといったら皆で作った所で練習を始めたのでした。その年に大学を出た新しい先生が入って来てバレー部のコーチになった。当時中学校でバレーなどやっている学校が少なかったので、二年の夏の埼玉県の中学校のバレー大会で優勝してしまった。その時、とった写真をみると皆がうれしそうな顔をして撮れている。私もうれしかったので優勝旗を持ちながらすましてとったつもりだったがアゴだけが上をむいてしまってとれていた。

三年の二学期も終り、冬休みになってから通学する人達の勉強がはじまった。私も中学だけでやめるのではいやだったので

「おれも高等学校に上りたいんだけど、いいだろう、だって、山田君も、佐藤君もみんな高等学校へ行くんだ」

と祖母に話してみると、私の顔をみながらなにか話しそうな顔をしていたが

「きいてみなよ」

とぽつんといっただけなので、私はがっかりしてしまった。祖母が高等学校へ行ってもいいと言えば、叔父は、だめだとはいわないだろうと思っていたのが、祖母に「きいてみな」といわれてしまったのでしかたなしに叔父の所に行って

「実は、高等学校に行きたいんだけどどうですか」

ときちんと座りながら、下をむいて待っていたが、直ぐに返事がなかった。これはだめかなと、叔父の返事を一秒、一秒まっていた。長い時間がかかった。だめならあきらめようか……だけれどなんとしても高等学校ぐらい行かなくては、働きに行ったってろくな所で働けないから、何といわれても最後まで、たのんでみようと五分ぐらいジッと我慢していた。

「まあいいだろう、学校へ行ったらしっかりや

るんだぞ……」

と立ち上り、私の顔をみながらいった。

「本当ですか、オレ……」

といったきり後は、何んにもいえなかった。まぶたにたまったものが胸にまでジーンと泌みたような気がした。

○お金のかゝらぬ学校は？

高等学校に行くにしても、なるたけお金のかからない学校に行こうと、友達にそれとなく話してみると

「船員学校なら、お金がかゝらないぞ」

と、いわれ、どうせ働きに行けば家を出るのだと思っていたので、

「船員学校に行けば、お金がかゝらないからその学校に行こうと思うんだ」と叔父に話すと、

「あまり心配するな、学費など、なんとでもする、それより一生懸命勉強しろ」

と反対されてしまった。どうせ職業につくのだから普通の学校に行くのがいやだったので、

「どうしても、だめかよ」といってみたが

「そんな事より、商業学校にでも行って、銀行にでも勤めろ、それがいーぞ、そのようにしろ」

といわれたが、とても僕など机に向かっていてソロバンなど、いじくるのはきらいだし、何か手に技術を持ったほうがいいと思って、それから、毎日のように新聞を見はじめた、ある日、新聞の下の方に、鉄道学校の案内がのっていた、それをみた時、おやじも鉄道に入った事もあるしと思うと、どうしてもその学校に入りたく直ぐその話を祖母や叔父に話すと、始めの内は反対されたが、あまり私が、しつこくいうので

「まあ、いいだろう」

と反かば、あきらめたようにいった。

鉄道学校に試験に行ったのが、初めて東京に一人で上京した最初であった。電車に乗り、池袋の駅をおりながら、しっかり試験をしようと心に思いながら、わからない道を聞き聞きやっとその学校にたどりついた。

○鉄道学校に入る

目をさますと、いつも二、三回目をパチ〱させて、目をあけるのだが、その朝はうすくらい光だけが僕の目にうつった。今日は天気がわるいのかなとフトンからかめの子のようにくびだけ出して、窓から外を見ると、まだ薄暗り……

「ボーン・ボーン・」

と四時を打つ時計が頭の上できこえた。

「なーんだ、まだ四時か、今日はどうしてこんなに早く目がさめたんだろう」

とまた、うと〱してしまった。

池袋の駅をおりて学校に歩きながらこの道は試験の日にとうった道だ、二度と歩けるだろうかと思いながら試験の帰りにも歩いた道―友達もなく、一人きりで入った学校だった。入学試験の日の事を思いながら校門を入った。

すぐわかったのは、組の半分以上の人が地方からくる農家の子だった。始めての時間に先生が名前を呼んだ時、私の方から来る人がいないかと一人ひとり名前を呼ばれる人の顔をみていた。

六人の人が一緒の電車に乗ってくるのがわかり、ほっとしたのであった。

○ヤクザ学生

当時、その学校でも、やくざだか、学生だかわからないのが上級生の中にいた。学校に行って、一月ぐらいたった日、三年生が三人私の組に来て、話があるから学校の裏え来いといったが、誰も動こうとしなかった。しばらくだまっていた。その人達は、そばにあった椅子をふり上げておどかした。皆がこわくなって、そのあとから学校の裏までついていくと、十二、三人の三年生がいて何か二ヤニヤしながら話をしていた。私たちが行くとだまってしまい、その中の一人が、

「一列にならべ、ぐず〱するな」

「おまえ達の名前はなんというのか、どこから来ているんだ」

と、きいたが、誰もが、おっかながったので下をむいてだまっていると、

「きさまら、おしなのか、おしなら声を出させてやる」

といったがいわないうちに、前に立っていた十

四、五人が私達をなぐった。たまげてしまったので皆が一せいに
「私は・・・・・」

と大声を出してしまった。その人達は大きな声で笑いながらつっ立っていた。なんていやな学校なんだろう。どうして学校の方でだまっているんだろうと思ったが、しかたがないので、てきとうに頭をさげることにした。

その年の夏休、こづかいをつくろうと前から思っていたので、近所の人に話をすると
「油屋にアルバイトがあるけど、行ってみないか」

と、言われたので、その店へ働きに行くことにした。

夏の日をいっぱい背に受けて、ドラムかんを動かしていると、手がやけつくようだった。ひたいの汗が帽子をつたわってながれて、口に入って来た。塩からい汗だった。私が始めて働いてもらったお金が一万円だった。それを手にして、何を買おうかと考えたが半分ぐらい家に入れなければと思い、帰って叔父にお金をわたすと、

「あまり無駄使いするな」といわれた。

僕は仕方なく笑いながら、そのお金をポケットにつっ込みながらどうしようかと思った。

金があると、なんでもほしくなり夏休み前にはお金をもらったら、キット本を買おうと思っていたのが、そんな事など忘れてしまい好きなシャツを買ったり、パチンコをして遊んでしまった。

二年生になると、私達の間でタバコを吸う人が出てきたりして、なまいきになりだした。家の方では商売がうまくいかず、叔父は、また家の皆に当りちらすことが多くなった。私が学校からおそく帰ると、

「今日はなにしていたんだ。ぶらぶら東京なんかで遊んで来るな!」

うるさいぐらいいうので、思わず口ごたえをするような事が多くなった。祖母は
「口うるさいが、本当におこっているのではないんだから」

と話すので、なるたけ家の中がうまくいくよう

になにをいわれても、だまっている事にした。

○　アルバイト

その年の夏休みもアルバイトをしたかったので前年行った油屋へ話しをしたが、先口があると、ことわられてしまった。しかたないので他の所でアルバイトをやとってくれる所がないかと、家に来る人にきいてみた。

「そうだな、おれの知っているパチンコ屋だが、アルバイトの子をさがしているから行ってみなかし」といわれた。直ぐその店に行って話すと、

「明日からでも来てくれ」といわれホッとした。

その店は大きなパチンコ屋で沢山の機械があり、私の仕事は、タマをみがくことで朝早くから行かなくてもよく、昼すぎに行き夜おそく店が終ってからも、タマをみがくので、夜は十一時頃になってしまった。店には女の人が十四人もいて、男の人が一人きりしかいなく、私など女の人の中で、ただ一人働いているようで、はずかしくて店の方にはなるたけいかないようにした。その店にはタマを売っている女子が二人いたその中の一人もやはりおそくまでお金の計算をしていたので、私と同じように帰りがおそくなってしまうのだった。

○　初恋

その女の人の名前は節子さんといった。私より一つ年上で、顔のきれいな目の澄んだ人だった。始めの頃は顔を見られると、はずかしくてこちらから顔をそむけてしまうほどだった。

節子さんも仕事がおそくなるので、自然と一緒に帰るようになった。四、五日とたつ内に口をきくようになった。ある休みの前の日にやはり一緒に帰ることになり、私はすぐ家に帰ろうと思っていると、後からついて来た節子さんが

「今日はおそくなったわね　私おなかがすいてしまったわ、何かたべたいのですが一緒にたべない……」

低い声で呼びかけられたのですが、やはり私も何かしらはらがへっていたので、一緒にソバ屋に入

った。女の人と一緒にこんな所に入ったことなぞなかったのでてれていると、

「宮沢さん何にしますか、あたしは盛りをたべますけど」

「なんでもいいですよ」

といってしまった。

「ふふふ……」

と笑いながら

「おじさん盛り二つね……」

と私の顔を見ながら明るい尻上りの声でいった。その顔が何か楽しそうであった。

その晩はおそくなったので、節子さんの家の近所まで送って行くと

「宮沢さん、あした何か用あります、私映画見に行くんですけど、一緒に行きません」

と話して来たので、私もべつに明日は何も用がなかったので

「えゝ」

と、どっちともつかない返事をすると、

「はっきりするものよ、男の人は……」

といったので

「いきます」

といってしまった。場所と時間をきめてわかれて帰りながらなんだか落ち着かない気持だった。

次の日、本当に来ているかと不安に思いながら約束の場所の近くまで行ってみると、既に、節子さんは来ていて、私がわかったらしく手まねきしながら

「早く〳〵」

と、いっているかのように笑いながらこっちを澄んだ目で見ていた。そばに行ってお金を出そうかとポケットに手をつっこむと、

「なにしているの、早く入りましょう」

既に切符は買ってあったらしく、節子さんは私の腕をつかんで、ひっぱったので、よろけながらも切符を渡す女の人の前をすっと通って中に入ってみると、既に映画は始まっていた。薄暗いなかをすかしながら席をさがすと割合すいていた。だれか見ていないかしらとキョロ〳〵当りを見わたしていると

「あまりキョロ〱しないで映画を見なさい」と、母親につれてこられた子のように、おこられてしまった。

映画が終って外に出てみると夜になっていた。なんとなしに、家までついていくかっこうになってしまった。節子さんの家のすぐそばにある学校までくると、

「学校を通って行きましょうよ」

と、校庭にあるイスの方へいきなりかけだしながら、「早く〱」とうしろをみながら叫んだ節子さんの白い顔が妙にすましていた。

「ようし」

と思ってすぐかけ足で行くと藤だなのすき間から月の光がそのイスにあたって、砂がついているらしくチカ〱光っていた。四本のふじが四方から棚の上にのびているすきまからみえる月はその見方によって、色々の形に見えた。

「節子さん砂がついているから、このハンカチをしきなさい」

と、ハンカチを出したが、気がつくと幾日も使っていたハンカチだったので汚れていたが薄青い光にてらされて汚れもわからなく、イスの上にしくと白く清潔に見えた。

「どうもすみません、宮沢さんどうするの、私のしきませんか、少し小さいかな、だいじょうぶね」

と私のしいたとなりへエンヂ色のハンカチを並べてしいた。私が座ると節子さんも座った、自然にかたと、かたがくっついてしまう、なまあたゝかい、やわらかな肌が節子さんの着物を通じて感じられた。小さなころ祖母と一緒にねた、そのあつたかみとちがう、別の若々しさと陽気なあったかみが、私のうでを通して、全身に流れる。

「あんたの家の生活は楽しいですか、私の家では父さんはとうに死んでしまうし……」

そう言ってからしばらくじっと考えて、

「宮沢さんのお父さん、お母さんおいでになります……」

と、そっといった。

「僕には、両親がいないんです、いつか僕のこ

と、ゆがまゝな所あるといったね、実は僕、おばあさん子なんだ、今おばあさんと叔父さんの所にいるんだけど、あまりおもしろくないんだ
じっと節子さんの顔をみつめると、節子さんは、ツゝと顔を私の方にむけながら、

「そうなの、ごめんなさいね、おばあさん子、おばあさん子なのね……いくつになるの……」

「おばあさんが、そうだな、いくつだっけかなあ、七十位いになるんだと思うんだけど」

「まあ、おばあさんの年わからないの、やあだアー　私の家ね、お母さんと、お兄さんと私の三人きりなの、外にも兄さんいるんだけど家を出てしまったの、だから三人で生活しているんだわ、兄さんも、あまりまじめでなく、ろくなこともないの、だから家にいるのいやで、いやでどうしようもないの、どこかえ行ってしまおうと思った事もあるんだけど、お母さんかわいそうでしょう、だから家にいるの、だけど普通の会社につとめたら家にいる時間長いでしょう、だからパチンコ屋につとめているのよ、宮沢さんなんかはいいわ、学校に行っているんですもの、私も学校に行きたかったけど、そんな暇だったから行けなかったの、だけど宮沢さんも大変凶」

「ううん、おれも叔父さんのお金で学校に行っているので文句なんかいえないけど、あまり口がうるさいんでたまには、けんかする時もあるんだ、節子さんなんかえらいな、おれなんかとてもまねできないよ」

「あまり家でけんかなんかしない方がいいわ、私の家でも、よく兄さんとお母さんとけんかするけど、その時など家の中がくらくて、面白くないのよ、私も兄さんに文句をいゝたい時なんかあるけどがまんしているのよ」

立ちあがりながら鉄棒の所に歩いて行く、月が雲の中に入って、暗くなって節子さんのかげがうすく砂場に映っていた。

「私、中学の時、鉄棒がうまかったのよ、あてんばでしょう」

といった。

そんな生活をしていて、何故あんなあかるい気

持をもっているんだろう、私などうらやましい、鉄棒にブラさがっている節子さんのすんなりした腕が青白く目にとまった。月の光が雲間からのぞいた。

「帰りましょうよ」

元気よく砂場に飛びおりると節子さんはスッと校庭を歩きはじめた。遠くの家の電燈の光がまぶしく、節子さんのかげを長くうつしていた。

横丁を曲ると節子さんの家がみえた。家の中から電燈が薄明るく外を照らしていた。

「さようなら」

笑いながら黒い人影は

「…またあしたね、おやすみなさい」

と、長い尾をひいた。

○ 幼い精神主義

その晩から前以上に親しくなったが、夏休みも終りにちかくなった、ある晩

「今日、お話があるの」

といつもとちがったきつい目で私の顔をじっと見つめた。

「なんですか、話しって……」

と相手の白い顔をみかえすと、しばらく目をつむって考えていた風だったが、

「宮沢さんは学校に行っているのでしょ、だから勉強を一生懸命やらなくてはいけないと思うは、夏休みも終れば今までのように夜おそく逢うわけにいかないでしょ、だから今日かぎり逢うのよしましょうよ、こんな事私からいえないことだけど宮沢さんが立派な人になるためにはしかたないでしょ」

と目をそらしながら、だん／＼と声がかすれてきた。

「節子さん今いった事本当のこと、何故泣んだ」

と詰問する風にきゝかえすと

「わからないの、私なんかとおつき合いしていれば、宮沢さんも立派になれないわよ、パチンコ屋なんかにもう二度ときてはだめよ、私の最後のおねがい……」

そういわれてみれば、もう何もいえなくなってしまう、きのうまであんなに楽しかったのに、こ

の一言で、もう会えないのかと思うと、ため息ばかり出て来るのだった。しかたないと思いながら、その晩ねどこに入ったがたゞ時計が一時、二時を打つのをまんじりともせず、ぼんやりと天井に眼を向けたまゝ、おきていたのを、おぼえている。

の　学生の生活　不良仲間

そんな事があってから学校に行っても勉強などに手につかず、学校に行くといって家を出ては映画をみてしまったりした。しかしお金など余分にあるわけがなく、月謝をつかってしまったりした。学校に行くと、催促をされるので気が気でなく家に帰ってその事を叔父に話すと、

「この馬鹿野郎、親がいたってこれまでだ、誰のために学校に行く事が出来たんだ、よく考えてみろ」

親がいないという事をいわれたので私も

「学校などやめてしまえばいゝんだろう、親がいなくてわるかったよ」

というと叔父はおこって私をひばたこうとした。祖母が飛び出して来て、

「武、お前早くあやまりな」

と、私の手を引っぱった。でもその時は馬鹿らしくなり、そのまゝ家を出てしまった。夜おそくなり家に帰ってみると叔父は、つ口に行っていないらしく祖母だけが私の帰りをまっていた。

「ちょっとこっちえ来なさい」

きちんと座わり、私をニラミつけていた。

「なんだよ」

と、ふてくされていると

「今日はどうしたということだ、自分に悪い所があるのだ、悪いと思ったらすぐあやまるのが男なんだよ、つまらない所で、いつまでいばっては、自分が将来そんするんだよ」

と言って土間におりてコンロにみそ汁をのつけてくれた。

家では、叔父との間がうまくいかなくなり、祖母は立派になれ、立派になれとしつこくいう、どうせ親なんかいないんだからと思うと、なにもや

21

る気になれず、叔父や祖母にいわれる事をなんでも悪く取ってしまい、すぐ口ごたえするようになってきた。祖母に金をもらうように努めたが、何に使うのかわからなければくれない。

「金くれないのかよ、くれなければくれなくてもいいよ、このくそたればばあー」

どまでいうようになってしまい家でも小使など月にいくらもくれないので、友達と映画を見に行くにも月謝を使いこまなければならなくなり友達の間でも、話のわかるやつはあまりいるわけでなく、その内でも、山田君と一番仲が良かったので、いつも金をかりるような時には山田君に頼んだ。その山田君と共に遊ぶようになったのが自然と不良仲間に入る原因になったかである。その連中からタバコを喫えよと、すゝめられ、始めの内はことわっていたが、そうことわる事もできずタバコをすう癖をおぼえた。

ある日、山田君と二人で喧嘩した事があった。五人も相手にしてやったので、とても勝てるわけがなく、最後には、つかれてしまって負けそになったので、どうにでもなれと思いその場に二共ひっくりかえって

「ころすんならころせ」と手足をバタ〳〵させて怒鳴り返してみせた。

三年になり、私達の仲間でも、下級生をなぐるやつもいたが、そんな事をする奴をなるべくとめるようにした。

自然学校に行くのもきらいになり、朝は時間どうり家を出て、他袋まで行くが、池袋駅のベンチで弁当をくってしまい、すぐ川越に帰って当時盛んだったパチンコ屋に行ってけい品を取ってはお金にかえていた。しかし毎日そんな日が続くわけがなく、質屋に行っては上衣など入れて、下衣一枚でパチンコをやった事もあった。金のない日など上衣の下にシャツを何枚も着て行った事もあった。ある寒くなった日など、オーバーの下に下衣一枚で家に帰り、そのまゝすぐふとんの中に入ってねたふりをしていると、祖母がオーバーをぬいだのを見ていたらしく、枕もとの所に来て

「どこの質屋に行ったんだ、今日だけは出して

やるけど、二度とこんな事をしてはだめ[illegible]と叱られたが、祖母や、叔父がいう事な[illegible]んとも思っていない僕は、

「なにいってやんだ、わざ〱出して来なくったっていいよ」

と大声でどなってしまった。次の日、学校に行くふりをするのもしゃくにさわったので頭が痛いといって寝ていると祖母が、枕もとの所に来て、だまって紙にくるんだものをおいて行った。ふとんにもぐって手をのばし、そっとひろげてみると、お金が入っていた。すぐふとんからとび出して支度をしていると叔父が来て

「今日は休むんだろ、どうしたんだ、遊びに行くのか」

「もう頭が痛いのなんか直っちゃったんだ、これから学校に行って来る」

と祖母の方を盗み見ながらいうと、祖母は目で合図をし、私の仕度をするのをジッとみつめていた。

質屋の前までいってみたが、どうせ三ヶ月める[illegible]だからと思うと、出すのが馬鹿らしくなってそのままパチンコ屋に行ってしまった。山田君が来ていて

「どうした、今日は来ないのかと思った、金あるか」

といかにも金のなさそうな顔をしているのでさも得意な顔をして

「まかしてくれ、金はある、おばあさんをごまかして持って来た……」

といって金を半分ずつにしてパチンコをし始めたがそんな事だからもうかるわけがなくスッテンテンになってしまいついに家に帰るわけにもいかず山田君の家に行ってとまる事にした。その晩、山田君の母親が二人を前にして

「いつまでこんなに毎日ぶら〱していてはだめじゃないか、来年はもう卒業するんだよ、もっと二人共しっかりしなければ落第だよ」

お茶をつぎながらいった。おばさんの顔を見るとなみだをいっぱいにためていた。そのなみだは鼻筋の両側を二本の線路のように口もとまで流れ

落ちている。おばさんの顔を見ている事も出来ず、両手でチヤワンをグッとおさえながら

「そんな事をいったってしかたねえよ、まだ若いんだから、なあ宮沢……」

といわれたが、私はおばさんの顔を見ると返事をすることもできず、ただ

「うん、うん」

とあいずちを打つより仕方がなかった。

「宮沢さん、うちの子をたのみますよ、まだ宮沢さんの方がしっかりしているんだから」

たもとでなみだをふきながら

「お金をやるから二人共質屋から出して来な、もう二度とこんな馬鹿な事をしてはいけないよ、遊ぶんなら、働くようになってからいくらでも遊べるんだから、二人共まだお金のありがたみを知らないんだよ、お金なんか自然とどっからかわいて来たり、木になったりするもんじゃないんだよ」

と、いいながら立ち上ってタンスの引きだしからお金を出してきて二人の前においた。その時、私はすまない気がしてそのまま顔を下に向けてしまった。山田君も泣いているらしくお金の上になみだがぽとぽと雨だれが落ちるように、ポタリ、ポタリとおちていた。

「ああ、母親てなんていいんだろう」

と今までこれほど親身になって思われた事がなかったので、その時始めて親のありがたさをミミジミと身に感じた。私には母親なんていない。しかし私を生んでくれた母親は今でも生きている。なんで家を出る時、私を一緒につれていってくれなかったのだろう。今更、こんな事をいったってしかたがないけれど、私はなんだかふしぎな淋しい気がした。と同時になんだか、腹だたしい気もしてきた。

○口鉄の採用試験

正月もすぎて、学校でも、就職の事で話がはずんだ。ある日、先生に呼ばれて、行ってみると、

「宮沢どうするんだ、おまえなんかいいが、一度も就職試験をさせないと、家の人達に、申訳がないから、こんど口鉄の試験があるから受けてみ

ろ」

といわれた。「チェッ、勝手にしろ」と、そのまゝ聞き流しぱなしにしてしまった。履歴書提出の締切り前日に又、先生に呼ばれた。職員室に入ってみると
「履歴書をどうしたんだ、駄目じゃないか出さなくては、今日帰りまでに書いて出せ」

と、タバコに火をつけながら先生は、私を見上げていった。

授業も終ったので、職員室に行って書きはじめようとしたが、一体履歴書はどう書くのか、わからなく、

「先生、どうやって書くんですか」というと、

「なんだ宮沢、お前履歴書の書き方ぐらいわからないのか、よくおぼえておけ」

と、外の人の履歴書を引出しから出してみせながら
「そうだな、宮沢、お前学校に入った年月ぐらいおぼえているだろうな」といった。

それから数日後に口鉄の試験があった。どうせうかるわけがないと思っていたので、試験の問題もわかる所だけやって出した。午後の面接の時などは試験官が色々の問題を出して聞いたが、―てきとうに、わかるものだけ答えておいた。

受験者は五〇人ぐらいだったが半月ばかりたったある日に発表があった。どうせ落ちていると思っていたので、控室に入ってとなりのやつと、なんだかんだ話をしていると、終りに近く私の名前を呼んだらしかった。聞いてはいなかったので、そのまゝくだらない話を友達と続けていると
「おい、宮沢、うかったらしいぞ」

と前田のやつが、肩をつゝいた。からかっていると思ったので妙な顔をしながらだまっていると
「君、宮沢君か、話をしてないで、返事をしろ」

係の先生が、私の方をニラミつけながらいったので、一瞬びくっとして、思わず、

「ハイ」

と返事をしてしまった。皆が一度にクスクス笑いだした。

数日後、身体検査があったが、それもなんなく

うかり、最後までのこったのは、七人だけだった。七人共学校の先生の所に行って、話を聞いたが、その話の中でわかった事は、保証人のいないのは、私と、もう一人の二人だけだった。

「保証人のいる人は早く鉄道に入れるが、そうでないと遅れる、だれかさがすんだな」

と、しんぱいして話してくれた。

それから一ケ月ぐらいたって早いのは口鉄に就職がきまり、卒業までに三人だけが、まだきまらなかった。

○ 鉄道学校卒業

卒業式の日、私の学生時代の最後の日だと思うと、いささかさみしかった。私もできれば大学まで行きたかったが、家の事を考えるとても、そんな事などできるわけがなく、これで私の学生々活も終りなのだ。友達の中でも大学に行くものもいた。その連中は、卒業式の日に、大学のボタンをつけた。上衣をきて、学校に来た。立派な上衣、そこについている金ボタン、バッチ、私とちがう道を行く人達なのだ。卒業しても、職につけない連中もいた。その人達一人一人みなちがう道を行くのだ。私は私のきめられた道を行こうと心にきめておそらく最後であろう。学校の門をくぐって外に出た。三年間、かよった学校、友達の顔、顔が一人一人目にうかんでくる。いつの間にか駅の近くに来ていた。学校の屋根が遠く眼にかすんで見えた。さようなら校門よ。

卒業したが、就職のよび出しがなく、家でぶらぶらしていた。考えてみると、あんなに学生時代遊んでいたのに、口鉄の試験にうかったのが、おしなくらいだった。だから学校の方から、口鉄に私の事をたのんだのではないかと、思ってみたりした。

就職できないまま卒業した友達からも、他の職業をさがして職についたと、手紙がくる。私だけが就職出来ないんだろうか、いつまでも遊んでいるわけにいかないので一人で考えこんでみたがどうしようもない。だけどいまさら叔父に相談するのも義理が悪い、きっといままでの事をいわれるのにきまっている。そんな事いわれるのもしやく

にさわるし、そうかといって私が本当の事を話し出来るのは、山田君だけだったので、彼の家へ行って、

「よう、……まだ日鉄から、よびだしが来ないんだけど、もうだめなんじゃないかと思うんだけど……」

と元気なく話しかけてみた。

「おい心配するなよ、試験に合格して名前呼ばれたんぢゃあないか、大丈夫だよ、そのうちによび出しが来るよ、元気だせ」

励げまされたのか、茶化されたのかさっぱりわからないまゝ、どうする事も出来ず、ほかに職業を探してみようかと、履歴書の練習をする日が続いた。

六月になった。ある日、学校から手紙がきた。すぐこいとの事だった。電車に乗る金もなかったので、祖母に金をもらって学校に行ってみると

「宮沢君の所にも、日鉄から連絡があったから、行ってみろ、場所は品川で、その構内にある品川客車区だ、明日にも行ってみろ」

待ちに待った呼び出しだった。この呼び出しがない為に、どれだけ家の中で、苦しんだろう。日鉄に入る事が出来たんだ、叔父や祖母にしても、どんなによろこんでくれるだろう、前に

「親がいてもこれまでだ」

といわれた時、私はずいぶんと、反発したが、今考えてみると、私の小さい時から、自分の弟のように、育だてゝくれた叔父、自分の生んだ子供のように育てゝくれた祖母、僕もずい分とわがままをしたり好き勝手なことをした。これからは、今までの恩返しをしなければと思い、家へ帰ってその話をすると、叔父も祖母もよろこんでくれ、早速、

「一生懸命仂くんだぞ」

「仂きに行ったら、上役の人のいう事はなんでもだまって聞くんだよ」

とはげましてくれた。今までの事を忘れて、私に出来る事は、これから一生懸命まじめに仂いて叔父や、祖母を安心させることだった。

27

耺場の生活

○品川客車区

次の日は早く起きた。まだ外はくらかったが、祖母もおきているらしく、私の事を心配してくれているのだろう。いつもはこんなに早くおきていない叔父もおきて、店の掃除をしている。

品川駅まで行くのだ、品川駅に降りるのは生れて初めての事だった。東海道の列車とまる駅、その構内にあるという、品川客車区。どこで聞こうかしらと、改札の所でもじ／＼していると

「どうかしたんですか」

しんせつそうな改札の人が話しかけてくれた。朝早いので、お客はまだ、まばらにしかあるいていなかった。

「品川客車区に行きたいんですけど」

と、その人の顔をみると、

「そうですか、客車区ですか、構内にあるんだけど、そうだなあ、わかりずらいなあ、まあ一番いいのは、大きな煙突があるから、それをめあてに行ってみな」

と改札の外に出て方向を指をさしてくれた。

私の仕事は一体なにをするんだろう。そう教えてくれた方向に歩いて行くと、沢山の線路があってその上を機関車が黒いけむりを吐きながら通って行く、そのあとに車輌が何輌もつながっている。

「ガタン／＼」

と大きな音をたてゝ、目の前を通りすぎると同時に、足もとでガチャンと大きな音がした。びっくりして、あとずさりすると、ポイントの切りかえだった。又、機関車を先頭にして列車が私の方に走って来た。動く車体を乗りこえて行くと、また、他の車輌列が沢山目の前に並んでいた。煙突が見えるけど、そこに行くには、どうやって行くのか？　立ちどまってキョロ／＼していると、青い作業服をきた数人が通って行く、話しかけようかと思って、二三歩、歩いてみたが、その人達は急ぎ足で歩いていってしまった。その人達のあとから行けば、きっと客車区に行けるのだろうと思

28

は、すぐ後を追おうとしたが、ちがうところに行ってしまう。又、しばらくそこに立ち止ってしまった。また後で機関車がガタ〳〵音を立てて通る。その動いている車輌の入口から一人の男が飛びおりた。この人に聞いてみようと、走って行くと、その人も気がついてくれたらしく立ち止まった。

「すみませんが客車区に行くんですけど、どこを行ったらいいんですか」

「おれも行くから、ついてこい」

ぶっきらぼうに、話して、急ぎ足で先を歩いて行く。おそる、おそる後をついて行く。枕木の上を踏みながら私は、こんな所を通るのは、初めてなので赤子が、よち〳〵歩くようについていった。新しい土をふむようにして……、

なるほど大きな煙突がヌッと、天高く突きたっている。黒い煙りが一本のオビのように青空に薄く高くのび上っていた。その下に、大きな木造の建物がならんでいる。これが客車区の建物か、なんてきたないんだろう、まさか私の働く所は、こんなきたない所ではなかろう、そう思いながら、建物の様子をみると、中に背広をきた人や、国鉄の制服をきた人が入っていく、五人十人と、その前を通り過ぎると、ねずみ色の建物が目についた。同じ所にあって、なんでこんなにちがうんだろう。まるっきり外から見ると、同じ客車区とは思えない、その前まで来ると、

「ここの二階ですよ」と階段の入口の所を、あごでしゃくるようにして教えてくれた。階段を昇って行く、油でしみついた黒光りの階段だった。二階に上ってみると、事務室らしく、のぞいてみると広い部屋に机がギッシリならび二、三人の人がいた。だれに聞こうかと、その人達の顔を入口の所で見ながら考えていると一人が机から立ち上って、

「なんですか！」

大きな声を出しながら、無雑作に私の方によって来た。キチンと学生服をなおしながら

「実は、手紙をもって、来たんです」

と、手に握っていた、手紙をみせようと手の中を

見ると、アセで手紙がクチャ／＼になっていた。それをのばしながら渡すと、読んでいたが直ぐ、

「ぼくも御苦労さん、私のあとからついてきなさい」

と、その大きな事務室に入って行く、つづいて入ると

「あそこで、まっていなさい、まだ助役さんが来ないから」

といった。そっちの方を見ると、二十四、五才の人が立ったまゝ僕の顔を見ていた。窓からぼんやり外を眺めると、その建物の下を機関車がゆっくり、象のように動いている。機関車の前に、赤旗と緑の旗を持った人が乗っていた。とつぜん

「おはようございます」

うしろの方で大きな声がしたので、ふりかえって見ると、一人の年をとった人が、入って来た。私の前の机の所に来て、

「君たち、なんですか」

と、話しかけた。私は手紙を直ぐその机の上におくと、そばに立っていた二十四、五才の人も、同じように手紙を机の上においた。

「ぼくもごくろうさん、きみたち今日から、ここで働いてもらうんだけど、すぐ詰所に行ってみるか」

と助役さんは話しながら立って歩きはじめた。前に通った木造建物の所まで来て

「ここだけど、整備の助役さんに話をするから入りなさい」

その薄ぎたない建物におそる／＼入っていった。一歩入ってみると、すゝけた天井の下に、机が沢山並んでいて、そのあちこちに、二、三十人の人がすわったり立ったりしゃべったりしていた。みんな作業服を着ているが、ボタンのとれた人、ズボンのやぶけた人、長靴をはいた人などいろ／＼であった。こんな所で働くのかとビックリしたが、どこでも就職さえできればと、フッと叔父や祖母の顔が眼の前に浮び、思いなおすよりほかしかたがなかった。

○ 汽車の掃除（整備係）

最初に入った時は、臨時人夫だった。その日から作業服を、わたされた。だれが着たのか、わからないつぎはぎだらけの作業服だった。ボウシなど、ツバの色が変っていた。

鉄道といったら、駅員や、運転士、車掌ぐらい。しかしながらなかったので、助役さんにつれられて、客車区の整備の仕事をみてまわった時には、こんな仕事を国鉄の職員がやるかと、今まで知らなかった。国鉄の内容がわかったような気がした。列車の中のゴミを掃いたり、列車の外を洗ったりする。柄の短いホーキを右手にもって、カギボウといって、一尺五寸ぐらいのさきのまがった、鉄のボウを左手にもって、車内の掃除をする。外部を洗う時は、〟長柄〟といって五尺ぐらいのボウの先に弁当箱ぐらいの大きな板に、ふさを二寸ぐらいつけたヤツと、刷毛で窓をあらったりするのだった。

家に帰ってくると、叔父が、

「仕事は、なにをやるんだ」

ときいた、すぐ話そうかと思って、のどまで声が出たが、列車のそうじなんていえるものか、と、だまっていると、

「なにやるんだよ、もうわかったんだろう、話してみろよ」

といわれたが、どうしてもはずかしくて話ができない。まさか、私が国鉄に入って列車の掃除をするとは、叔父も思っていないだろう、私だって国鉄に列車のそうじをする為に入ったんじゃないんだ。

「まだ、なにやるかわからないんだよ、だって入ったばかりだもの」

いいながら、お勝手の方へ行ってしまった。

○ 朝鮮戦争

客車区に通い始めた、友達や、知人などいないので、話をする人といったら一緒に入った湯沢さんだけだった。仕事をする時でも、休みの時間でも一緒だったので自然親しく話をするようになった。数日たったある日、

「宮沢君、朝鮮戦争が起ったの知ってるだろう、どっちが先に手をだしたかわかるかい、実は南鮮

や、アメリカ軍が先にやったんだよ」

と聞かされた時、新聞や、ラジオでは北鮮が先に手だしたんだと報じているし、私だってそうだと思っていたのに、この人は、なんて事をいうんだろう、そうだきっとこの人は、〃赤〃なんだと思い妙に反発したくなって、

「それは、ちがうんではないですか、新聞や、ラジオだって、北鮮が先に手をだしたと書いてあるし、だれだって北鮮が先に手をだしたと思っているよ」

と、むきになって、いうと湯沢さんは、

「ブル新なんて、でたらめなんだよ」

と、いかにも、なんでも知っているような口のきゝ方をした。

湯沢さんは、前にはやはり口鉄で働いていたのでしたが、ある事件で馘になった人であった。

やっぱり私の思っていたとうり〃赤〃なんだ、と、その話を聞いてからは、湯沢さんと話をする時はだまって聞くようになった。

「宮沢君は高等学校でたんだろう、なんでいつまでこんな所にいるんだ、私なんか入った時は、みんな、学校なんかでていなかったものな」

といった。私はなんといっていいか、わからなくただ、だまって相手の顔をみつめていると、

「今の口鉄の仕組、知っているかい、口鉄には学閥ていうのがあって、口鉄で出世したけりゃ、東大出って歌の文句があるくらいなんだ、高等学校ぐらい出ただけじゃ、これからは、助役さんにもなれないぜ、そうだなァ　保証人は、あるのかい、いゝ所に行くには、局や本庁の上役に保証人になってもらはなくちゃ駄目だよ」

といった。学校でも先生が同じような事を話してくれたので「保証人て」なんの為に必要なんだろうと私には、何がなんだかわからなくなってきた。

○　世の中と云うものは

二ケ月後に試傭人になった。私には保証人がいないので　困ってしまった。駅員になるには保証人が必要で、口鉄に長く働いている人でなければいけないという、祖母や、叔父に話すと早速近所の人に聞いてまわったが、だれも、いなかった。

しかたがないので、家に来る人にその事を話すと

と、その人の兄が長く日鉄につとめている事がわかり、その人に保証人になってもらうようにたのんだ。

「保証人になってもらうんだから、何か持って行かなくては」

と、叔父は、千円の菓子折を買って来た。

「武も一緒に行け、その方がいいから」

といわれたが、どうしても一緒に行く気になれなかった。小さい時より、祖母にいつでも正しく人生を生きて行けといわれていた。その言葉が頭の中にいつもあった。こんな事までして保証人になってもらわなければならないのかと思うと、どうしてもいやだった。私の力で日鉄に入ったつもりでいたのに、試験だけうかっただけではどうして本採用になる事が出来ないんだろうと思うと

「おれは一緒に行くのはいやだよ、なんだって、こんな高い菓子なんか、持って行かなければならないんだ、おれは一緒に行かない」

と叔父の顔をまじ〱みると、

「そんな事いったって、世のなかというものは、お前のいうようなわけにはいかないんだ、そんな事いっていれば、今どきどこにだって働きに行けないぞ」

と、私の顔をにらみつけるようにして話す、そういわれゝば、いくら私が、正しいと思っても、どうにもなるものではないと思った。しかし一緒に行く気にはどうしてもなれない、とう〱叔父一人で行ってもらう事にした。

次の日、保証人になってもらう人の所へ叔父は一人で出かけたが、帰ってくるまで安心できず、家でまっていた。なんて保証人にいわれるだろうか、私も一緒にいけばよかったのかなと、思い返してみたりした。今更、どうしようもないので、叔父の帰りを待っているより仕方なかった。一日家にいるのが、長く、本を読んでも気がちって、読む事もできず、その事が頭の中からはなれない。一時間、二時間、早く帰って来ないかなと思う気持と、なるたけおそくならないかという気持と、頭の中がこんがらがってしまった。夕方になって

叔父は帰ってこない、どうしたんだろう、外も暗くなって来たし、心配にもなって来た。飯だといわれても飯をくう気もおきない。祖母が
「早く飯を、たべちゃいなよ、心配する事なんかないよ、大丈夫だよ」

と、なぐさめてくれたが、どうしても食べる気がしない。七時、八時と時間がたってゆくが帰ってこない、どうしたんだろう、電車の事故でもあったんだろうか、それとも保証人の所で、なにかいわれているんだろうか、気持だけが、いら〳〵して来た、九時になった、家の中を腕組みしながら、何回も何回も歩きまわった。

「ただいま」

帰って来た……まっかな顔をして叔父は少しよっぱらっているようだった。

「武、だいじょうぶだよ、保証人になってくれる人は、安原さんといって、本庁のわりと上役の方らしいよ、やっぱり一緒に行けばよかったな、安原さんは、宮沢君はどうしたんですと、聞かれたので、今日は職場に行ってますと、いっておいたよ」

手に土産らしいものをぶらさげながら、上気嫌で家の中に入って来た、あゝよかったと気持がゆるむと、急にはらがへって来た。

「飯どうした？ まだか……そうだな俺も飯くうかな、武はどうしたんだ、くったのか」

と、洋服を脱ぎながら、陽気にいった。

「まだくってないんだ、心配でくう気がしなかったんだ」

ときまりわるそうにいうと、

「馬鹿だな、一緒にくおうな、そうだ途中上野に一寸よったんで、佃煮にかって来た、これでくうか」

と買って来た、佃煮を開きはじめた。

「安原さんの所でな、お酒をごちそうになったんだ、今日はちょうど休みで家にいたんで、よかったよ、話をしたら、安原さんが、お前に決して組合運動なんかやらない方がいいといっていたぞ、そんな事すれば、えらい所へ行こうと思ったって行けなくなるといっていたよ、そればかりではな

よ、安原さんにも、迷惑がかゝるから、組合運動なんかやるなよ」

と、箸を動かしながら話した。私だって組合運動なんて、一生懸命やろうと思っていなかったし、安原さんのいうように、偉らくなった方が、列車掃除なんかしているよりはいいから、そのとうりにしようと思いだまって、飯をくっていると、祖母まで起きてきて

「そうだよ、お前組合運動なんど一生懸命やらない方がいいよ、あんな事やって首なんど切られたらどうしようもないよ、国鉄に勤めていれば、今は、給料は安いけど、一生づとめていられるんだよ、年とったって、安心して働けるんだからそうした方がいいよ」

と、叔父に合い槌を打った。私の事をこれほど心配してくれるのかと思うと、二人が安心するように、しようと飯をくいながら考えていた。

○ 徹夜作業

十月一日に職員になった。その日、職場に行くと、世話係が私の所に来て

「助役さんが話があるそうだから、行ってみろ」

と、そばを通りながら話してくれた。点呼も終ったので、助役さんの所に行くと

「宮沢君、明日から、徹夜をやってもらいたいんだが、そうだな、C組に入ってもらおうかな」

と、点呼を見ながらいった。考えてもいなかった、徹夜、どうしよう、徹夜って、どういう仕事をするんだろう。まさか、徹夜を職員になって直ぐやらされるとは思っていなかったので、ことわるわけにもいかないだろうと考えあぐねていると、

「宮沢君、明日は徹夜のC組なんだから、急だけどとまってもらうんだな」と、私の気持もきまらないうちにそう話した。

次の日、職場に行ってみると、既に私の名札は徹夜の詰所に行っていた。点呼で名前を呼ぶのを待っていると、一番最後に私の名前を呼んだ。すぐ世話係の山田さんが

「今日から、宮沢君が来たから、よろしくたのむ」

と、実時浴を、わきにかゝえながら皆に話したので、

「よろしくおねがいします」とあいさつすると、

「親入か」

と、後の方で声がした。仕事は外部洗いらしい、班長の島田さんが来て

「宮沢、こい、おれと一緒にやれ」

とかたをいからせながら、先に歩いて行く。

夕方になると、皆が三三、五五帰って行く姿が見えた。私も家に帰えりたくなって来た。昨日まであこがれたものをと思っていると、雨が、ポツ／＼降って来た。なんていやな晩なんだろう。始めての徹夜に雨が降るなんて……

電気が洗い場にポツンとついた、電気の光に雨足が光って車輌にななめに降りそゝいでいる。カッパを着て外を洗っていたが、カッパのすそから長靴の中に雨がグショ／＼ながれて入って来た。顔も、横なぐりの雨でぬれてきた、えりからもしづくが首をつたわって入ってくる。寒くて、泣きたくなった。洗場から、山手線の電車が見える。それをジッとみていると家に帰えりたくなった。しかし帰えるわけにはいかない、ここでがまんしなくてはと思い直した。

やっと、仕事も終り、フロに行くと、急にねむくなって来た。ほかの人達は皆元気そうな顔をして話し合っている

「よう、パイイチ行くか、こう寒くちゃねられねえや」

と、がや／＼話しているのが聞こえた。まったくこう寒くては、酒でものまなけりゃ、ねられないだろう。まさか始めての夜、そんな事もできないと思い、急いでフトンに入ると、ひやっとする。首までフトンをかぶって、小さく縮かんでねたがせっかく、フロであったたまったのがさめてしまうほどだった。なんてなさけない気分だろう。皆はどうしているかと、首を出して、暗闇をすかして見ると、もういびきをかいている者もいた。タバコを吹っているのか、ボーッとむこうの方で火がついている、よくこんな薄っぺらなフトンの中でねられるもんだなと、となりの人を見ると、やは

り高いびきをかいてねていた。家のフトンでねた方がどんなにかいいだろう、あったかいだろうなと思うと、尚更、ねむれなくなった。明日から徹夜の日にはこのフトンでねなければならないのかと思うと一層なさけなかった。

暗の中で「ゴー」と列車が通る音がした。

○あり地ごく

ある日、詰場に行ってみると、掲示板の、通知〆を見ながら皆が話し合っていた。私も作業服にきかえるとすぐそこへ行ってみた。

「宮沢君、車輛手の試験があるんだってよ、お前教習所へ入れるんだぞ、いつまでこんな所にいる手はないだろう」

と、内田さんが、がっかりしたようにして私に話しかけてきた。この試験を受けられるのは三十前の人でなければだめなのだった。もう内田さんは四十才に近く、試験を受ける資格もない、この詰場にも沢山内田さんのような年よりがいる。それらの人達は掲示板のそばを通っても、横目でチロとみながら知らん顔でとうり過ぎて行く、一生この詰場で列車の掃除をしなければと、半分以上あきらめている人達なのだろうか、私など、とてもこんな所に一日も長くいたくはないと思うが、この人達の事を思い合せると、なお考えさせられてしまう。古い人になると国鉄に入って三十年以上も汽車を洗っている人もいる。それらの人達は、若い者から

「よう、おやじ、なにもさもさしてるんだよ、早くやれよ、もうろくしたな」

などと、馬鹿にされてしまう。私だって三十年も列車の掃除なんか、していれば馬鹿にされてしまうだろう。そんな事になるのなんかいやだ。いいチャンスだから試験をうけてみようと、思い、

「おれも、うけてみようかな」

と内田さんに、申し訳なさそうに話しをすると、

「そうだ、そうしろよ、うまくうかって教習所行ってかえってくれば、すぐ車輛係になれるんだ、そうすれば、号俸だって一号上るぞ。まあ若い時にうけるんだな、ボヤボヤしていると、おれのようにロウトルになってしまうからな」

と景気よく話してくれたが、その話し方も、何んだかさみしそうだった。

試験の当日、汐留駅の構内に入って行くと私の前にも、彼にも同じような受験者が二、三人づつ歩いていた。みんな若い人達ばかりだったが、三十近い人もいた。その人はんか、きっと、奥さんや、子供達もいるんだろう、いつまで列車の掃除なんかしていたくないんだろう。あの人も家族に本当の事を話してないんだろうが、試験がはじまった時一斉にくばられた、試験問題をみると僕はドキッとした。考えてもいなかった問題ばかりだった。数学にしても、分数や、鶴亀算ばかりだった。問題をみつめている内に腹が立ってきた。なんて馬鹿にしてるんだろう、こんな問題できたって、できなくたってどれだけその人間の価値がちがうんだろう、この問題ができれば、車輌係になれる、できなければ列車掃除だ、こんな不合理があっていいものだろうかと考えてもみたが、この問題が出来なければ、たしかに車輌係になれないのだ、と考え直すとミヤクにさめつてもなんでも仕方のない結果だった。その年もくれ、正月になった、元旦から早々徹夜に当った。洗条台からホームの方をみると沢山の休みの人達がきれいな着物や洋服をきて、ホームにズーッと立っていた。それにくらべて、元旦というのに、長靴をはいて、菜ッ葉の作業服で汽車を洗っている自分、元旦ぐらい家にいたいと思ったが、それも出来ないのだ、

「一年の計は元旦にあり」と昔の諺にあったが、又、今年も一年中列車の掃除かと、さびしく思ってもみたがきっと、試験は全部やったのだから、受かるだろうと、思いながら、なにか、あかるい希望で試験の発表をまつ気持になった。

発表の名前には——ついに私は入っていなかった。なぜ落ちたのだろう、わからない、試験問題は、三度も見直した。それでも少し位まちがっていたかも知れないが、落ちるほど出来なかったとは思われない、何故だろう、わからない……、どう考えても落ちたものはしかたがなかった。一緒

うけた下山君は受かっていた。下山君がうらやましかった。私だってうかっていれば、すぐ教習所へ入れて、車輌係になれるんだ、思えば、思うほど、あきらめきれなかった。

「ようう、宮沢君、おっこちたらしいな、あまりくよくよするなよ、おっこちたって、もともとじゃねえか、点ばかり良かったって、うからないって話しだぜ、保証人かなんかにたのめばうかるらしいよ、おめえ、たのんだのか」

と、思ってもいなかった事を、鈴木君が話した。点ばっかり良かったってだめだって、保証人に頼んだからと――、ほんの為に保証人に頼まなければならないのだろう、自分の力だけではだめなのか、国鉄に入る時だってそうだった。保証人に、たのんでみたらすぐに駅員になれた。私には、わからない、なにかあるんじゃないかしら、と考えるよりほかしかたなかった。又、次の日から列車の掃除を始めるより外どうしようもなかった。

ある日、叔父と一緒にめしをくっていると、

「今まで決めてなかったが、今月が毎月に三千円家に入れろ、前の初子さんだって、三千円入れているんだから」

と、祖母の方をみながら話をした。今までだって三千円ぐらい家に入れていたのに、まるでただ食べていたみたいにいわれてしまった。今までだってと、のどまで、声がでかかったが、だまってしまった。小さい時からめんどうをみてもらった働いたら、その恩返しをしようと思っていたから……。手取り七千円ぐらいしかもらえない自分、その内から、先日洋服を買ったので、二千円ひかれてしまっていた。それから三千円出すと、手にのこるのは、二千円ぐらいになってしまう、しかし、お金を入れなければと思うよりしかたがなかった。二千円ぐらいじゃどうしようもない。なんとかあと千円でもあればと思い祖母に話してみると

「それでは、毎月たりない分だけ出してやるけど、何につかうのか、はっきりさせるんだよ、それでなければだめだよ」

といわれたので、これでお金の心配はなくなった。ホッと安心したがなんの為に働いているのか、自分でもわからなくなってしまった。このまゝ、家にいたのでは自分の力で生活する事もできやしない。しかし一人で家を出てしまえば祖母一人になると、思うと家を出る勇気も出なかった。

いまさら、湯沢さんのいった事が思いだされて来た。

「一生懸命働いたって、一人で生活できやしない、これもいまの社会のしくみが悪いんだ」

と、よくいったっけ、だけど私には、社会が悪いんだといわれてもなんだかよくわからない。しかしなんとかしなくては……小さい時から両親をなくし、親なしっ子と、いわれながら育だち、祖母の子としてあやかされてきた二十年、働きだしてから、自分の力で生きて行こうと思っていた事が、一つ一つくずれ去って行く。まるで、蟻地獄におちた、アリのように足もとから、くずれて行くのが、自分にもよくわかるような気がする。これでは、だめだ、祖母が死んでしまえば、いつまでも叔父の所にいるわけにはいかない。こゝでがんばって一人で生活する事を考えなくてはと考えて、寮に入る決心を祖母に話したのであった。

「なんとか、考え直してみないか、いま世の間で一人で生活していくのはたいへんなんだよ」

と、祖母はシンミリしていった。

ウン、何んとかして見せるよ、キッと、そう心に誓って、上池上の寮生活へ勇気と、希望をもって入ることにした。叔父はなんというだろう、しかし、新しい生活を切ひらくためには、どうしてもひとりで、寮生活をしなければならない、そうかたく決心したのでした。

寮生活

着いた荷物もかたづけ、ホッとしてタバコを吸うと「えーと」灰皿をと、気がついてみたが持って来てなかった。室中をキョロキョロさがしてみると、窓際にある机の上においてあった、吸いかけのタバコが二、三本灰と一緒に入っていた。同じ室の人の灰皿だろう、かりてしまえと思い窓の所まで二、三歩足いて行って灰皿を手にしながらふと外を見ると、むぎが青く一面きれいに、はえそろっていた。

ふと家の事が思い出されてきた。祖母はどうしているだろう、叔父は何をしているだろう、……と次々に目の先にうかんでくる、今日から一人で生活すると思うと、一粒、二粒と目先がかすんで来た。そで口で目をこすり上げながら「負けやしないぞ」とつぶやいてしまった。

室は北側なのか日がさしこんでこない、麦畑に斜から日がさして、青い葉にすいこまれるように夕日があたっていた。

「コツ、コツ」

と戸をたたく音がした。

「どうぞ」

声をかけると、

「ガラー、ガラー」

と、ゆっくりと戸があいた。

「もう、かたづきましたか、私はこの寮の管理人の近藤ですけど、よろしくね」

四十二、三才の人の良さそうな、おばさんが顔だけ室の中に入って話した。

「おれ、宮沢です、こんごよろしくおねがいします」

と、私はぺこぺこ頭を下げるようにして言った。

「宮沢さんですか、大きいですね、どの位あります」

と室中を見まわしながら、小声で言った。

「もう、じき、ごはんですから、えんりょしないで来なさい」

といいながら戸をしめ、スリッパの音を立てながら、行ってしまった。

同じ室の人はどこえ行っている人なんだろうか、どういう人なんだろうかと、帰ってくるのを待っていた。六時になっても帰らない、腹もへってきた、先にごはんをたべてしまおうと、立ちあがろうとした時だった。

「ガラー、ガラ、ガラ、」

とけいきのいゝ音がして、二十五・六才の人が入って来た。

「ただいま」

きょとんとして片手に靴をぶらさげて立ち止った。私は直ぐ
「私、宮沢といいますけど、よろしくお願がいします。田川客車区に行っています」

と、頭をさげながら、あいさつすると、

「私も客車区に行っているんですよ、宮沢君整備だろう、私は仕立ですよ」

とズボンをぬぎながら話した。

「飯たべましたか、まだですか、一緒に行きませんか、ちゃわんとはしある」

と、戸棚を開けながら、ドンブリ二つとはし箱を出して時計を見た。

「もう、六時半か」

とつぶやきながら、戸を開けて、廊下に出て行く、あとから食堂に行ってみると、五・六人の同年輩ぐらいの人達がいた。食堂の入口で立ち止っていると、

「宮沢君、ここに食券があるから毎日三枚を三食でも、二食でも、自分のすきなようにたべるんだよ」

と、まだ新しい、私の名前の書いてある所をおしえてくれた。その名前の下には、赤、青、白の三枚のセルロイドで作った食券が、くぎにかゝっていた。赤い食券を一枚にぎりながら、飯をもらおうと、窓口に出すと、

「さきほどは……。あれッ、一食でいゝんですか、身体が大きいんだから、二食ぐらいたべられるでしょう」

と、笑いながら話をするので五・六人の人達もクス、クス笑っていた。

寮のめしはどんなんだろうと、ドンブリをにぎると、麦ばかりと思われるめしが、ドンブリに八分目位のっていた。米といっても、かぞえる位さい入っていなかった。口の中に入るとぼろ〳〵する。一口一口かみしめながら、味噌汁をすゝった。

一口入れては、味噌汁をのまなければ、たべられなかった。まわりの人を見ると、うまそうに自分達で買って来たんだろう、色々な、おかずをならべながら食べていた。なるほどな、おかずは自分達で買うのかと思った。

数日、たつと、寮の事も色々わかって来た。二人の職人と、三十人ぐらいの寮生がいた。その日は非番なので寮でねていたが、なにもする事がなくあきてしまったので、めしでもくって映画にでも行こうと、食堂に行くと、

「宮沢君じゃないか、いつきたんだ、室はどこなの、おれの所に遊びに来いよ」

と二コ二コしながら立っていた、書記長をやっている、大木さんだった。

「こんちわ」

と頭をさげながら、見ていると、

「二階なんだよ、階段上ってすぐの室なんだよ」

大木さんの室は二階の南側であったかそうだった。

「まあ、お茶でものめよ、宮沢君、鈴木さんと同じ組だろう、あの人、面白い人だからな」

と、やかんをぶらさげながら、出て行く。

トン、トンと階段を降りて行く音がした。室の中を見わたしてみると、きれいな机と、本棚が目についた、きちんと本が五段に並んでいた、どうい本があるのかなと思い、本棚の所に行ってみると今まで、見たことのない本ばかりだった。一番上は、文庫本ばかりだった。ずーと目を下の方にうつすと、一番下に、ぶ厚い本が五冊並んでいた。「資本論」と書いてあった。「資本論」なんの本だろう、資本家の本だろうかと思ったが、組合の役員がまさか、資本家の本など読むわけがないと考えていると、

「おそくなってわるかったね。お湯わいてなかったんだ」

と、やかんをタオルでおさえながら入って来た。

「宮沢君、なにか読みたければ持っていっていいよ、あまり小説なんてないんだけど、お茶のめ

よ、宮沢君、どこなの家」

と、お茶をさしながら話した。

「おれ、埼玉の川越です」

「宮沢君も、おれっていうのかい、実は、おれもそうなんだ、私とか、僕とか、どうしても言えなくってね、おれも埼玉の熊谷の方なんだよ、同じ埼玉か」

なつかしそうに話して来た。今までの気づまりが、すっとんでしまった様だ。

「宮沢君、大きいな、現場でも、めだってみえるよ、鈴木さんが、この間話していたけど、常会で、なんかいったそうだね、こんだ大きくつて元気のいいやつが入って来たってよろこんでいたよ、どうしたの」

と、私の顔をみつめる
「実わ、この前の夜だけど、あれは外部洗いやっているんですよ、外部洗いの班長は島田さんといって、いばっている人なんです、徹夜にはった日から毎日の様に、もんくをいわれたが、あ、、一、、、、だかおど、がまんしていたが、あの晩は、あまりしゃくにさわったので、もんくいってしまったんです」

半分いや〳〵ながら話していると、

「そうか、今の時間なんて、みんないばってばかり、いやがるからな、自分達は仕事もしないくせに、あらばかりさがして、もんくをゆうんだ、あれ困うに、今のまんまじゃどうしようもないと思うんだけど、もっと皆んなが仕事をしやすい様にしなければ、いけないと思うのだけど、宮沢君どうなんだろう」

とお茶をつぎながら話したが
「なんだかわからないんだけど、あまり安諾係.や、班長はいばり方がいいと思うんですけど」

と言うと、大木さんは私がいや〳〵話しているのがわかったのか.

「宮沢君、この本読んでみないか」

立ちあがりながら一冊の本を引きぬいた。

「小林多喜二の蟹工船ていうんだけど、この人は日本プロレタリア文学の代表作家で有名な人なんだ、それと、これはむづかしいかもしれないけど、マルクスの賃労仂と資本この二冊がいいな」

目の前に二冊おいた、手にとってみると、何回も読んだのか、手あかゞ本についていた」

「おかりします、おやすみなさい」

私の室に帰ってみると、室の人はいなかった、おきていてもと思い、ふとんをしいて、今かりて来た本をみようと、二冊並べてみたが、小説はどうも読むのがきらいなので「賃労仂と資本」を手に取ってみたが、百頁ぐらいのうすい本だった。手に取りながら考えこんでしまった。この本を読んでどうなるだろう。気がいらいらしてくるのがわかるようだった。「ペラ、ペラ」と本をめくって行くと、「階級斗争」この言葉がでてくる所で、本をめくるのをやめてしまった。「階級斗争」てなんだろうか、気持が引きこまれるようだった。労働てなんだろうか、なにか私の給料と関係があるんだろうか、気がついでみると読みだしていた。一行一行わからない言葉を読んで行った。意味がつかめなかったが読むのがいやにならなかった。

「一ー條件である」で終っている。読み終ると、つかれが感じられた。こんなに一生懸命本を読んだことがあっただろうか、タバコに火をつけ、吸いはじめてみると、この本を読んでどうなるんだろうか、自分とどんな関係なんだろうか、不安な気持になってきた。

○　常　会

職場では毎日毎日同じ様な仕事ばかりだった、毎日毎日平凡な日がつゞいて行く、なんの為に日鉄に入ったんだろうかと考えてしまう様になった。班長や世話掛はいばりちらかしている。それに対して組合の役員は、もんくをいっているが、何にか私達の気持以外の事で話すのだった。毎晩々々常会が開かれる二、三の人達が、世話掛や班長をつるし上げている。他の人達はだまってきいているだけだった。だまっている人達でも、不満があったのだ、仕事の休みの時など、五、六人あつまると、

「ねえ、いやになってしまうよ、このあいだの

日よ、おれが佐藤と、食堂車洗っていると、あの野郎、班長だと思って大きなつらしやがって"油をおとせよ、何んだその洗い方は、てめえは、何年外部やっていやがんだ"といいやがった。よう、食堂車は油なんておちやしないんだよ、もんくあるんだら、おれ達にいわないで、日食の方にいえばいいんだよ」

と不満をお互いにぶちまけている。しかし、その人達と面と向うと、だれ一人として、もんくをいう人はいなかった。

「おい、山田、八番に車臨が入ったからやってこい」

といわれると、だまって行ってしまうのでした。こんな事でいいんだろうかと思ってみたが私なんかまだ徹夜に来て、いく日もたっていない、仕事も一人前にやれやしないくせにと思うと、皆と同じようにだまっているよりしかたなかった。

その晩も常会を開いていた。同じ様な常会だった、二、三人の人達の発言で終っていた。その人達の発言はやはり、皆の本当に云いたい事をいっていなかった、その人達が終るとしばらくシーンとしてしまった。やはり皆は世話掛や班長がこわかったのだ。世話掛などにもんくをいうと、いやな仕事をさせられてしまったりするのだった。二分、三分たった時だった。

「実は、僕いいたい事があるんだけど班長の島田さんの事だけど、あんまりもんくをいってもらいたくないんですけど……」

と、終の方は聞こえないくらいの小さな声で話し出した。皆はざわ／＼とさわぎはじめた。目鏡をかけた山根さんだった、はじめての発言だったからだった。私のいいたい事をいってくれた様に思えて来た。山根さんだって云ったんだからと思うと、学生時代の昔のころが思いだされて来た。あの頃は、なんでも、どこでも、どんなことでもいってしまった。今はどうだろうか、自分が良くなろうと思って、いいたい事でもだまってすみの方でいるだけでないか「いくじなし」と自分に云われている様だった、正しい事は、どんな事でも正しいんだ、勇気をださなくってはどうするんだ、自分にいいきかせた。

「おれも話があるんだけど」

と、立ちあがっていた、皆の目が私をみつめるのが、立上るとよくわかった。

「なんですか、宮沢君、えんりょしないで話して下さい」

議長が、座わりながら指をさした。

「山根さんのいった事おれもそう思うんだけど、毎日々々もんくをいわれればだれだって、おもしろく仕事できないと思うんだけどそういう点もうすこし考えてもらいたいと思うんですけど」

話していると、顔のほてってくるのが自分でもわかる様に思えた。島田さんの顔をみると、下をむいて、話をするようすもなかった当然私の前にいた岡田さんが立ち上がりながら、私の立っているのも、かまわず

「えーと、おれもそう思う、えーと、だから山根さんの云う事も、宮沢君の云う事も、えーと、正しいと思うんだけど、えーと」

あとがつづかない、ざわ〳〵ます〳〵、さわぎ始める。

「えーと、島田さんが班長になってから、えーと、外部洗い屋が、えーと、うまくいかなかったんだえーと」

半分聞こえないような小声で話している。一生懸命話しているんだろう、岡田さんの、背中をみ上げながら、岡田さんてどういう人なんだろうか今まで、話もした事がなかった人だけど、私と同じように考えているのだろうか——

その日は雨が降っていた。外部洗いも終ったので、バケツをぶらさげながら詰所に帰ってくるとストーブに岡田さんが、石炭をくべているのが目についた。

「おゝ、さむい」

と一人ごとをいってストーブの所まで、カッパを脱ぎながら行くと、

「ごくろうさん、宮沢君、あたらねえか」

といゝながら立ち上って、長椅子を引っぱって

来た。

「どうもすみません」

いいながら詰所をみると、まだ誰もあがってきていなかった。

「岡田さん」

と言葉をとぎらせながら話した。

「この間、えらかったなあ、おれかんしゃしちゃったよ、まじめな人だと思ったよ」

と、初めてなので、立ったまゝいると、

「ぬれているよ、すわんなよ、宮沢君といったっけなあ、若いのに僕感心しちゃったよ、僕も口鉄に入って、あんな事いったの始めてなので、うまく話しできなかったよ……」

てれくさそうに、ストーブに石炭をくべた、

「おゝつめてえ、よう宮沢おわったかい、あの野郎にとっゝかまって、またやらされてしまったよ、長靴に水が入っちゃって、びしゃ〱音がしやがる」

長靴をぬぎながら話す、

「よう岡田今日は、お前もうけたな、そういえば、この間の常会、島田さん顔が青くなっていたぞ、えーとを何回いったかわかるか」

からかい半分に両方の長靴をぬいでいた。岡田さんの顔をみると、にがわらいしている。

「えーと」

話しはじめた時だった、皆が「どや〱」と帰って来たので話をするのをやめてしまった。

その事があって半月位いたった、ある日食堂で大木さんとあった
「宮沢君、こんど室のやつが結婚して出て行くんだけど、私の室にこないか、おれ一人になるんだ」

飯をよそった、ドンブリを持ちながら話した。突然いわれたので、飯をくうのをやめて顔を見上げていると、

「寮長には、おれから話しておくから、心配しなくっていいよ、明日でも来てしまわねえか、明日休かい」

と飯をくいながら言った。あんな北側の寒い室にいるより、二階の大木さんの室の方が、広いし

と思ってけたので、
「お願いします、明日休みはので、行きます
から」

○勉強会

次の日、フトンを持って大木さんの室え入ってみると、前の日に行ったのとくらべてきれいになっていた。戸棚を開けてみると、そうじがきちんとして新聞がしいてあった。大木さんの室では生活する様になって気がついたのは、よし毎晩本を読む事だった。一時、二時ごろまで読んでいるらしかった。なんの為に読むのかわからなかったが、よく読む事だけは事実だった。

非番の日、早く帰ってねようと、階段を上って室のまえまでくると、中からにぎやかな声が聞こえてくるのだった。なんだろう、どうしようか入ろうかと、靴を片手に持ちながら立ち止っていると、

「ガラッ」と戸が開いて、大木さんが出て来た、やかんを片手にぶらさげていた。

「お帰り、入れよ、皆な客車区のヤツ等ばかりだよ」

と私の手を引っぱりながら室に入った。

「宮沢君が帰って来たよ、平さん」

「よう、おかえり」

一緒の組にいる鈴木さんだった。五人の人達の顔を見ると、皆な整備の人達ばかりだった。本を片手で持っている人、目の前においてノートをとっていたらしい人、組合の役員ばかりだった。おもくるしい空気が室中にただよっていた。窓はしめきり、タバコの煙が室中にたちこめていた。職場で毎日会っている人達に思えなかった。つかれた目をしてみあげている。

「今日は」

と、靴を棚に上げながらあいさつすると

「今日は、勉強会なんだよ、わるいな非番でねむいだろう、よう大木どこかえ行こうか」

と本をたゝみながら立ち上ると、一緒にいた人達も立ち上った。窓をしめきっていたので、あついのだろう、顔にあせがにじんでいるのがわかった。

「いいですよ、おれ一緒に聞いてみますから」

持ったドンブリをかゝえながら言うと、

「今日は、賃労仂と資本の勉強会なんだよ宮沢君に、この間貸したろう、あの本だよ早く飯をくって来ないか」

といいながらやかんをぶらさげて室を出た。

のこった人達は、座り直しながら、耳うちして話をしている。なんかいやな感じがしてきた。

私にきかれない様に話しているのだろう、こんな所にいてわと、すぐ大木さんのあとから食堂に行ってみると、だれもいなかった。勝手口をのぞいてみたが、そこにもおばさんもいなかった。

「おばさん、おばさん」と大声で呼んでみると、「おかいんなさい」

食堂の前の室から、おばさんが急ぎ足で出て来た。

「おみおつけ、きっとさめてしまったよ、おかず奥だよ、ドンブリどこだい」

いそがしそうに、勝手口に入って行った。


「宮沢さん、まったく大きいね、六尺あるんだってね、それじゃ六尺さんだよ」

飯をもりながら、言っていると、

「よう、六尺さんか、いいや」

大木さんの声がうしろでした、ふり返ってみると、やかんを持って立っている。

「飯をたべながら行きますから」

と言って、めしをくいはじめた。勉強会かと魚の骨を取っていると、

「早く、くってこいよ、まっているから」

スリッパを引きずりながら、行ってしまった。

「六尺さんか」

一人でつぶやいていると、

「わるい事をいっちゃったかしら、六尺さんなんて」

おばさんは、頭をさげながら、すまなそうな顔をしているので、

「おばさん、そんな事ないよ」

と、おばさんの顔をみあげた。

飯をたべたので、室に帰ってみると、皆は話し

ていたが、私が入って行くと話をやめてしまった。私だけがなにかこの空気にあわない様な気がした。勉強会でこんなふうにやらなければできないのかと思うと映画にでも行ってしまおうかと立っていると、

「宮沢君、なにしてんだよ、早く入れよ、すぐはじめるから、鈴木さん、さっきの続き話してくれよ」

本をひろげながら私から本に目をうつした、

「労賃なんだけど、おれ達の賃金についてだけど・・・・」

とう勉強会に入ってしまった。私はどうしよかとすみの方ですわっていると、次々に話が進んで行った。

「それでは、これで今日は終りにしようや、次は階級斗争についてやってみようや、そうだ宮沢君も、次から出てみないか、すぐだれだってわかりやしないから、出ているうちにだんだんおもしろくなるよ、どうする」

皆の顔が私の方をむいている、どうしようか考える事も出きないような空気だ、ことわったらなんといわれるだろうか、長いちんもくがつづいた。わきの下から、汗がにじみ出てくるようだった。まだだれも話しださなかった。

「うーん、考えてみると、大木さんとあとで話しあってみるよ」

と言ってしまった。大木さんをみると、こまったような顔をしている。目をつぶっていた。当然鈴木さんが立ち上りながら、

「そうだ、あとで大木君と一緒に話した方がいいよ、それでは皆んな帰ろうや」

皆がどや〳〵室から出て行く、大木さんも一緒に出て行った。あとかたずけおしていると、

「おーい、宮沢君」

窓下から声がしたので、首だけ外に出してみると、皆が手を振っていた。私も右手をあげると、

「さようなら、明日又あおうや」

大声で言った。皆もニコニコしながら手を振っていた。さっきとちがう職場で会う人達と同じようだった。私の気持の中にあった。あっぱくされ

51

ていたものが右手からにげて行く様に感じられた。「さようなら――」と大声で手をふり上げてしまった。

一週間に一度の勉強会だった。その日も勉強会をやる日だったらしく、私が仕事も終り、日勤だったので、ふろに入ろうと、バケツに石ケンを入れて立っていると、

「宮沢君、今日勉強会なんだ、でてみないか、わからない事あったら、いってくれよ、どうする」

と本を片手に持ちながら小声で言った。うしろを見ると鈴木さんも立っている。だれか見ていやしないかとまわりをキョロキョロ見たがだれも見ているようすがなかった。

「皆んなくるんですか、おれむずかしくってわからないので、よそうと思うだけど」

と下をむいて言ってしまった。顔を上げて大木さんはと見ると

「そうだけど、やっぱり勉強してみる必要あると思うんだ、宮沢君が前に言っていたっけは班長や、世話掛はどうしていばるんだろうて、あれはなんかやっぱり、今日やる階級斗争の問題なんだよ、それがわからなければ良くならないと思うんだけど」

一生懸命話すのだった。そのまじめなたいどに心を打たれてしまった。

「おれ、出ます、だけど毎週出られないと思うんだけど、徹夜があるので……」

「それは大丈夫だよ、おれにあわせてやるのだから」

と鈴木さんが笑いながら話した。ほんとはほしに参加した勉強会だった。一緒に読んで行くと、言葉がわからないのをおぼえるだけで大変だった。いやいや参加したのだったが、一生懸命やる態度にはなにかあるように思えて来た。

○　斗争参加

十月もあといく日もない日の常会だった。全員参加との事だった。九時半になると、全員出席した。議長は鈴木さんだった。

「今日の常会は、年末斗争についてやるんです

けど、斗争委員の平田さんから話して下さい」

平田さんの顔を見ながら話した。立ちあがりながら平田さんが話しだした。

「実は、皆んなも知っている様に、口労では年末斗争二ケ月分の要求で斗争をやっているんだけど当局は、一ケ月の回答きり出して来ないので組合としては、中三波で、東京機関区で乗務員の三割三カ指令が出たのです。それで分会の非番者は全員参加するとの指令が来ていますので、皆さんで、話してもらいたいんですけど、議長さんお願いします」

ノートを手にしながら言った。すると、

「いま平田さんの話でわかったと思うんですけど、誰か、発言して下さい」

と皆を見まわしている。

「大木です、発言もらいたいんですけど」

後の方で大きな声がした。皆ふり返ったので私もふり返ると、大木さんと、上田さんの二人が立っていて、大木さんが手を上げていた。

「いいですよ、大木君」

実は、平田さんから話があったと思うんですけど、支部指令で非番全員東京機関区へ行って、ピケに参加してもらいたいんですけど……」

と言っているのに突然

「いま大木君のいった事について、だけど、全員参加といっても色々用のある人はいると思うんだけど、強制的について行くのはよくないと思うんですけど」

松下さんが立ち上りながら話すと、

「議長」と手を振り上げて、大船さんが、

「いま松下さんが、あの様な事いったけど、おれは、反対だ、誰れだって用はあると思う、しかし、自分達の年末斗争じゃないか、そんな事いっていては斗争なんて出来やしない皆んなそうだろう――」

顔を真赤にして、振えながら立っていると、

「そうだ、そうだ」と六、七人の賛成の声がする。

「あの野郎、またあんな事いってやがらァ 松下の野郎当局の犬だからな」

と、私のとなりで小さな声がする。議長の鈴木

さんは立ちっぱなしで、

「皆んな静かにしてくれないか、一人づつ発言してくれ」

と皆を見渡しながら、両手をふりながらとめている。

「おれ、えーと、こう思うんだけど、えーと用のある人は、えーと、この場所でえーと、いってもらって、その他の人は全員参加した方が、えーといいと思うんだけど」

発言を求めないで岡田さんが突然話し始めた。

「賛成、賛成」と皆の声がする。私は松下さんの顔をみると、天井を見上げながら目をつむって腕を組んでいる。

「それでは、今岡田君の云った事に対して賛成の声が多いので、そのように決めたいと思いますけど、明日参加出来ない人は手を上げて下さい」

すわりながら見渡している、三人の手が上った。

「平田さん、名前書いといてくれないか」と平田さんのノートをさしながら話した。

次の日、三人以外の人達は全員参加することになったが、当日になると、三人の人達はだまって帰ってしまっていた。

「野郎、明日になったらつるし上げてやれ」

「そうだ／＼」と皆の顔が、血走っていた。

私はどうしようかと考えたが、皆が参加するのにと思うと、帰って行く気にもなれなかった。

東京機関区に行くと赤旗の波、波だった、十二三本竹竿の先に赤旗が結びつけてあった。風が吹いているのかハタ／＼と音が聞こえる様だった。

「皆さん、朝早くから御苦労さんです、地本の近藤です」

突然、頭の上で大きな声が聞こえた、びっくりして、声のする方を見あげると、機関区の二階の窓にスピーカーがとびでていている。

「皆さん、並んで下さい」

腕章をまいた人が、どなりながらとんで来た。

「各車区、全員こっちえきて二列にならんでくれ」と、大きな声があっちこっちでする。ぞろ／＼

と全員が動く、百名近い人がいる。洋服をきている人、作業服をきている人、さまざまなかっこうをしていた。赤旗をふりながら、平田さんの声がする。各分会ごとに二列に並びだした。

「客車区の非番の人は、構内の方でピケをはるんだけど、すぐ行ってくれ」

赤旗をかつぎながら、平田さんが動きだした。ぞろぞろと全員が動き出す、半分かけ足だった。赤旗の並んでいる建物をあとにして、走って行った。客車の発車線のある丸の辻だった。一緒に来た支部の役員が、

「こゝでたいきして下さい、全員指令のあるまで、動かないで下さい、こゝの責任者は鈴木さんにお願いします」

と、私をのこして走って行ってしまった。

風が吹くたびに赤旗がバタバタと音を立てゝなびいていた。オーバーを着ている人はエリを立てゝ、手をこすっていた。

「寒いな、火でも燃そうか」

「よせよ、この風じゃ、あぶねえぞ、がまんしろよ、それより、風のねえ所え行こうや」

と二、三人歩いて行く、「ゴーガタガタ」と音をたてゝ機関車が目の前をとうりすごした時

「ごくろうさん……」と窓から首だけ出して機関士がどなって行った。「ごくろうさん」思わず太ってしまった。二三歩あるきだした人達も立ち止りながら手をふっていた。機関士が見えなくなると、二三人ずつ風の当らない列車のすみや、小屋のすみに歩いて行く、私はどうしようかと、立ちどまっていると、風が顔をかすめて吹いていた。冷い風だった。

「宮沢君、風のない所え行こうや」

ふり返って見ると、岡田さんが、ポケットに手をつっこんで、いかにも寒むそうな顔をして立っていた。

「えゝ」　歩き出すと、

「宮沢君、初めてだろう、おれもそうなんだ、東京機関区に行った時、すこしおっかなかったよ」

とタバコを上衣のポッケから出しながら言った。

「おれも、初めてだったけど、おっかなかった

よ、だけど皆んな元気がいゝなあ、赤旗があんなに並んでいるのを見ると、身がひきしまるなあ」

オーバーのえりをたてながら列車のかげに入った。

「宮沢君、賃労働と資本の勉強会やっているんだってなあ、おもしろいかい。大木さんにいわれたんだけど。おれも入ってみたいんだ」

洋服のそでをまくりながら、座った。風が強いので、タバコになかなか火がつかなかった、二、三とすっていた。

「むずかしいかい、なんか、今の職場いやになってしまうよ。職制なんていばっていやがって、なんか社会が悪いようにおもうんだけどおれえーと、勉強してみたいんだけど、賃労働と資本の本買って読んでみたんだけど」

やっと火がついたのか、タバコを吸うと、煙が真横にとんで行くようだった。つめたいレールにこしをおろしていると、ますます寒くなる様だった。

「うん、おれも勉強会入った時、いやだったけど、やり始めてみると、面白いよ、おれこれきりしか云えないよ」

その通りだった。本当に必要があっての勉強会ではなかった。たゞなんとなくやり始めていた。勉強会をやって行く人達のまじめさにひかれ、やっているのが本当だった。私だけが、何も知らないでやっていた。だれか私と同じ様な人が入って来てもらいたかった。岡田さんの話聞いた時、入ってもらいたい気持がわいてくるのがわかるようだった。

「岡田さん、一緒に勉強してみないか」

顔を見ると、目をつむって考えているようだった。いやなんだろうかと不安になってきた。

「オーイ、飯だぞ」

「チエ、ペンカ」

と風にさえぎられながらきこえてきた。思わず立ち上ると、

「早く行こう、おれ腹がへった」

と二、三人そばをかけ過ぎて行く、

「宮沢君行ってみるか、あの問題よろしくたのむよ」 と岡田さんは走りはじめた。

口鉄に入って一年余り、始めての斗争に参加したのだが、賃労働と資本で勉強している事が目の前にあらわれたようだった。なにかを求めて一生懸命働いて行こうとすることが、一つ一つ崩されて行ってしまった労働運動やって行く事が正しいのだろうかと思うようにもなって来たまじめに正しく生きて行こうとするのが、この勉強会でみつかった。しかし本当だろうか、自分で生きて行く道をさがして行かなければいけないだろう。

〃自分の前に道はない、自分の後に道がある〃と云う諺の如く。

終

同寮の立場から

—負けちゃなんねえぞを読んで—

—K—

〃負けちゃなんねえぞ〃を読んで才一に感じた事は嘘がないと云う事だ、文学作品と異って特に此の実大切な事ではないだろうか、個人の厂史の或る部分を書いているのだから虚構のないのは当然の事かも知れないが、相当以前にさかのぼっての問題だけに仲々むづかしいと思う、此の点よく刻明に書けていると思う。特に文中「資本論」なんの本だろう、資本家の本だろうかと思ったが云云、という処など作者自体をさらけ出している様で厂史以上のリアリティを感じさせられる。

以下文中随所にこうした文章を見出し無味乾燥になり勝ちな記録にユーモアを得て読者をひきつけながら読ませる、しかし反面粗雑さも随分と目に付く、あれ丈の長さに渡って書いている割に内容が上すべりしている様で喰い足りなさを感じる様だ、可成り細部について書いているのだが最も必要な処が記述もれであったり、反対に不必要なと思われる点の刻明さをもって記されているのは再考の余地がありはしないだろうか、むろん作者の感動の強弱とか主観の強さとか云うものとも関係があろうから、一概には云へないが、更に、作者が作品を書く時の情態に就いて、第三者の目からみると、作品を書き上ると云う事に熱中する勢が、冷静さが、若干失われているのではないだろうか、つまり、文章を書く時の気分に酔ってしまっているとでも云うか、要するに気分で書いてしまうと云う弱点はありはしないか、と云う事だ、物を書こうとする者にとって誰れしもが経験する問題だろうが、作者には仲々わからないものだろう。矢張り第三者の指摘を受けるより仕方があるまい。以上若干の感想と云うか、思いつくまゝを列記してみたがむろん、自分一人の独断に過ぎない。それに文章自体に対する問題であって、内容についてはむしろ触れずに仕舞った様な格好だ。いずれにしても熱と、力だけでは通用しないように、作者の文章に就いても更に一段の精進が必要ではないか、文章の上手下手ではなくて文章の正確さが、文章の価値を左右する鍵になるように思う、文法とか、文の構成とか、個々の問題だけではなくて、全体として、人に読んで貰うだけに理解され易いような配慮、つまり粗雑さをなくする事が最も大事な事の様に思う。文章の上手下手で云へば、正直な処可成り上手だと思う、ただそれが荒けずりすぎると云う事だ、更にもう一つ説明の部分と、会話の部分と言葉が混じってしまっている処があるが、これなど、その荒けずりの見本みたいなもので非常に不正確だと思う。勝手な事を書けばきりがないかも知れないが、結極はむりに探り出したようであって、動作の細い記述、当時の状態の正確な描写、作者の感動の深さ等がじかに読者に伝って来るようで、そのエネルギッシュな行動と共に、非常に自信に充ちた作品である事には違いない。

第三者が作品を読んで得る最大の収穫は宮沢という一人の人間が全篇を通じて感じとられると云う事ではないだろうか、少なくとも自分にはそう思われる。

58

負けちゃなんねえぞについて

Sサークル　I

この厂史を読再度から、まず宮沢さんを考える時、作者といわゆる〃六さん〃がこの文を通して、全面的に必ずしも一致してはいないのを発見します。私達の知っている六さんは、少なくとも私の知っている限りの六さんは、木の上から渋柿を遊び仲間に投げては喜ぶ悪童、学校へ行けば先生、上級生の間では早くも人気者、とこんな想像は一見六さんを知る人でしたら少しも不自然には感じないだろうとさえ思います。

所が、この文の中に出て来る、六さんのものに対する感覚、考え方が意外に繊細であったりするので驚いてしまうのです。例えば、初恋の頃の中で節子さんと藤棚の椅子に掛けようとする場面の描写で「ふじ棚のすき間から、月の光がさし椅子にあたって、砂がついているらしく、チカチカ光っていた。四本のふじが四方から棚の上に延びているすき間から見える月は、その見方によって、色々の形にみえた」この節だけなると、実に日常の六さんからは伺えないところの、抒情的な雰囲気を私は感じます。こんなところ六さんの性格のかくれた一面を現わすものではないかとも思います。又、この頃あたりより、あるいはその少し前当りから、最初の頃の文面で感じられるぎこちなさから、次第に内容共、流暢になって来る様に思われます、これはおそらく、六さんが一人の人間として意識する様になった、六さんの成長の裏づけを意味するものと思います。又更に、六さんの一面をあらわすものとして、「そう云われて見れば、もう何も云えなくなってしまう。昨日まであんなに楽しかったのに、この一言でもう会えないのかと思うと、ため息ばかり出て来るのだった。云々……」のところで、恋を失ったために苦しむ状態が書かれている訳ですが、この場合など、特に知る人ぞ知る、日頃の六さんは何処に失せてしまったやら、喧嘩をしたわけでもないし、お互に愛情を感じたら、そんなにも楽しいラヴを何故捨てなければならないか。

恋人がパチンコ屋さんで働いていることが、学生だった六さんの出世のために、そんなにも大きな悪影響を及ぼすものなのか。恋人を常に感じることこそ、六さんの所謂出世を、或るいは、助けるものではないのか、そんな点で、彼の恋愛に対する確信のなさと、気弱さを見出すのです。

又、六さんの不良時代、仲間と学校に支払うべき月謝や衣服を購入れしたお金で、パチンコをする。最愛の祖母さんに再度もらったお金さえ、そのために失くしてしまう等や、頽廃的に遊びくれるのですが、この状態なども、この時代の彼が自分の気持を克服出来ない弱さを持っていたゝめと考えます。しかし流石に羞恥がきまり明日から出勤となる前夜「今までの事をわすれて、私に出来る事は、一生懸命まじめに働いて、叔父や、祖母を安心させることだったしと云っているところなど、小学生の頃、捨てた御弁当を、先生が拾って、自分のを彼に分け与えた時の感激、日頃、先生を嫌っていたことが悪く思われて、それを先生に白状した時……、と同様、六さん本来の性格の素直さ、純粋さが、この時代になってもはっきり出て来る共通な点ではないかと思います。この頃より、何ものかは、はっきりつかめないながらも、彼なりの素直さを持ち目的に生きて行こうとする行動が、今迄の気まゝな生活から一変して、とまどいながらも、一生懸命努力する様があらわれて来ます。

そして、始めて社会に出た時、だれもが体験していく、理解しにくい社会のしくみや、矛盾に、六さんもつき当ることになり、保証人と、千円の菓子折や、東大出の学閥出世が、六さんが組合に意を向けはじめる迄発展して行く経過が書かれているわけです。

この様に、宮沢さんの厂史を一括して私は、私なりに解釈をして来たのですが、今迄、何回か、何人かの人達の厂史を読んで、又、この厂史を見て、私は、そろそろこの辺で、今迄の様な歴史から一歩前進して、単に自分の幼い頃からの記憶を克明に記述して行くと云う方法で無しに、各々、歴史を書く目的に従い、具体的に目的の内容をつかみ出し、それを中心とした歴史を書くことの方が、ただ書くためのものでない限り、より効果的な結果を期待出来るのではないかと考えます。勿論、例えば、自分自身の性格、思想を、その人個人の歴史から見出すためとは云っても、だれしも、幼い頃から思想をもったわけではないでしょう。又、木のぼりをし乍ら自分の性格を意識していたものではないでしょうから、それに関連する生活環境や、家族関係の変遷を取り入れるのは、非常に重要なことでたゞ、無闇に、憶えている全てを記述したものが、この場合の歴史として、必ずしも意味を持つことにはならないのではないかと考えるのです。

「都会に生きる」合評会から

職場の歴史を作る会が機関誌にのせられた作品に対する合評会をやったのは、この前十号の機関誌と会の機関誌十一号と確か二回のようである。それも個人の歴史として読まれた作品としてゞある。著者が、日常の職場と生活をえがいたのが、何故歴史と云えるのか、生活記録や綴り方となんら変りないではないか等、会員及読者の疑問が、いつも合評会の中で出て来ていくらか話し合われても、まだ、しっくりいかないようだと不審顔の人が多かった。この事も勿論大切であ

るが、作品についての合評会である以上、それをどれだけ読んで理解し、どれだけ我物にして考えたかを合評会で話し合うのも大切ではないだろうか。当日話し合われた中からいろ／＼拾ってみて一緒に考えてみようと思う。

　司会者側からこの作品を読んでどのように感じたかという質問に対して、

○私も下宿して関係から実感が出た。

○一人で生きるという事は大変な事であることが改めて考えさせられる。

○現実的に生きていて夢を追っていない、組合活動における仲間達のつながりの純真さに感激した。

○組合の結成の際の個人のうけとり方が、たんたんとえがかれているように思われる。

○下宿に生きてゆく事がすべてが辛いという事が、やわらかく、もっときびしいものだ。又農村の青年でありながら都会に出て来た偶然性と資本主義の必然性の問題がぼやけている。

○手紙の形式にはあまり実感が湧いてこない。

○個人の作品と集団で書かれたものとの関係はどうなっているか。

○農村とのつながりを必然性にもとめれば作品は面白くなる。

○集団批判も考えものだ。その事によってあいまいな心や、複雑な環境が整理されて来て迫力がない。

○進学問題はどうなっているか、あきらめとは思えない。

○仕事の中での希望は同感である。

　これが最初の質問に対する集まった十数名の意見である。人の云った事を長々と書いたのは他でもない、みんな何かを云わねばならないから、よくも他人と違う点をさがして、それぞれ問題を提している事に感心したからである。その事は決して悪い事とは思わないが、私の反省としてはもっと作品を読んで、個人の事がらや描写も全体的なものを個人で発言しなければ作者に対して申訳ない。書いてみると、こういろ／＼発言をならべて如何に適当な事を云ったかがわかって、冷汗が出る思いである。たった二回しか読んでいなかったのだ。

　次に個人の下宿はいかに書かれなければならな

りかという質問に対しての参加者の意見は、
○自分を高めてくれる。個人を本当に知る事により労働組合の斗争に役立る。
○個人の歴史を書く事によって自分のあいまいな点をはっきりつかみたいと思う。
○自分の歩んで来た中途半端な道、どうしても今までの事を整理し、これからの行く道を明らかにしなければならない、書かなければいけなりではなく、書くべきではないでしょうか。
○今後の生き方は書く事によって出てくる。そして書かれたものが、人々に読まされなくては全体の発展に役に立たないでしょう。
○私の欲しいのは、自分の理想と職場における現実のギャップの中で、どうして生きてゆくかが問題である。楽しい職場にするためにはあきらめからではなく、心から云えるような人々の結びつきを得たい。
○できた作品は如何に生かすか、どうしてそれを役立たせるか、正しい取扱いしなければかえって悪くする。
○よく個人の歴史を書けたかよりも、何故彼が本当の事が書けなかったかに問題があるような気がする。
○固定した頭で人間を判断する事は正しくないだろう、労働組合の活動家は活動家なりに長所もあれば短所もあり、そうでない者にもやはり長短両面がある。個人の歴史も矢張りそういうことに問題があるのではないか、何が原因かで個人の歴史を書く事によって明らかになるだろう。その中から我々は学びとればよいだろう。

　これを読んでみて、個人の歴史の重要さは疑問があるにしろみんな一応によい事をみとめている事である。ここで私がおそれるのは、よい事を認めつつも、それなら、私も書こうと直ぐ実行する人がいるかどうかである。最後に竹村氏から、果物の味はかじってみてわかるものだ、みんな一緒にやろうと提案されたが、一人でも応えてくれたら、議論百出の話し合いよりも効果が大きいではないだろうか、と思うのは、読んでそれだけの批評し、考える人々が、きっと何か書けるに違いないと考えるからである。

　テーマを決めてかからないと雑談に終り、上からテーマをがんとだすと、人間味のないありきたりのどこでも通用する言葉で終ってしまう合評会のむづかしさは、合評会そのもののやり方にもいろいろ不備なところもあろうが、なまじか、批判家らしい批判ではなくして、あたゝかい血の通った批判やはげましの中でこそ私達の合評会の意義があるのではないだろうか、そうでなければ、誰かゞ云われた様に合評会のためかえって作品が、弱いものになってしまう危険もたしかにあるだろう。

既厂の合評会もまだ二回、これからも行うだろう。これからはどうするかわ、あなたまかせではなく会員や読者からもできる限り意見をきかせてもらいたい。共に創る喜びの中でゆかいなものにしていきたいと思う。

尚、文中「何か云わなければならないから云う」「批判する人は何か書けるに違いない」述べましたが、会員の皆さん、読者の皆さんの立場から、今後機関誌を通じてきびしく意見を聞かせて頂きたいと望んでおります。

編集後記

十二号には個人の厂史と其の他書評などのせるつもりでおりましたが、思ったよりページ数がふえて止むえなく個人の厂史とそれに附随した文だけしかのせられませんでした。編集部のミスで申訳なく思っております。今後十三号のときに現在集まっている原稿をのせるつもりです。とにかく既厂で原稿のストックが出来たという事は、今が始めてのようです。

いつも反省みたいな後記になりますが、十三号からは集まってある原稿の中から、きびしくえらんで立派なものにしたいと思っております。

一九五八年十一月五日発行
編集兼 東京都新宿区戸塚町三ノ三〇五
発行人 （竹村方）
職場の歴史をつくる会

職場と生活

13

職場の歴史をつくる会編集

目次

一九五九年一月一日発行　通巻十三号

―本号のスタッフ―

本文孔判（松本由紀子・清水澄夫）表紙孔判と製本（朝日孔判）
印刷（岡島博他）製作事務（土田敬助）
編集責任者（竹村民郎）

新年にあたって

去年一年の会の仕事をふりかえつてみるとき、積上げてきた実績を自信を以て誇ると云うよりはむしろさきにあれこれと会活動の欠かんが大きく目についてしまう。会活動の欠かんを機関誌をつくる仕事についてだけ考えてみると、機関誌の質を高くするうえで、大切な役割を果すと考えられる評論活動がほとんど誌面にみられなかつたことである。

一九五九年はこの点を大幅に改め"職場と生活"の中で会員諸兄姉の批評を発展させたいと思うのである。"民勢、さし潮のごとし"とは時代後期幕府の抑圧にもかゝはらず、百姓が治田と産業を起してゆく状態を述べた有名な言葉であるが新しい年の会機関誌の内容もまたそうありたいものだ。

組合の歴史をどうとらへるか

（その一）

竹村民郎

ここに一つの組合の歴史を画いた絵巻物がある。今年秋の従業員組合の文化祭の展示のために清水会員がつくったものだ。絵巻物は大判の模造用紙九枚と別に巻紙にこくめいに書かれた組合の年表とから出来上っている。

大版の用紙にかゝれているその内容は①臨時の転勤（一九五三年～五四年一〇月）②不当首切りの実状（五四～五五年七月）③組合の結成（五四年一一月一八日）④ゴールデンウィーク斗争（五五年五月）⑤官憲の介入（五五年）⑥賃金カット処分来る（五五年六月）⑦私たちの身分（五四年～五八年）⑧サークルの動き（五三年～五八年）⑨平和を守る運動（五四年～五八年）の九項目である。

役所の廊下に展示されていたこの絵巻物は組合の歴史という固い内容にもかゝはらず、絵巻物の持つ大衆的な親しみのため、通りすがりの職員に熱心に読まれていた様に思う。文化祭の終る頃には絵巻物を見た人が集って組合の歴史を語る会を開こうという動きがあったとも聞いている。

不況の下で守勢に立たされている労働運動の現状では、職場の人々にはともすれば組合の力を小さく考え、自分の力だけを信じ自分のからにとじこもろうとしがちである。この様な時期に組合の実状と組合の増大してゆく役割を大衆的な形で訴へ語りかけようとしてこの組合史絵巻物をつくり出した清水会員の新鮮な試みは今後大切に育てる必要があると思う。

㊟　この機関誌の中で土田会員その他の人々が〃人を信じられなくなるこのごろ〃について書い

て言いた文章がのっている、私の文章とあわせて読んで頂きたい。

この絵巻物を読むと誰れでも気づくことは規帳面に数字や調査した事実をあげて組合の本当のことを語ろうとしていることである。この様な地味な努力がこの絵巻物に説得力を与えているのであろう。

今日、どこの組合でも組合員大衆は組合の多方面にわたる活動についてその全体の展望をはあくしている人は限られてはいるのではないだろうか、自分にもっとも関係が小かい賃金や待遇のうつり変りについても筋道を立てゝ説明出来る人がどれくらいあるだろう。

組合の内部に拡がっているきめの細かな文化活動やサークル運動の実態についても知ることはむづかしい。清水君がつくったこの様な組合史絵巻物はふだん組合の活動をよく理解してりない組合員大衆に見事に組合の展望を知らせてくれる。その意味でもこの様な絵巻物の果す役割は今日貴重なものと云えるだろう。たゞ準備の期間の足りなかったことゝ、製作が殆んど清水会員の個人の能力にたよらざるを得なかったと云う二つの事情から絵巻物を読んでみてコチンとくる箇所が多々ある様に思われるのは残念である。

たとえば組合の役割を強調するあまり、組合の華華しい斗争の移りゆきにのみに焦点をしぼったのでその華々しい斗争を支えてきた組合員大衆の姿（その生活や考え方の変化）が背後にかくれていまった様に思われる。

組合の厂史の前衛的な部分、典型とされる斗争等が本当にリアルに画かれるためには、その斗争の進む中で組合のより前衛的な人々とそれを支えそれらの集団に近づこうと努めている人々との交流が鮮明に画かれる必要がある。斗いの輪が強まれば強る程、斗いを支える底流も亦巾広く組まれてゆくと云う仮説を組合の厂史の中に求められる一つ一つの斗争にあてはめて考えてみる必要があるのではないだろうか。

表面は華々しい斗いであったとしても、その斗

いであったとしても、その斗いが進む過程で、組合の実体が充組りする様な傾向はなかったであろうか、若し、その様な傾向が存在したとすればその原因は一体何であるか

組合の厂史のもり上った部分＝斗争を検討してみると云う場合こうした矛盾な問題意識をもつことも大切なことではないだろうか。私はこの様な創造的な努力が重ねられてゆくならば単に組合の実状の紹介のみにとどまらない教訓と今後の発展への見通しをふくんだ組合の厂史が書かれるに違いないと考えている。

文化祭の展示と云う限られた役割をもってつくられた組合の厂史絵巻物を、その様な質の高い作品につくり変へてゆく努力を清水会員に期待するのは私だけではないだろう。

絵巻物と云う形が或いは文章にするかいずれの表現方法をとるにせよ　充実した組合の厂史（職場の厂史）がつくられるためには、それがつくられる過程がとくに大切になってくると思う。

この絵巻物をつくった清水会員の場合には、企画、立案、絵巻物の製作等一切を個人の能力で仕上げたのであるが、こんごこの絵巻物の改作や組合の厂史を書いてゆく場合、その様な個人の能力にのみ期待するやり方では質の高い作品をつくりあげることは不可能ではないだろうか。製作の主体を個人から作品をつくることを目的としてつくられた集団におきかえる必要があるだろう。

その集団の仕事の内容としてはおよそ次の様なものを考えたら良いと思う。

①いつまでに、どのような形で、どこに焦点をおいた組合の厂史（職場の厂史）をつくりだすかについての相談。

②前項で企画立案された方針にもとづいてどんな資料（素材）を集めるかどうして集めるかについての相談。

③製作のための相談、（製作は分業で大学の人々が参加出来る様な配慮が必要と思う。例へば絵巻物の場合　①文章を書く人　②画を書く人　③年表をつくる人の三部分にわけられる）

私たち日本人は誰に出来上ったものについて批評することは上手であると云われるが、出来上つものがどんな過程から〃どうして大きく育ったのかと云う様に物を考えることは出来ない。又〃この種〃をどの様に育てゝゆくかについての配慮も苦手である。

清水会団の組合史をどうつくればよいかと云う一つの努力のあとをたどってみて、私は琉球の厂史をどうつくるかについての大変良い経験をさせて頂いたと思って感謝している。

(註) 清水会団のつくった絵巻物は会事務所に保存してありますから会員の方が次々の組合の厂史をつくる上での参考として利用されると幸いである。

その二

日本の厂史の書物でもっとも古いものとしては北畠親房の神皇正統記があげられるであろう。

親房（一二九三〜一三五四）は中世の末、天皇家が二つに分れ抗争したとき、南朝の側に立った有力な政治家であり、戦陣のかたわら、南朝皇統の正しさを証明するために神皇正統記を書いたのだ。

親房が天皇制擁護の筆をとったと云う動機については　今日では批判されるであろうが彼が政治と時代の矛盾に激しく対決する中から厂史記述をすゝめたと云うことは注目してよいことではないだろうか。

そこでは、厂史は何より政治との関連の中でとらえており、時代への働きかけを内につゝんでいるのだ。神皇正統記が後世に残る厂史書と云われていることもまさしく、厂史記述の持つ本当の意味がそこに貫らぬいていたからではないかと思う。

近代に至って始めて科学として確立した厂史学

は〝前述の様な〟すべての歴史は階級史である〟と云う歴史記述のもつ本質を精巧にみがきあげたものと云えるだろう。

この様に史的唯物論にもとずくことで科学たりえた歴史記述をマルクスはそれまでの観念的な記述に比較してみずから〝現実的な歴史記述〟とよんだのである。

こう考えてゆくと歴史記述と云えば、暗記物が予想され、クイズ的知識が想像されると云う風潮は歴史学の本来果すべき役割の欠如であり、歴史学の退潮を意味すると云っても言い過ぎではないだろう。

さき頃から　全逓信労働組合東京中央郵便局支部（全逓中郵支部）では　職場の歴史　組合の歴史への関心が高くなっている。組合幹部の説明によれば、これからの労働者が歴史を求める背景には王子製紙の争議に典型的にみられ、又、現在の労働運動一般に予想される様な組合分裂のきざしから自分たち組合を守るにはどうしたらよいかと云う職場の労働者の要求があるそうである。

全逓中郵支部の労働者は、今日職場の労働者の一部にみられる反組合的な動きに感情で対決することをさけ、現在まで組合が果してきた役割と組合を軸に団結を積上げてきた貴重な経験を組合史職場の歴史の中に記述することを通じて、歴史の真実を提起し反組合的な動きを説得することを望んでいるのだと思う。

職場の労働者は歴史学に素人ではあっても歴史への関心をすぐれて職場の矛盾、時代の胎動の中に見事にとらえているのである。新年早々、職場の歴史をつくる会は全逓中郵支部と協力し、組合の歴史、職場の歴史をつくる運動をすゝめることになるであろうが、その場合、前述の様な職場の人々の要求を基本にして、そこから出発しないと歴史をつくる仕事は、はたからのおしつけになる危険があると共に、出来上った組合史が事実の整理だけを目的とした、いわゆる組合史となってしまうことにもなる。

附記

このことを考えるために私自身の経験と自己批

判をまとめたい〃職場の歴史について〃へ〃職場の歴史をつくる会討論記録〃と、〃職場懇談会の〃職場の歴史の進めかたについての意見〃という二つの文章をあわせて読んでいただければ幸である。

職場の歴史についての対話

土田敬助

「職場の歴史だったら資料はさがしたらでてくるだろう。図書館にもあるし、博物館にもあるらしいよ」とあっさり職場の同僚から云われて、「生きた歴史を作るのが目的だよ。年表だけではない。ほんとの歴史だよ」

「でもそういうことはなか〳〵むづかしい話だね。君が言っている懇談の個人の歴史は職場の歴史の意味からいえば消極的なものでないかな」

「どういう意味、消極的て」

「ただあれだけで終ってしまっては、ただ思い出を書いてるにすぎないんでないかい」

「勿論これだけで終ったら綴方や生活記録と変らないものになるね。だって我々には、すぐに立派なものは書けやしないでしょう」

「だったら職場の歴史をつくる会でなくとも、個人の歴史をつくる会にしたらどうだろう」

「そんな事云ったって、職場に働いている人間が自分の事を書いていたらやっぱり職場の歴史につながるように思えるけれど、今書いている個人の歴史だって決して完成したものでもなく、まだ書き始めたばかりだし、個人の歴史を書きながら、職場の歴史を書こうと努力しているわけだ」

「その可能性がなか〳〵むづかしいものだよ、だから俺がいうのは、その目標の職場の歴史につくまでにやってゆけるかどうかということだ。足ぶみばかりしていてちっともすゝめなくなってしまってはと思って消極的だといったわけだ」

「足ぶみばかりしていると思うのかい」

「そうでなければ幸だが、今迄のそういう類のサークルや会なぞがつぶれたところをみれば、やっぱりつぶれる原因があったろうと思わないのかい」

「原因はなんだと思う？」

「いろくあるさ。個人の事をいろくきいたり書いたりしたってそれだけじゃないか。他に何がある。特別書いた人間に興味のある者以外他の人間は大して興味もないだろう。みんな相手一人だけの事を知ってしまえばそれだけじゃないかい」

「だから、目標はよいけれど、それまでに私を知らせる会みたいな会ではつぶれてしまう。もっと目標とがっちり組まなくてはい。」

「機関誌の個人の歴史を読んだでしょう。君自身の問題と何か関係なかった」

「ないわけでもないさ、でもまだく個人的な事と同じ事ばかりくりかえしているように思われる。矢張り俺には歴史とは思えないな。想い出とか生活記録的なものだな」

「で君の考えているその歴史とは、どう書けば歴史になると思う」

「それは君の方がよく知っているだろう。歴史をつくる会と名乗るからには」

「そう皮肉云わなくとも、読者の意見として一言」

「歴史的――そうだね、もっと視野の広いものでなくてはいえないだろう」

「例えば君の読んだ個人の歴史から云えばどんなところかね」

「何が目的として書いているのかヤマがはっきりしない感じがする。其の点、中国の朱徳の歴史というべきものスメドレーの「偉大なる道」のようなものは、個人の歴史を書きながら、中国の歴史、世界の流れをよくとらえていると感心して読んだけれど、そう思わないかい」

「君がもし自分の歴史を書こうとしたら、そのように書くつもり」

「俺はスメドレーでないよ」

「俺達だってスメドレーでないさ。あの偉大なる道をスメドレーでなく、朱徳自身書いたらどうなるだろう」

「すごいものになるだろうな」

「どういう意味、すごいという事は」

「うるさいね君、つまり、朱徳のほんとの歴史と中国の指導者の書いた土くさい中国の歴史になるだろうという事さ、でも何だってスメドレーは朱德でなくても毛沢東を書かなかったのかな」

「それはスメドレーにきいてくれ、でもその歴史的とは一体どんなことになるのかな。君の話によれば、広い視野で自分の歴史と日本の歴史とのつながりと世界の歴史の流れの中にとらえるということか」

「そうなったら一寸書けないな。だからその職場の歴史に発展するまで、個人の歴史ばかりに足ぶみしていたら、それだけに終ってしまうおそれがあるといったのは、そういうことだ」

「君がいつも云ってるじゃないか、未来こそ労仂者の社会だと、その労仂者が、自分達の歴史は矢張り自分達で作らなければならないでしょう、足ぶみしたりつぶれたりするだろうと思って誰も見向きもしなかったら、いつまでたっても我々の歴史は作られないと思うけど、これ程重要な仕事はないでしょう。偉大なる我々の指導者がいて、将来我々の明るい社会になったとき、スメドレーみたいな人にその人の伝記を書いてもらう迄」

「スメドレーは死んだよ」

「ほんとの話、これはなかなか容易でない仕事だよ、趣味でしかも緊急を要するものだ」

「職場の歴史をつくる会始めてからどのくらいになるのかな」

「まだ三、四年しかならないよ」

「それにしては、緊急な仕事の割に作品も僅かだし、そんなにひろまっていないね。途中でやめる人もいるだろう」

「いるよ」

「矢張り普通のサークルと変りないな」

「普通のサークルと変っているところはあるよ。普通のサークルでは、何故やめるかなどということは問題にならないでしょう。あまりにもはっきりしているからそんな事はお互に触れてもらいたくない事だからね」

「職場の歴史はどうするのか。そのふれてもらいたくないところへふれるのか」

「個人の生と職場とのつながりを求めているわけだ。職場にいる限り、職場の中で自分の歴史を作っているわけでしょう。その自分の歴史が、職場の歴史につながらないとは何が原因しているのかと問題がでてくる」

「それが離れてもらいたくないところへ離れるという意味？」

「自分達の問題として、歴史として考えてみようという意味の事だ。若い頃話している進歩的な事が、としとって実行していたら、世の中はもっと明るいものになっていたと君は思わないか」

「それは個人の問題よりも世の中が問題じゃないか。個人の事よりも、世界情勢や国内情勢の方がもっと比重が重いと思うな」

「国内国外情勢を見きわめて、改めて俺達は歴史を勉強しなければならないという事？」

「まあそうだろうな」

「すると俺達はいつも受身じゃないか。勤務評定が出て来たら、反対、警職法がでて来たら、反対、そんなもの通っても出せないようにするためにはどうしたらよいのかい」

「実力でつぶしてはねかえしてやる方法よりないな」

「その実力が今もっているかどうかい」

「もっているところもあれば、もってないところもあるさ」

「何故みんなもっていないだろう」

「意識が低いのさ」

「意識というより、自分の位置だろうな」

「位置ははっきりしているだろう。労働者だということは」

「位置がはっきりしていないから意識がないと違うかい」

「職場でそんな学習やるのかい」

「学習たって、作品を創りながら学ぶところだ」

「作品はやはり個人の歴史か」

「一寸顔出してみないか」

「今忙しいんだ。組合の方でも学習会やっているし、いろいろ委員会もあるからな」

「学習は何、資本論だったかい」

「面白いかい」

「案外面白いが、一寸むづかしいね」

「人が集る？」

「そんなに集らないよ。せいぜい十人内外」

「活動家だけかい」

「まあそうだな。職場もなかなか面白そうだが、矢張りむづかしい仕事だ。今度そのもっと立派な村関誌を読ませてくれ」

「でも我々の位置を知るためにも、短歌なようでも自分の生いたちや考え方の発展を、綴《り》方みたいなものでも書かなければいけないということはみとめてくれるかい」

「みとめてもよいけれど、なる

べく早くそこを脱出してこれが駐場の正泥といえるものを示してくれたらなおみとめるよ」

「一人ではやれないからな、みとめただけではしようがないな、みとめてくれる人は大勢いるけれど、やろうという人が少ない。会をやめた人でさえ、みとめるにはみとめるのだが」

「その会には労協者ばかりか」

「学生もいるよ」

「君等の書いたものを援助してくれる？」

「くれる人もいないではない」

「なか〳〵やゝこしい表現だな」

「学生の人がいたら、もっと作品の質がよいものを出せると思うが、誤字、あて字、くりかえし文、ずい分粗末だね、編集者に云ってくれよ、もう少し、作品を読みおゝせて」

「では――」

歴史忘却症

たけむら・たみお

人工衛星にあけ、ミッチブームにくれた一九五八年。

平和共存の時代であろうか五八年もまた日本の風潮は、左と右に大きく振幅しているようである。

それにしても、皇太子の婚約発表後のジャーナリズムの動きには恐れいった。発表当夜の夕刊は殆んど婚約記事で紙面がうずめられてしまっている。

手もとにある朝日の夕刊をみても、才一面トップに、ご自身でえらばれた正田美智子さん（日清製粉社長令嬢）という大見出しがかゝげられ、以下一面は〃皇太子妃と報道〃〃お年は十ヶ月違い、感じのよいお嬢さん〃〃たぐいまれな美智子嬢〃（岸首相談）等々と続き、三面から六面迄は何と全紙面に、このたぐいまれな美智子嬢と皇太子のロマンス記事と写真が満さいされてあるのだ。

この日に限って我国の社会の出来事の報道は紙面から姿を消してしまったのである。

それも一夜限りの茶番ならがまんもしようがその夜を出発点としていわゆるミッチブームがなだれのようにジャーナリズムで続いたのだ。

このミッチブームでよろめいたのか　こえて十二月八日―真珠湾奇襲の日　国民にとっては暗黒の日々の開始を意味したこの日―の朝日新聞は何一つ十二月八日の意味を国民に再認識させるような努力をしていないのである。

一方この日、ぬぼけまなこから火の玉が飛びでる程ぶったゝかれたアメリカでは、ニューヨークタイムスが〝真珠湾を忘れるな《リメンバパールハーバー》〟の社説を掲げ、この日を忘却しないことを国民に訴えていたのだ。

朝日新聞の解説記事（五八年十二月十七日夕刊）によれば、ニューヨークタイムスの社説は今日なおアメリカは奇襲を受ける不安に直面していること、そしてその奇襲はかつての比ではないことを力説し国民に対して〝真珠湾の教訓〟即ち奇襲に対する厳しい警戒を説いているのである。現在、ジュネーブで開催中の奇襲防止専門家会議でことごとにソ同盟と見解が対立している現状では、アメリカの国民にとっては奇襲への不安は極めて深刻なものにちがいない。

ともあれ、ニューヨークタイムスの国民の不安をたくみにつかんだタイムリーな世論指導に比し、朝日新聞がミッチブームにおどるあまりか、十二月八日の意味を国民に訴えることを忘れた責任は大きいと云わねばならないだろう。

新聞週間の標語の様に〝新聞は社会の公器〟であり世論指導の責任を負っているとするならば、新聞はこの日こそ第二次世界大戦が国民を不幸のどん底におとし入れたことをあらためて国民に語り、平和への努力を訴えねばならないはずである。

ジャーナリズムの歴史忘却症をけいかいする必要がある。

職場の歴史のすゝめ方について

―夏山フェスティバルの教訓―

岡島博

よくみかけることだが人々の中には、言葉じりをつかまえて文句の材料にする人がいる。同じように小さな問題ばかり気にかけて大きな問題を考えず、こわしてしまう人もいる。そういう人を、私は職場でも近所でも沢山みかける。その反対の人もいる。大きな問題を出して、小さな問題はおきざりにし、それを押しつけようとする。私は一つの計画を進めるには、両方ともかけてはならないものだと思っている。勿論時によってはどちらか一方を優先しなければならない場合もあろうが、その時でもたえず他の一方を早急に解決する手段をとらなければ必ずうまくいかないと思う。

問題は多少ちがうが、この一年をふり返り職場の歴史をつくる会の中にも、そのようなことがあったように感じる。

例えば、白樺湖のキャンプファイヤーの集いの開き方に例をとれば、この計画の目的は、職場の歴史の意義を探めること、新会員を勧誘すること、若さとファイトを新鮮にもやして楽しむことの三つであったが、しかし準備の過程でこの三つの目的にもとづいた具体的な計画についての討論を深めなかったために楽しむということが強く出され、他の目的がうすれてしまい、さきの二つの目的は充分討論されぬまゝ、計画が進まれてしまった。これは会運営上、改善されなければならない問題であった。計画の進行の中に現れたこのような傾向について竹村常任委員はすぐにこれを運営委員会や準備会に出して指摘したので会の活動家にはこのことがよく解ったが、キャンプファイヤに来た会員や、初めて来た人々には充分説明されないまゝ、フェスティバルが進行してしまった。

このような仲良しグループのようになろうとする空気は、その前の奥武蔵高原のハイキングの時にも見られた。今までいろ〱なサークルがあちこちの職場に出来、それが次々に仲良しグループ的になり、目的が不明確のまゝ、やがては消えていったことを考えると、私はあの時竹村委員が当初きめた様な三つの目的を統一して計画をすゝめることの大切なことを指適したのは正しかったと思っている。何故ならそれが解らないまゝに計画を進めていたら、他のサークルと同じように会も長続きはしなかったろうからだ。

しかし、この運営委員会の反省が正しく会員や参加者の間に普及されなかったので、一部会員と運営委員会の間に誤解が生れ、若干の対立もあった。運営委員会はこのフェスティバルの反省を通じて、仕事を進める場合にはいつも目的を明確にし、それに基いたプランを組まなければならぬということが解り今后の会の運営には大きなプラスとなった。しかし、キャンプファイヤーの集いを通じ多くの人達が会を理解するという面が充分生かされず、新会員の勧誘は充分な成績をあげることは出来なかった。それぱかりではなく会員の人達の中にも、キャンプファイヤの集いの中で生じた誤解から会について不満をいだきやめていった人もあったのである。

このフェスティバルの教訓からも次のようなことがいえるのではないだろうか。それは、一つの団体

池田山小唄

二度と添うまい雲上人とヨ
末はイラクのネ　あの悲劇ダンチョネ
——君主制度は赤信号！

池田山へと草木もなびくヨ
峯の花みたや　ネタほしやダンチョネ
——マスコミ統制動員のおぶれ？

かかあ天下の上州育ちヨ
金の手づなでネ　ムコあやつろダンチョネ
——独占資本の進出にわか？

雲の上さえ自由の花がヨ
咲くに地上じゃネ　オイ！　コラ！
口とざすナンテネ
——警職法はハヤリません！

地学団体研究会有志作

が、目的をもった大きな計画を進める場合、たとえその目的が正しいことであっても、目的を深く討論することをせず、又、"小さなこと"つまりその計画に集ってくる人達についての具体的な研究をすることがともなわず、一方的に進めようとすれば、必ず計画の進む中でマイナスを生じ、時には計画そのものも大きな打げきを受けるということである。

職場の中に職歴運動を進める場合でも、職場の実状や、そこに働いている人々の要求について充分研究せず、そのまゝ会の要求を持ちこもうとしても、職場の歴史、組合の歴史をつくる仕事は充分拡がらないのではないだろうか。

又逆に大きな計画は失敗しやすいということから、失敗をおそれるあまり、小さなことにばかり目を向け、大きなことを無視してしまうというやり方にも疑問がある。フェスティバルの中でもみられたように、集団の欠陥にばかり眼を向け、その集団を正しい方向に作り上げようとせずになげ出してしまうことにも疑問があるのである。だから夏山フェスティバルの中で、初めて参加した人は別としても一部の会員が個人の感情のまゝに動いて、自己の利益ばかりを要求し、広い視野で会の計画発展を援助することがなかったことは残念であった。要するに、会員の利益と会の利益との交叉点をどのように位置づけるかということが会運営の鍵ではないだろうか。

銀座の生態（その二）

一店員の生活の歴史

〇肩身がせまかった頃

私の生れは東京、父は叔父と共同で洋服店をしていた。しかし私が数えで三つか四つ位の時、父は私たちを捨てゝ上海へ渡った。母でない女の人と一緒だったという。それ以来母は実家のある名古屋へ父の両親と子供達三人をつれてやって来た。そんなまわりの生活を通して私の性格は暗く出来上ったらしい。その頃の記憶はほとんど残っていないが、ただ箪笥を運ぶのに忙しそうな男の人達（多分店の職人さんたちだったろう）が行き来していた事をおぼえているくらいだった。

名古屋に来てからの私達の生活は苦しかったらし

く、母は即席の洋裁を習い、近所の人達の洋服を縫っていた。この辺の事はほとんど推測に過ぎない。とにかく私の記憶の中に、動いている父というイメージは全々ない。たゞ大きくなって写真を見て知った位のものであろう。だから、ずっと後に父が田舎の私たちの家に来た時、反射的に来客に対してのあいさつをしてしまった。

名古屋の家が戦災で焼けて田舎に越したのは小学校三年の終りだった。集団疎開から田舎の家へ行ったのでその頃の状態が殆んどそうであったように、頭はシラミだらけだったし、それでなくても田舎の人達は疎開ものを白眼視した。隣りの席の女の子が「あんたの頭の白いのこれシラミの卵でしょう？」そんな事をいってていじめたりした。酢とトウガラシで洗ったりしてシラミはいなくなっても卵のカラは髪がのびきるまではとれないでくっついていた。ソロバンも出来なかった。田舎の子たちは、特にソロバン塾などに通っている子たちも多かったので上手だった。基礎から、本当の1タス2から放課後に残って先生に教わった。親切な先生で手をとるようにして教えてくれた。

四年生の夏敗戦を聞いた。借りていた本家の離れの一間でだった。ラジオから聞いた記憶ではなく、どこかの兵隊さんが二、三人通りがかりに話していたことだった。

「戦争負けたんですよ……」

母は最後まで竹やりでも戦うつもりだったようだが母の気持の動きはよく知らない。恐しい人間が上陸してくる、そんな漠然とした不安だった。

戦争が終ったので疎開していた人達がだんだん都会へ引き上げて行った。家の焼け残った人は早く、焼かれてしまった人たちでもぼつぼつ越して行った。男手のない私達一家は田舎にとどまるより仕方がなかった。家はとうに焼けていたし、食糧事情も悪かったから都会へ出てはとてもやって行けそうになかった。田舎にいれば畑が二反ばかりあったろうか。それでも、そんなちょっぴりした畑の麦にも、供出とか、配給ストップとかかかって来た。

女ばかりでは村の付合いをするのも大変だった。お祭だとか何とかで寄附、寄合い場所とかには一人前に参加させられていた。それでいながら、お祭で飲むのは巾をきかせた村の親分株の人達が主だった。

気が小さくあまり自主性のない母だったが、上の姉が女学校へ行く時だけは祖父と云い争ってでも入れてしまった。よそで聞く話だと女手一つで子供を育てた母親というのはたいていかけ合いでも何でも男の人に遅れまいとしてついていったというが、母にそれがないのがもの足りなかった。何かあると本家に「お願いします……」とたのみに行くのだった。そのためにまさつが少なかったのかも知れないが、ともかくどこへ行っても肩身がせまかった。

○母のこと

父が東京から一度来てから、東京に家を買ったのを知った。もうこんな状態では生活は続けられない。母の実家にはだいぶ借金がたまっていたようだった。知人に頼んで建ててもらった荒壁の家を売って借金を返し、ヤニムニ東京へ出て来たのが高校一年の夏休みだった。都立の転入試験は九月になってからでないとない。夏休み中は試験の準備だった。二、三ヶ月先に出て来た姉とものごころついてから、一、二度しか逢っていない父との東京での生活。従兄弟の家が洗足にあったので、父がどなりちらしたりした時とか淋しくなったりすると出かけて行ったが、子供の多いところだし、裕福でもないのでやっかいになるわけにはいかないし、安らぎの出来る場所でもなかった。

父は私たちが東京へ来た事が父のやろうとしていた事を邪ましたらしく（家も私たちのために買ったのではなかった）不きげんにどなりちらしたり、はしの上げおろしにまでガミ〳〵云ったりした。姉は気丈だったので、メソ〳〵する私をしかりつけたりして九月に母達が出て来るまで持ちこたえた。

来る前に母は協議離婚を押しつけられ、結局家をくれる事と子供達を養ってくれる事で承諾してしまった。父には上海へ行った女の人とは別の女の人との関係が出来ていた。その女の人は、年から云えば上の姉とは十ちがうかちがわないくらい若かった。そこへ姉たちが行くのを嫌ったのであろう。姉二人は仕送りするからという約束で母のもとにとどまらせられ、私一人が父とその女の人とその子供のいる家について行った。出来るだけその家の人達と一緒にやろうとはしたが、全々他人の中へ入って父と呼び母と呼びはしたものの、実感のあるものとしては出て来なかった。

「高校を出るまで我まんしてね」

そういわれて来たものゝ、従兄弟の家へ行っては泣いて来た事もあった。またそういう感情を叔母やまわりのものたちがあおりたてた。

「淋しいだろうね、泣くんじゃないよ」とか女の人の事を「ひどい事するかい？意地悪されたら父ちゃんに云いつけてやりなさいよ」

はじめの頃はお互に他人行儀だったし、割にスムーズに行った面もあった。父にしてもそれほど親しみのもてる存在ではなかったから同じだった。

いつだったか夜、ふっと目をさますと、隣りの部屋で父と女の人が小声で話しをしていた。

「……いつまでも仂けないんじゃ仕様がないじゃないの。私だってそういつまでもこんな事していたくないし……」

「……」

父は黙っていた。女の人は喫茶店に仂いているらしかった。

編集後記

新年おめでとうございます。

お正月のプレゼントとして、自信をもっておすゝめできる"職場と生活《じんこうえいせい》"十三号をおとどけいたします。

この号に集められた原稿は、夫々数回の書き直しをする中から生れた力作揃いですから、しかも日本の矛盾と会の課題をとらえて興味がつきないものばかりとなりました。

十三号はこれまでの"職場と生活《じんこうえいせい》"に比して、量は小型ですがずっしりと重く訴えるものをもっていると思います。新春早々におとどけするように何かと委員一同奔走いたしました。どうか御愛読下さることをお願いいたします。

又本号からは、これまでの"職場と生活《じんこうえいせい》"の発行実績を充分に検討した上で割り出された合理的な軌道（出版体制）の上を走ることゝなりました。

これによって五九年度"職場と生活《じんこうえいせい》"の打上げは昨年の発射実績を上廻る見通しがたてられました。

御期待下さい、
一月　元旦

職場と生活

14

職場の歴史をつくる会編集

目次

一九五九年三月二十日発行　通巻十四号

本号のスタッフ

本文孔版（清水澄夫、松本由紀子、朝日孔版）
表紙孔版製本（朝日孔版）
印刷（岡島博也）　製作（岩波忠夫）
編集責任者（岩波忠夫）
発行人（東京都新宿区戸塚町三ノ三〇五　竹村方）
職場の歴史をつくる会（代表者　竹村民郎）

はじめに

一冊一冊の機関誌が、会員の理論を高める糧となるように、これからは一つ一つにテーマをひろって、作って行きたいと思っている。この号では、特にサークル主義について考えて見た。原稿が全てそのテーマに集中しているわけではないが、今後はなるべく一貫した傾向を一冊一冊に持たせたいと思う。

会の機関誌がいつの日か労働運動の古典として貴重になるような、そういう作品をこれから書いて行こうではないか。

愛情と信頼について

結婚した人々を囲んでの座談会から

私達の会が「愛情と信頼について」というテーマで、会員の中で、結婚なされた二組の夫婦の方々をお招きして座談会を開いたのは去年の十一月二十日の事である。

この様な座談会や集りは私達の会に限らず、いたるところで開かれ、話されている催しであるが、特に職場の歴史をつくる会が、こういうテーマで取り上げて話しあったのは、私達若い人々がもっとも興味ある愛情の問題が、新しい世の中にしようとする運動や行動にどのように影響しているのか、プラスになって行くのか、マイナスになっていくのか、何故プラスにならないで、マイナスになるのか、何が原因で愛情という理想社会への感情や行動が一致しないのか、家庭や職場はこれらとの関連はないのか等等、いろいろ話し合われた数々の問題も私達の会の立場でとりあげみんなで考えようとしたからである。

愛情の深さとひろがり

当日、招待した人々に対して会員の中から随分熱意な質問がくりかえされた。

「どうして知り合ったのか」

「どこに魅力を感じたのか」等々

結婚は愛情によって結ばれる二人だけの私的な関関係と云えばそれまでだが、数ある異性の中から将来のよき伴　を一人だけ選ぶということはたしかに私達を夢中にし真剣にさせるものがある。愛しているなどと思わないで暮している人々は幸福であるが、そうでない人々はこれが本当の愛情と自分にいいきかせなくてはならない不自然さは、矢張りそのような傾向の中から、愛情のふかさを探りたいのに違いない。結婚した人たちは答えてくれた。

ほんとなりの附合いから、組合活動を共にしている中から、形こそ違い、それぞれの立場で真実の愛情をみとめ合い結婚したという。口にこそ出さなかったが、みんなは、真の愛情のキメ手を得たいのだ。

もっとつきつめて云えば、世間態も、みえも財産も、職業も、美貌をも抜きにした、真実の愛情とは相手のどこにひそんでいたのかを知りたいのだが、当事者同志でなければ知るよしもないだろう。で、そのような愛情は、今の社会状態では無理だ、できない。だから私達は適当な妥協で結婚した。という言葉をよく職場やどこかできかされる。そういう人々に限って新しい社会にしようなどと独身時代に張切っていた人が多い。こう考えてくると或る意味で真の人の愛情の深さは、其の人の人生観ともいえるのではないだろうか。結婚して家庭内にとじ込んでしまったら、あれからそれへと数限りない難関のため追われ、日常の新聞さえ読むにおっくうになると云われている。この点、結婚も斗いの一つであると発言してくれた招待者の言葉もそのことを正しく指摘している。

そのためのほんとうに斗える相手をみつけ結ばれたのは、妥協のない真実の愛情だろう。私達は心から祝福した。いわば名もない相手に一切の望を託したとその勇気に私達は愛情の深さを感じられるのである。しかし、問題はこれからである。招待者の一人は今後の方針を率直に次の様に述べている。「結婚前とくらべて、〃あせり〃がなくなった。これからの活動は、あせらずしっかり地に足をつけてゆくような気になった。」この会の活動に限らず、すべての会や、サークルに頭をつっこんでいる人々と、家庭との関係は当日もよく話題になったが、どこでも問題になる事である。

将来の家庭の事も考えずに何をやっているのかと親達は心配する。不規則な帰宅状態の中でのけん実的な活動は高く評価されてもよいはずなのに、決って親達が心配するのは娘や息子達の結婚の事であろう。「自分で仕末するならよいけれど」と何も知ら

2

なくとも世の母親達はそこまで譲歩するようになった。そのような活動の中で結ばれたこども達の恋愛や、結婚には涙を流して感激するのである。改めてこども達を信頼してみなおすのであろう。だが、若者達のやっていることと自分に必らずしも信頼し感激しているわけではないだろう。そしてさっきの招待者のいった言葉を、又、別の意味で親達は興味深くききうなづくに違いないと考えられる。

こども達自身の力で結婚という実績を作ったことに対してのみ親達の信頼をかち得る。そのやっている活動に対してはいさゝかも興味がないとすれば愛情の果す役割はせまいものに限定されてくる。このような問題は個人がどうしたかというより、あまりにそこら中に見られる日本の一つの現象でありそれらにどう取り組むかという大きな問題であろう。

二人だけの愛情におぼれていたらいくらでもおぼれられるのが夫婦であるとはこれも招待者の言葉である。別の言葉でいえば、職場の不平や、不満は別に解決しなくとも、互になぐさめてくれる愛する天があり妻がいる。職場の人達にどう思われようと二人だけの固い愛情だけで沢山だという人はどこの職場にも、要領主義だとか、常識家だとか云われて存在しているものである。そこからはほんとの団結も階級的意識も生れては来ないだろう。現在の私達の各職場はいろんな意味で愛にうえている。男ばかりの職場、女ばかりの職場、朝から晩まで休む暇のない繁忙しい職場。決してめぐまれていない。一人でも信じる者、愛する者、話し合える者を得ようと皆必死なのである。愛する者、信じる者を得れば、もっと／＼職場を明るくなるはずであるが、以前にも増して職場が暗くなりつゝあるとしたら、どこに原因があるのか、招待者を含めて今後の私達の考えねばならぬ課題であろう。

現実的という事

現実的という言葉から連想する事がらはいろ／＼あるが、愛情について考えるならば、普通二人の愛情が現実的になって結婚した事だといえそうである。この事は本日出席された結婚された方々が、燃えるような恋のような愛情ではなく、落着いた静かに燃える愛情こそほんとの愛ではないかと発言してくれた。一面、現実的な夢を追っていない様についてることに違いないが、或る面では、結婚したら、自分達の事しか考えないというみかたも出てくる。

矢張り去年の国民文化集会においてもこの問題がだされ、二人の愛情が現実化し、結婚したが、結婚前の情熱がだん〳〵うすれて来たので、月に一ぺんか二へんその夫婦が、お互の友達を呼んで、社会の事、政治の事など討論してうすれてゆく進歩的な思想をからくも維持しているという報告がなされたが考えようによっては、正直な涙ぐましい報告である何故ならば、なんとに、そういう意味の現実化した人々はそのような集会にまじめくさって発言しようとしないだろう。そんな人々を、一般の人々はタダの人になると評しているのである。

でもこれは笑ってはすまされない問題ではないだろうか。一女性の会員が、結婚した後の家庭的な問題がおそろしいと述べたのは、タダの人になるか、ならないかは別としても、そうならざるを得ないようなものがぶらさがっているからに違いない。そこから、家庭と職場とのつながりがでてくるような気がする。事実当日主に話し合われたのは、私達が父母を始めとして耳にする夫婦達の現実の会話であった。そこには社会が悪いの、国のしくみが悪いなどという言葉は間違ってもでてはこないし、いつもこの現実的なもの金がない、住居がせまい、給料安いするなどの話ばかりを耳にするのだった。

喰うに困る庶民人達のみが、世界の出来事や、自の出来事、及、社会の動きを話し合い、うすれゆく進歩的思想をかばうので、苦しい経済的条件の中でそれらの事を話し合おうと努力する苦しい夫婦達の心意気は正に、この方々にとっては、この上もない尖い話なのである。そこで会員達は、タダの人とかタダの人でないとか云ってお互に変な目で見るのは、日本にとって不幸な事ではないかと考えるのである。何故ならば、政治とか法律などの問題は、愛情を語ろうとする人々の専門用語でもなければ、家庭とか職場の中で苦しんでいる人々とは決して無縁なものでもないので、むしろそういう現実的な対話の中でこそ出されて討論されなくてはならないはずなのにそうならないのが一体何が原因しているのかと疑問をもたれたのだった。

最近、純粋なる恋愛によってフランス人と結婚したと云われている某女優が、日本では芸能人と云われる人には珍しいと思われる。いわゆる政治的な話ドゴールの事、アルジエリヤの問題を普通に話しているのは、それがそういう問題が日常の生活の中で話し合われ討論され又、実際に生活にひびいているからだという。彼女は決してハッタリ屋日本で云われているような意味の現実的になったからではない事は明らかであろう。

普通私達の心の中に流れている、進歩的と現実的との対称が、ハッタリと利己的のように感じられるのは云うことと、やる事が、ちっとも一致していないからだという事が出来る。

その一番よい例が、進歩的な思想に共鳴し真実の愛情によって結ばれたと思われて結婚した一部の人々の其の後の生活は露骨すぎる程、利己的な態度になっているからである。

日本の支配者層が、とにかく若い人々がどんなにわめいても安心しておられるのは、結婚ということくだけ入れる貝殻があるからだと一部の人々は笑っているが私達にとっては笑ってすまされない問題であろう。

独立と自信

結婚してみたら独立した感じがでて来たと誰かが話されたが、何やるにしても責任がはっきりしているからだろう。独立した以上やるべき事はどんな事でも、どんなにしてもやらねばならないし、やった後に始めて、自信がでて来たという。経験者が空想的な恋愛論でないと口々に述べられるのも、愛情がいつも責任が伴っているからに違いない。そこに強さがあり頼もしさが生れる。

強いたくましい夫婦はどこにも存在しているが、それが揃って前進的とは云えない。商店の主婦、農家の主婦達のあの強さたくましさは愛情とどのような関係があるのかと当日ちょっぴり話題にのぼったが、面白い問題だった。固い愛情で結ばれた二人が独立して生きてゆくにはどうしても、理屈より何よりも、商店の主婦、農家の主婦的なたくましさは一番要求され、確実な責任ある愛情を維持しようとするだろう。無駄なものを取除き、目前に利益あるものを求めようとする。経済的な要求が知らず／＼の中に考え方をも変えてゆくおそれがある。メッキしてあったイデオロギーなら、哲学にはげてしまうに違いない。

私達は組合の幹部が、つまらない当局の誘惑に負けてゆくあわれな姿を何人となく見て来ている。彼個人としては或る程度生活の方は前進したかも知れないが、私達如く者達の斗いとらねばならぬ権利や要求は、いつも足踏み状態である。幹部がその様な状態ならば、組合員は彼の大言壮語はいささかも信用しなくなり、自分達の確実な現実的な愛情のみに頼ろうとするだろう。するだろうというより、現在私達如く者達のおかれている状態はそのようなものである。だからこそ心ではなしながらも、実際には商店の主婦や、農家の主婦達のたくましさに舌をまいているのが現状だろう。

貧しい中で真実の愛情に結ばれた若い二人がどのように現実的な生活の中で、常に前向きの姿勢で進めるにはどうしたらよいかが、この度座談会における。愛情を語るの結論ではないだろうか。二人だけの愛情が家庭の中にどのようにしめているのか、又職場内ではどういう影響を与えているのか、それが、新しい社会にする運動にどんな形で反映されねばならないか、結婚された人々は、そのような独立した、最小の単位の中で、これからも真実の愛情を求めようとする人々はその新らしい愛情を作る中で、新しい職場の充実を作りながら進みたいものである。

6

ビジネス特急

たけむらたみお

子供のころ、ラジオ歌謡のなかで好きだったものに、新鉄道唱歌があった。

〃帝都をあとに、さっそうと、東海道は特急の流線一路 富士、さくら、つばめのかげもうららかに〃で始る歌詞にみられる様にその頃は特急つばめ全盛時代であり、子供心に快速で走るつばめは憧れの的であった。このつばめ号も現代ではビジネス特急とこだまにその王座をゆずる運命にある。時間表をつくつても東京・大阪間つばめの七時間半に対しこだまは六時間五十分である。

車体もこだまの方が格段とスマートである。ところでこのこだまはもはや汽車ではなく電車である。小学生の頃から私たちが親しんできた汽車と云う字もおそかれ早かれなくなるに違いないだろう。フルシチョフは〃ICBMの時代に爆撃機は博物館入りだ〃と云ったそうだが、この例にもれず一昔前には力強くたくましきものの代表であった機関車もやがては機関区のすみにころがされる運命にあるようだ。

閑話休題《それはともかくとして》

先日、会主催の勉強会で社会主義の現段階と日本の場合いで、世界の中では東風は西風を圧倒していると云はれるけれども、日本ではその逆で職場の生活は暗くなり、進歩の立場に立つ運動の沈滞もまた目立っていると云うことがその夜集った人々から報告された。

この様な現象の原因についてはいろ〳〵と考えらるが戦後十数年の今日でも進歩の立場に立つ人々のなかには未だに蒸気機関車的思想註の持主が多いこともその原因の一つではないだろうか。

この様な思想の持主の運転する集団(組織)は脱線てんぷくかはたまたスピードがとみに低下しつぎ〳〵とビジネス才一の西の風号に追いぬかれてしまうのである。

早春の明るい日ざしに走るこだまをみながら鉄道の歴史をふりかえってみるのも亦面白いものだ。

註〃中国と赤軍物語〃を読むと毛沢東は赤軍の長征にあたって将兵に三大規律(一、一切の行動は指揮に従うこと、二、民衆からは針一本もとってはならないこと 三、敵や売国政府の財産は公のものにすること)六項注意を誓わせている。

日本の民衆運動がともすればやあ〳〵我こそは式の考え方によって阻害される場合の多いことを考えるならばこの毛沢東の指導については今日なお学ぶべき多くのものがあるのではなかろうか。

7

銀座の生態

一店員の個人の歴史

その二

田舎っぺ

高校への転入は割にスムーズに行ったが、その学校の生徒になりきるまでには時間がかゝった。東京というものに気おくれがしましたし、言葉のアクセントにまで気がねをしていた。他人のうわさであっても"田舎っぺみたい"だということばをきくと思わず自分を考えないではいられなかった。私立の女子高校ほどでもなかっただろうが、女子の割合が多いせいもあって多分にお嬢さま的なところの感じられる学校だった。三分の一の男生徒たちは乱暴を働いて困らせるような事はしなかったが、元気がないようだった。生徒会では"学生帽をかぶってはいけない、とか、ゲタをはいて来てはいけないとか、いろそんな規則はやめてほしい"ということがとり上げられても職員会議でダメになってしまう。それが反抗の手段のように二、三度出されたが結局許されなかった。

運動はさかんでみんな活発だったが、オーソドックスな感じだった。運動場はテニスコート二つにバレーコート二つとれば一ぱいになってしまうくらいの広さで一面コンクリートだった。そんな中で私のお古で手製のすり切れたカバンと運動靴はいかにもみすぼらしかった。前の学校ではそれでとおったが、ここではちがっていた。勿論みんながみんなそうではなかったがりゅうとした革靴に革のカバンが多かった。革でなくてもせめてゴム引きでいゝからカバンがほしかったが、田舎から越して来たばかりで、それでなくても火の車の家計の中から母に買ってとは言い出せなかった。三ケ月ばかり後で父の家に行く前に買ってもらった時は本当にうれしかった。そのカバンを見ながら

ら姉は〃私も一回ころばうかペンを持って通ったな
ったわ〃といっていた。
父と女の人がうるさいので放課后に遊びに行くこ
ともあまりなかったし、進んで話しに入ったり、グ
ループに加わったりなども出来ず、友だちはなかな
か出来なかった。二年になってクラスの編成があり
その時隣り合せたのが坂本さんだったが、彼女は私と
同じ末っ子で我まゝなところもあったが、勝気で一
本気なところがあり、私のぽつり／＼話す家の状
態をひどく同情して憤がいして聞いてくれた。
〃……それりゃ貴方のお母さまが気毒よ、お父さま
ってひどいわね……〃
自分の気分次第で人をどなりつけたり、気げんを
とったりするようなところがあって、後に事業が持
ち直して家の収入が父の働きだけになるとまさにワ
ンマンぶりを発揮した。
〃おれは外で働いて来てお前たち食べさせてやって
いるんだ〃そういう事もしば／＼あった。女の人も
時には負けていなかった。〃家で洗濯から家事一切
やるのも一つの仕事もあったが、しょせん男が働く
のと女が働くのとは社会の受入れる場も見方もちが
っていた。以前働いていた女の人はそれを考えてい
たのであろう。たいていは折れていたしきるく納ま
っていた。
私に対しても同じだった。たまに遅く帰ったりす
ると理由はどうあろうとどなりつけた。不良
になるからという心配もあったろうが母の家へ寄っ
て来るという邪推もあった。実際内しょで寄ることも
あった。いつも一、二時間くらいだったが行け
ばたいてい何か食べて来た。毎日の食事がそう悪い
わけではないのだが育ちざかりだし、お弁当のおか
ずになるといつも節約されていたので少しひがんでいた。9
映画などお金を払って見に行った事はおよそ記憶に
ない。だいたい映画を見たり、おしることを食べた
りする時間と心のゆとりはなかった。ただ心身とも
に消耗しないように誰とも衝突する事をさけるため
時間を適確にピッチリ帰る以外に手はなかった。お
こられたら弁解しでも無駄だった。初めはしたが後
になると黙って聞いて引き下るより仕方がなかった
実際考えても後の立っぽど無駄な生活だった。おか
げで楽しいはずの私の学生々活は全く無意味なほど
空っぽだった。三年になって受験コースを行けと云

われて家庭科をやめて解析IIと人文地理のあるコースを選ぶことにした。坂本さんにはせの人だからそんなにやる事はないや一、クラスが別々になるなんていやだと相当攻責されたが、それでも家で反対されるのが恐しく、そのまゝ受験コースをとった。受験という目標をおいてはみたが雑念はいっぱい入りこんで来た。こんな生活がもう四年のびるなんて考えただけでもたまらない。こんなに精神が不安定で気が散ばかりするような環境では勉強なんか出来ない。でも受ける以上は行かれなくても入りたい。まわりの友達が肉親の温い心ずかいの中でメキメキのびて行ったり、静かな環境で落着いて着々と進めて行くのを見ながら、あせりも、くやしさもまじって一人で泣く事もあった。

進学適性検査は無事通り、受験の日が来、発表の日が来た。口立ばかり二枚受けたが両方とも駄目だった。先生になるコースと、薬剤師になるコースとを選んだ。まわりでそうさせたせいもあったが、将来の生活のためにであってただ漠然とは行かれなかった。C大の発表が駄目だったのを目定めて帰りながらこれからどうなるかなと考えないでもなかった。確か四月に入っていて従の花咲西が後から追いかけて来た。今までもそうだったようにまわりで動かされるまゝにこう云われゝばこう、あゝ云われゝばああ、動いて行くだろう。落ちてしまえばかえって母達の家へ帰りやすくなるだろう、母もそのつもりでいるのだし、私も逆の方がよかった。しかし父はたった一人戸籍に入っている血のつながりのある子供を愛情はともかくとして手ばなしたくはなかったらしい。浪人してもいゝから来年もやるようにと云われた。とんでもない話しだ。こんな状態では浪人しても受ける見込はなかった。でも黙ってあいまいに返事をしておいた。母の方から引きとりに来てくれるはずだった。もん着が起る、それはもう解っていた。でも、それでも帰りたかった。母から手紙が来が来た。父は私の気持はそうではないと云わせようとして、おこったり、なだめたりした。"大学へ行きたくないのか"、そういわれても、そんな事は二の次だった。何も云わないで赤ん坊みたいに泣きじゃくりしながら洗足のおばさんの家に行って、それから母のところへ帰った。それでも後から私の荷物だけはまとめて送ってよこした。

都会の憂愁

母のところへ来てからは、みんなが仂いて、精一ぱいの生活だったし、父の仕送りもアテにならなかった。早速職につく必要があったが在学中には全々就職の手はうってなかったし、家の状態がこの通り複雑だったのでなか〱むづかしかった。近くの職業安定所へ毎日々々通ったり、新聞広告でさがし歩いたりした。職安の中では新卒業生には特別の課が区別に作られていて比較的対遇もよい方だったらしいが、事務系の職はなく、殆んど小さな会社だった。けれどもどこへ行ってもはねられてしまう。まず戸籍がウサンクサイ、その上へ気にしすぎていたせいもあって人間もどことなく陰気だという訳、いいかげんあいそをつかされてしまった。ある程度覚悟はしていたものゝ、こんなにまで大変だとは思わなかった。六月に入るともうそろ〱いつまでも職安通いを続けるわけにもいかないし、どこでもいゝから早く職に就きたかった。六月或る日、紹介されて行った財団法人「○○協会」やっと採用され、ほっとして、翌日出かけ、みんなと一緒に部屋の掃除などしていると上役が出勤して来た。「おはようございます」そんな声の中に私を認めると不思議そうに「あゝ君、手紙見なかったかね、採用はとりやめたんだが……」また駄目、そう思うとついメソ〱してしまった。私はなんかどんなにしても自分で就職する事なんか出来ないんだろうか、ぼんやり外をながめていると、上役向の話合で可哀そうだから「かどうかは知らないが」雇ってやろうという事になったらしく、その旨知らされた。仕事自体は面白くもな事だったが、その時は前にも増して淋しく感じた。口で働く外交ではなかったが、仕事は外へ出あるくものだし、国間読大仕のき七、八冊持ち歩くので、誰に逢ったら恥しい。何といって説明してよいか、見栄もあって、せっかく苦労して入っておきながら早くやめたかった。会社がひけると、英文タイプ習いに行っていたのも何とかして少しましなところへという下心もあったからだった。××会社が東京へ進出して来て、大々的に社員募集をやっていた。その時も会社をケ病で休んで受けに行ったが見事落ちてしまった。後は縁故を頼って○○会社の中間採用

11

にもぐり込むより仕方がなかった。母が親しくしている友人の御主人A氏がそこの上役だったので頼んで入れてもらった。その時の試験も初めてながらのかけもちでやった為に、少し時間に遅れてしまい、緊がうすいとでも思われたのであろうか通知はなかなか来なかった。母が心配してAさんのお宅へ「電話してみようかしら」という「どうせ落ちたってもとう子じゃないの。今のまゝでいればいゝんだわ」と答えながらも内心は不安でたまらなかった。

銀座の空

前々日に速達で採用通知を受け取った時には、何かほっとした気持だった。これで母にも面目が立つそんな事も考えながら……。

当日通知のハガキを持って出かけると一週間は店務教育で直接仕事にはたずさわらないという。全部長の訓示から、勤務心得、色彩教育、等々一通り教育がされた。それが終って仕事がきめられる。職種のかゝれた紙をもらうと「・・出納係・・」とソロバンも出来ないのに務まるかしら、そんな不安も頭をかすめる。当時まわりの人達はきらびやかで派手な人が多いように見受けられた。ロッカーなどで話しを聞いていると、家にいるとお金を使って仕方がないから働くことにしたという人、毎日同じ物を着て来るのが嫌いで毎朝頭を悩ますというBさん、等またづとめたい〳〵と思っていた銀座のしかも○○の会社に来られてとても満足、そのために少し位いやな事があっても一晩寝ればさっぱりしてしまうという人もいた。

休憩時間には休憩室の二間位の大きい鏡の前にずらっと並んでお化粧に余念がない。こういった事は入ったばかりの私にはきょういだった。入ったその当座は、休時間には解放された様に屋上へかけ上った。屋内のゴミ〳〵した空気は慣れないせいもあろうか窒息しそうに重苦しく感じられた。仕事の関係であちこちへ行く事が多かったが、或る日、先輩の河合さんがこちらで働いていられるのを知った。河合さんという人も、高校の先輩であるという事も私は知らなかったが、むこうで私が後輩であるという事を社内機関紙で見て知られ、たずねて来られたのだった。高校時代の事といったら、研究活動も二校業外の娯楽も私には何もなかった。実習に警察、定時に帰宅する毎日やだったし、学校そのものも女子が多いせいもあっておとなしかった。そんな事を話し合っているうちに河合さんとは親しくなり、“うたごえ”にさそわれたり、出版の平木さんを紹介され歌う会にも出かけるようになった。その年の日本の“うたごえ”には行かなかったが、歌う会に行く事は楽しく、着飾らないむしろ地味な人達の中に入って歌っている時はとても楽しかった。でも時々何かものたりないものを感じる事があった。誰とでも気軽に話し、みんなと溶け込んで行けない面もあったからだろうか。頭が悪いせいかしら。もっと勉強もしたい。英語もしたいし、歴史を知っていると頭がよく見えると姉がいうけれど日本の歴史の本でもたんねんに読んでみようかしら……。そう思っていたところ、組合から中央労働学院の事を聞いたので行く気になった。歴史がやりたいと思ったが一緒に行く人達は経済をやるという。何かしらしかめつらしい縁遠いものに感じていたがそうでもないというし、一人で行くのは心細いから一緒に経済へ申込んだ。その後この店の人と学生六、七人で歴史研究会という勉強会をしている事を知らされた。中央労働学院は期間中、遅刻しながらもちゃんと通った。「……生産力が増して来ると……生産関係との間に矛盾が起り……」の文というのはむつかしいものだそうだが、最初の頃は生産力、生産関係などという言葉にやたらに引っかかったりして内容どころではなかったが、終る頃にはどうやら経済学もまんざらでもなさそうだと思うようになった。経済の方もそうだったが歴研の方も私にとっては新しい事が多かった。店の人と東大生と半分ずつ位だったが、休憩でさわいでいるだけのところが多いような私でも毎回一つ位おぼえる事があった。こんな様に私は働く中から自分で社会に疑問を感じたのではなく、頭の方から、むしろ後で考えれば理論的に考えていたようだった。店でも組合でも認められていない事は少し気になり、課長が来ると何でもなくてもさっと緊張してしまう事もあった。

私の姉は耳が悪かったし、定職ではなかったので時々一緒に銀座など歩く事もあった。姉という気安さもあってひっぱり廻す事もあったが、私はその姉が好きだった。姉の考え方は私に影響していたところが多く、本なども割に読んでいたし、いろ〳〵な事に対しても自分の考えをもってぶつかって行っていた。そんな事がある意味では頼もしかったし、考えがそのまゝ私のものになる事もあった。たまたまサークルの人達を知り話すようになると両方の考えの間に食い違う面が出て来た。両方が自分のものにならずまごつく事もあった。例えば〝ゾーヤとシューラ〟なども読んでむやみに感激したり、コーラスに行って〝若者よ〟とか原爆許すまじ〟とかをおぼえて来て〝うたごえは平和の力〟などと少しばかり気ばったりしていると〝薄っぺらな英雄崇拝だ〟とか〝コーラスもいゝけどそれに引っぱられて思わぬ方向へ行ってしまう事があるから気を付けなさい。戦争中の一連の軍歌がいゝ例じゃないの、あの歌にまどわされて悲愴な決意で出征して行った人もいるのよ〟といわれたりした。憤がいしてつゝかゝって行ったりしたけれど、そうかなあと思った。

三人姉妹の末っ子だったし、近所の中でも最年少だったせいもあって、家でも外でもとかく甘えん坊なところがあった。一人前の話が自信がなくて出来なかったので、ついそういう事は避けごとになってしまう所からも来ていた様だった。いつまでこんな状態が続くか心配だったが、かといってこの甘えん坊がなくなったら一体何が残るだろうとも考えた。みんなの中にいると自分がその足りないものに思えて無しように一人になりたいと思う事もあった。話すことさえいやになってしまったりする。そんな時はたいてい疲れている事が多かった。

家の人達の考え方は〝他人はあまり信用出来ない〟という傾向が強かったが、それでいながら父のいない家庭では何か問題がおこると、すぐ叔父の処へ頼って行った。そんな母を私たち姉妹は時々ふがいなく思ったりしたが、考え方などでもまだ社会の広い面を知ってはいなかった私たちでは、何とも仕様がなかった。何とか、かんとか云いながらも姉にはプライベートの事などではよく話したし、髪の形から洋服の見立まで相談する事もあった。

職場の事とか、身のまわりの問題も家で話すよりもサークルの人達と話す方が多かったが、それでいながら、一番気安く感じるのは家にいる時だった。気を使う必要はないし、ある程度の我儘も小さいんだからという事と、しばらく母親のもとを離れていたからという理由で許された。そういう理由はなくやしかったが、つい無理を云ったりする事もあった。

姉がお嫁に行ってから、将来の事とか、それに付随して自分の経済のことも何かにつけて不安だった。姉がいてもどうなるわけでもなかったが、身近な相談相手を一人失くしたようだった。サークルの人に話しても家の人には話さない事もあったが、姉には話せてもサークルの人に話すのは話しにくい事もあった。行動にしても考えにしても他人の目に自分がどう映るかという事は私にとって重大だった。みんなと同じように、よきサークル員でありたかったから、何とか、かんとか云ってみても私なんとても古いワクの中の人間だろうかそう思う事もあった。そんな状態の中で一九五五年も暮れて行こうとしていた。〃来年こそは自分の力で伸びよう。大きくはなくても自分の出来る範囲で地味に生きて行こう。それでいてやっぱり自分の青春を素晴しいものにして行きたい〃とひそかに願いつゝ除夜の鐘を聞いた。

サークル研究は入って二年の間にみんなの要求も変って来たりして、ヒューバーマンの「資本主義社会の歩み」などを使って経済もしたが〃みんなで研究しながら〃というだけでは解決出来ない面も多く出て来たりした。「この問題は保留、これはもう少し考えて」そんな事が重なったり、それはかりではなかったであろうが、何かサークルにあまり魅力が感じられなくなってしまった。同期に入った吉井さんには時々研究の事など話したり、組合についても一組合員として一人一人やらなければどうにも仕方がないんじゃないかと半々話したりしたが彼女には受付けられない面が多かった。

「貴女達はそんな事が好きね、どうせやったって出来ないじゃないの」そう云われても「好きとか嫌いとかいうんじゃないと思うわ、みんなの事なんですもの……」といった、何ともわけの解らない問答だった。

食事、休憩と店にいる時はたいてい一緒だったし、さそわれて〃お花〃をする事にもしたが、何やかやで出られなくなる事が多かったりで一年たゝないでやめてしまった。

「真面目ね、貴女は」といわれてしまったが仕方がなかった。彼女は顔が広かったし、気さくで割に誰とでも話したり、映画とか、ダンスに行ったりした。

とかくそういう事では要分子扱いにされたが、つれて行ってくれる事もあった。せっかくさそってくれても正琉その他で行かれない事もよくあったのであまりアテにはされないようだった。

自分ではしていなかったがみんながお化粧している側に一緒に鏡の前にすわって髪をとかしたりする様になった。別に何を話すわけでもないがみんなの話を聞いているといろんな事が出て来た。学生時代の事や、人生観、映画、服装のことから恋愛論までT妹は私より先に結婚したけれど女なんて一とおり洋裁とか、料理など出来て、いゝ人がいたら早くたって結婚しちゃった方がいゝわしみんなの前ではあまりしゃべれる方ではないし、まして正琉の事など話せない。特に大きな声で聞かれたりするとドギマギしてごまかしてしまったりする事もあった。吉井さんの友達を通じては正琉の事は話しにくかったし彼女とはとんどいつでも一緒なので、私がたど〱しい説明をしていると、彼女はきたやっているというように見ていたようだった。全々冷たい態度に出る事もあった。休憩時間を連絡などでかけずり廻ってしまう事もあった。そんな時吉井さんはやはりキゲンが悪かった。

中元が終って夏が来る、正琉には学生が三分の一位を占めているせいもあって夏休みというやゝ低調期が入る。みんなもそれぞれに山に海に、暇とお金の許す範囲で羽をのばした。正琉の席上でもそれらの話に花が咲いた。山のヴェテランもいたり、高い山へ行く人も多かったが、行かない人達がポカンとしていなければならないような時もあった。休暇も取れなかったし、体力にも自信がなかったので、みんなと一緒には行かれなかった私は何かとり残されたような感じだった。私なりに他の人達と行ったのにでもその人達は正琉に出ている人ではなかった。何かもの足りないみんなと一緒に山に行かれなかったせいだろうか。そうでないとすれば私はこの中に全身打込んで生きられるだろうか。もっと他に生きる方法があるんじゃないだろうか。喜劇のFさんはダンスやジャズを楽しんでる。それもいゝ。時々はしてみたい。けれどお金がかゝるし、時間もあまりない。それより洋裁か何か、もうそろ〱習っておいた方がいゝかも知れない。Fさんは私たちと似た考えをもっているがサークルに出たりするのをまだる

16

つごく思っている。本はよく読んでいるけれど、組合の斗争にしても結局は出来ないというあきらめが先に来てみんながやらなければ仕方がないというやや高見の見物的なところがある……。

日頃から職場々々とみんなは口ぐせのように云うけれど、正所の中での私は、職場や家とは別々の生活のようだった。組合の話しは比較的多かったが、組合にしても会社にしても大物の名前が出て来ても、顔もわからない事が多かった。職場ではいつも一緒にいる若井さんに分ってもらえないからでもあろうが、何か根のない生活のようで心もとなかった。

（つづく）

職人気質とは

藤本敏雄

職人の歴史「職人気質」をさぐろうと考えたのはかなり前のことだがそのときは何をどう調べてよいのかとまどった。この頃になって手がかりが自分の廻りをとりまいていることに気づいた。職人気質は他人事でなく自分自身にあるような気がした。今までに知り得たことは町工場のN製作所、横浜造船の社外工、静岡にある大企業（工作機械製作所）の臨時工をしたときの体験が主で一人合点のところが多分にあるかも知れない。

職人と云う呼び名は一般に大工、板前、植木屋等に多く使われているが、これから書こうとする職人気質はこれらの人とことなり「職工さん」とでも呼ばれる人たちだ。

何故職工を職人と呼ぶのだろうか。町工場では最近まで見習工を小僧・熟練工を職人と呼んでいた。今でも熟練工を職人と呼ぶ気風は残っている。若い熟練工はともかく四・五十代の人たちは職人と呼ばれることに誇りさえ持っているようだ。

そればかりでなくやはり町工場に残っている旋盤工を旋盤師と組立仕上工を仕上師と下に何々師と呼んだ尊称こそ昔から腕一本に生きる職人を証明しているのではないだろうか。

　次になぜ職人気質や歴史を調べようと思いたったかといえばN製作所（工場東京神田、埼玉川口、従業員六十名）に組合をつくろうと気運が高まったときそれを電撃的に成功させたのは職人の力に多いと思う。川口工場など組合結成のうごきを伝えると、うろうろする若い連中をせきたて電車でも一時間かゝる神田工場まで一人の落伍者も出さず先頭になってかけつけた。普段職人は腰が重いものと思われていたが此のような固まりに目を見はったものだ。この一面、生活安定をはかる賃上げ要求で「遅くまで残業しなくても食えるようにしてもらおうじゃないか」との提案に「残業するのがあたりまえだ、今の若いもんは怠けもんだ」と逆に残業時間の延長をして若い人たちと対立してしまい賃上げより労働時間数を増してもらえば生産もあがり会社ももうかり自分たちのふところも増えるといった考え方に大きなへだたりを感じた。ボーナスにしても賞与の個人差は自分の技量の評価として「よし今度こそ」と競争心を燃やす。あながち自分本位の考えかたとばかりいえないようだ。

　話し合いや歩みよりに一番必要なことは職人を知ることだ。そのことが自分たちが職人となって行くのに大切なことだと――。職人の歴史を調べる方法として「見る」「聞く」「ふれる」といった感覚的なやり方を選んだ。職人の手の爪だしても手先を多くつかうところから非常に深く、古い職人には全部の爪がつぶれていることがある。生え変る爪ならともかく何十回となく叩いた爪は形はくずれ生え変らない。職人にとっては一つ一つの傷が歴史につながっているに違いない。非近代的な町工場でも昔からみればずいぶんと変ったと思う。N工場の主みたいな旋盤工のDさんも二十年近く工場と共にしている。やはり爪はみなつぶれ変色している。もう五十ぐらいだがこゝに落ちつくまで大分工場を代えたそうだ。十五、六の頃軍需ブームで学校へ進むより職工になった方がこの先ためになると云われ今日まで続いている。このころ軍需会社は職工が不足し八方へ手をのば

18

し職工の引き抜きが盛んだった。待遇もよく職工は我が世の春だったといっていた。引き抜きが行われていた為に腰が落ちつかず、有利な職場をめぐってふらくする人が当時かなりあったそうだ。ブームが消え去ると今度は仕事がどこにもなくなり、追いつめられて二、三人の町工場へとび込んだと思い出を語っている。

今後調べるときにはこの当時の社会の動きも考えながらこの問題をつかんで行きたいと思っている。

道具と技術のなかにもかなりの歴史を含んでいることを発見した。職人が見習工を一人前の職工に仕上げるところは大工職人に類似している。教え教えられる関係は一つの師弟を形づくり義理人情がからみ合う人によっては泣くにも泣けない一時期を送った人もある。Y労組の役員だったHさんは小僧当時、仕事の覚えが悪いといっては水の中に顔を押しつけられ苦しがると「口惜しかったら早く一人前になってみろ」と発奮させ、忘れられない思い出だといっている。

師弟関係が生まれると道具のつくり方つかい方が叩き込まれる。しかし永い年月を経て会得した技術は職人によって違いそれを教えられる見習工同志とまどうことがよくある。町工場では道具や技術の改革に専門家を置いてはいないので改革の多くは流れ職人からの影きょうを受けていると思う。流れ職人といわれている人は工場から工場へ移り歩き一定の場所に長くいない。従って一定の技術に深みはなくても広範囲な技術を身につけている。古い職人は自分の腕の範囲から手を出さないが積極的に改良を加えるのは大抵若い職人だ。町工場の場合近代化された機械や設備の改善はおいそれと行えず、手工業的な方法でも道具や技術の改良を重ねて生産の向上をはかるのが多いのではないか。N工場でも二十九年生産性向上をとり入れたが設備の改善もなく精神力に頼り到底従来以上の成果はあがらなかった。

道具や技術の改良も一朝にしておこるのではなく、モーターや動力が現われる以前の手廻し旋盤のときなど一台の機械に何人かがとりかかっていた時代から今日のように自動化され一人が何台もの機械を受け持つようになった時代まで小僧と職人、見習工と熟練工との関係が調べられたらと欲

19

ばっている。
町工場の見習工と職人の間には封建的な色彩が多く、家族主義的と云われ自由なふるまいは出来なかった。この点大企業の人はめぐまれているのではないか。養成工として学校に入れられ、労働基準法に守られ技術が覚えられる。道具一切が会社から支給され、近代的な設備によって労働力も町工場よりかなりかるい。このようなところに町工場と大企業の職工の気風の違いが出て来るのではないか。しかし考えようによっては大企業の人たちは都合よくつくられているような気がする。つまり自分でつくり生み出すところは町工場の職人の方がかなり目を開く位置に近い。新しい職場、古い職場が必ずしもそれぞれちがう職人をつくり出すのではないと思っている。道具が我々をどのように変えているか。大企業が小企業からふくれあがったかげに職人がどう変っていくか調べることは山とつまれている。

20

銀座の生態について

岩浪忠夫

私どもはこの号で、現在の労働運動が持つ一つのあやまった傾向とされている〃サークル主義〃について取りあげようと考えていた。この〃銀座の生態〃には、このサークル主義的傾向によって、この個人の厂史の著者がいかに苦しんだかということが、いたいたしく描かれているのであるが、その最も重要な部分が紙面の都合上この号にのせられなかったことをまず最初に謝罪しなければならないと思う。

次にこのサークル主義を中心にして、私の感じたことと学んだことを書いて見ようと思う。

この作品は、大体二つの部分から成り立っていると考えられる。(1)は著者個人の家庭の問題 (2)は職場の問題である。

(1)の部分では、著者の生い立ちと不幸な環境が、淡々と述べられているだけである。

私はここで、著者が不幸な環境の中で強く生きぬいて来たとかいう通り一辺のほめ言葉を並べようとも思わぬし、またともども同情の涙を流そうとも思わない。素直にいえば、むしろ不幸な環境のままににただようように生きて来たとさえいえよう。しかし私は著者がこの部分を書いたことを無駄だったとは思わない。著者が現在、自分の欠点として弱さとして意識しているものの、根元を知る上に、大きな役割をはたしたいと思うし、私達が共通に背おっている重荷であるところの日本の家族制度の古さを知るために、私達も自分のこのような厂史をふりかえって見る必要があると思うのである。ただ欲を言えば、このまゝでは単に自分のみじめさを知るだけで終ってしまうだろうから〈そのことだけでも大切なことと思うがしこれからもう一歩進んで、著者が現在積極的な職場の活動家として、自分一人の給料で独立して生活しているものとして、自分の家庭をどう見ているか、これからどういう風に家とのつながりを変えて行くのかというところまで筆をのばしてもらいたいと思う。

さて若者は、家庭の困難から、学校をあきらめ販につくことになり、戸籍のウサンクサいや陰気な性格などで、どこからもアイソをつかされながら、やっとのことで銀座の〇〇会社に入る。大きな鏡の前にずらり並んで化粧する同僚の姿にキョーイを感じたり、みんなに気易くとけこんで行けない淋さを感じたりしながらも、とにかくも、たえず父の監視下におかれ他人の家同様のところを定時に出て定時に帰宅するだけのみじめな学生時代とはちがう、自分の自由に出来る楽しい時間を持てるようになる。

その時から若者に取っては初めての青春時代が始まったと言えよう。

多分にとまどいとためらいを感じながら、とにかく若者は、その中でサークルや歌声などを知り、勉強をして頭をよくしたいという意欲も出て来る。そしてその勉強会の中で、組合員としての自覚を育てられ、半分わからないながらも、

「好きと又嫌いとかいうんじゃないと思うわ、みんなのことですもの――――」

というような自分自身の主張を持つようになる。

母と一緒にくらしたいという自分の気持ちを泣くことでしか表現出来なかったころから見れば大きな成長であり、こうした成長と解放をもたらしたサークルと勉強会は若者にとって最も大切な生活の場の一つとなった。

さて問題はいよいよこれからである。このようにわずかながらでもある、若者が感じはじめた解放感も、また別の方から現れた困難によってとざされて来る。この勉強会は会社や組合にも秘密でやっているものであった。そのためせっかくその中で貴重なものをつかんでも皆の中に公然と持ちこめず友達からは異分子あつかいにされ、冷い態度に出られるようになる。

また一方そのサークルは学生が三分の一をしめていて、その連中が夏休みになるとサークルも低調になり、皆、山や海に行き羽を伸ばす。そしてそんな連中の話を行けなかった者がぽかんとして聞いている。そんな日が続いているうちに、無理に自分を閉じこめるようなサークルの活動に疑問を持つようになり、〃職場の中での私は職場や家とは別の生活のようで、せっかく組合員としての意識は育てられても、〃組合にしても会社にしても大勢の名前が出てき

22

ても顔もわからない事が多く〃何か根のない生活のようで心もとなく〃なって行くのである。

今号はここで終り、これから次号にのる部分に入。るのだが、まだこんな状態の、西も東もわからないような若者を、職場の同僚は、民主的な発言一切が封じられているような弱い組合の代議員になること押しつける。指導的な立場に立つ者は、体の調子が悪い、忙がしいという理由で立候補せず「貴方自身にやってみようという気があるなら後は私達にまかせていいわ。」

という風な事を言って、このむずかしい仕事をおしつけるのである。連絡役くらいならと結局承諾するのだが、代議員である若者を後援する会は選挙が終るといつのまにか消滅してしまい或る者は誰れかに忠告されて、そういったことにはタッチしなくなり、貴女は若いからいいのよといい、或る者は家が遠いからという理由で早く帰っていってしまった。若者は代議員になって日も浅いうちに、孤立無縁の状態となり、そんな中で初期の要求だった〃生理休暇の問題〃や〃組長選挙の事〃を少しでも解決しようと一生懸命会議に出る日が続くのである。


私は、このように長々と書いたが、私はここでただ単に、若者に一切を押しつけた同僚達を非難しようとするのではない。勿論私は、この気弱い同僚に一切を背おわせて後の責任をとろうとしない人達の利己心に大きないきどうりを感ずる。しかしその前に私はこのような不幸は、若者一人のものではなく、ここまで盛り上って一人の同僚を弱い組合に送りこむことの出来たにもかゝわらず、その利己心によつて同僚を孤立させてしまった人達も同じように不幸であり、私達自身の職場や会の現状を見る時、私達自身もまた同じ利己心によって不幸になっているし、日本の労仂運動全体が今同じ不幸に見まわれているのではないかと考える。

一体私達は、皆それぞれ大きなエネルギーと怒憤を組合にサークルにそゝぎこんでいるのに、何故最後にはこのような利己心に頼らねばならないのか、これが私はこの〃銀座の生態〃を読んで考えなければならない一番大きな問題だと思う。

ここに私が最初に持ち出して来たサークル主義ということが出て来る。一体サークル主義というのはどういうことなのだろうか。現在私達がサークル主主義と呼んでいることを、手工業性という言葉で最初に提起したのはレーニンであった。彼の著書「何をなすべきか」の中で、この傾向を清算するごとが本当に戦斗的な労働運動を確立する基礎になるということを説いている。それを私達の解るように言い直すと手工業性の特徴は、サークル員の経験が浅く 我々は斗わなければならないという情熱だけは持っているが ほとんどなんの装備もなく なんの訓練も受けていない軍隊と同じような状態であること、(2)しかも彼等のサークルは古い運動の経験を持っている人達とも、他のサークルとも何の連絡もなく孤立した状態であること、(3)したがって いくらかでも長い見とおしを持った、系統的な活動計画など何一つ持てず、仕事も行きあたりばったりになり(4)また大きな仕事をする能力がないために、訓練不足がいつまでたっても解決出来ず、視野がせまくなり、しかもその視野のせまさを正当化して自己満足におちいるため、すぐれた指導者が生れて来ず、偏よった考え方が根をはるようになる。(6)そしてそのために サークルはいつまでたっても成果をあげ得ず、いたずらに精力をついやしてつかれるため、動揺《よう》が起り、一般の労働者から浮き上り、一寸した事件でもすぐ分解してしまうようになる。

「銀座の生態」にはこうした傾向がかなり特徴的に描かれている。つまりこの中に描かれた人達がなぜ最後に利己心にたよらなければならなくなるのかは、このような正しい組織の初歩をさえも知らない人達が労働運動の伝統や正しい指導から絶縁された中で、きわめて一般的な 働、者の生活を守れ式のスローガンと、やらなければならないという情熱だけで動かされてやった仕事の結果なのである。

ひるがえって私達の今までの歴史をふりかえって見る時、これと似た例が程度の差こそあれどれだけ多いことか。現在の労働運動の低調ということがこのようなサークル主義的孤立と指導のあやまりから来るのでないとだれが保証出来るであろうか。

レーニンは同じ「なにをなすべきか」の中でこのような傾向をなくして行くためには、常に運動を広い視野から眺め、運動を正しい理論をもって指導しまた運動の経験を蓄積して更に高度な理論をつくり出して行ける特別の資質を持った職業的指導者の組織が必要でありそしてそのような指導者を絶えず育

24

て守って行かなくてはならない。ということを説いている。これを怠りせまいサークルの中でのなれ合いで、とにかく一緒にやりましょうという傾向は一掃しなくてはならないのである。これをどのように行うかは、それぞれの組合やサークルでちがうであろうし、その具体的な研究のために、更に多くの職場の厂史が書かれなくてはなるまい。しかしさしあたって「職場の厂史をつくる会」のサークル主義はどうか。

「会の常任体制をしっかりと守り育てる事」これが私達会員の任務であろう。

私はここまで書いて来て、もう一つ重要な問題について考えなければならないと思う。それは「個人の厂史」は「職場の厂史」になり得るかという問題である。

ムさよこつ「銀座の生態」の中からサークル主義というきわめて重要な問題を引き出した。

残念ながら著者はまだこの問題をはっきり意識していない。しかしすなおな真実を見つめる態度がこのような問題をかなり具体的に前面におし出せたのだと思うし、私達が、何が私達働く者の役に立つかという立場で見るならばこの「個人の厂史」の中にはきわめて重要な「職場の厂史」の素材が存在していると思う。

そしてこのような問題意識をもって書くならば更にすぐれた作品が生れるであろうし、それを発展させ蓄積することによって新しい「職場の厂史」を創造出来るであろうと思う。

以上私がこの作品から学んだことであるがここに書かれたことは、まだほんの問題提起にすぎない。今後の討論で発展させたいと思う。

編集後記

本年度第二号をおとゞけします。

土田さんの〝愛情と信頼について〟は昨年の座談会の発言をもとにして書いてもらったものです。ここでは問題提起で終っていますが、私達にとって最も興味ある問題の一つです。

論争だけでなくぜひ本物をもってお互に競争しようじゃありませんか。

藤本さんの「芸人気質とは」は「芸場の歴史研究法」ともいうべき問題の一例として今後の研究のさそい水となるようにと思ってのせました。

「銀座の生態」全部のせられなくて本当にすみません。次号を御期待下さい。

サークル主義の問題は重要です。討論を重ねて下さい。

三月二十日

26

飯場と生活

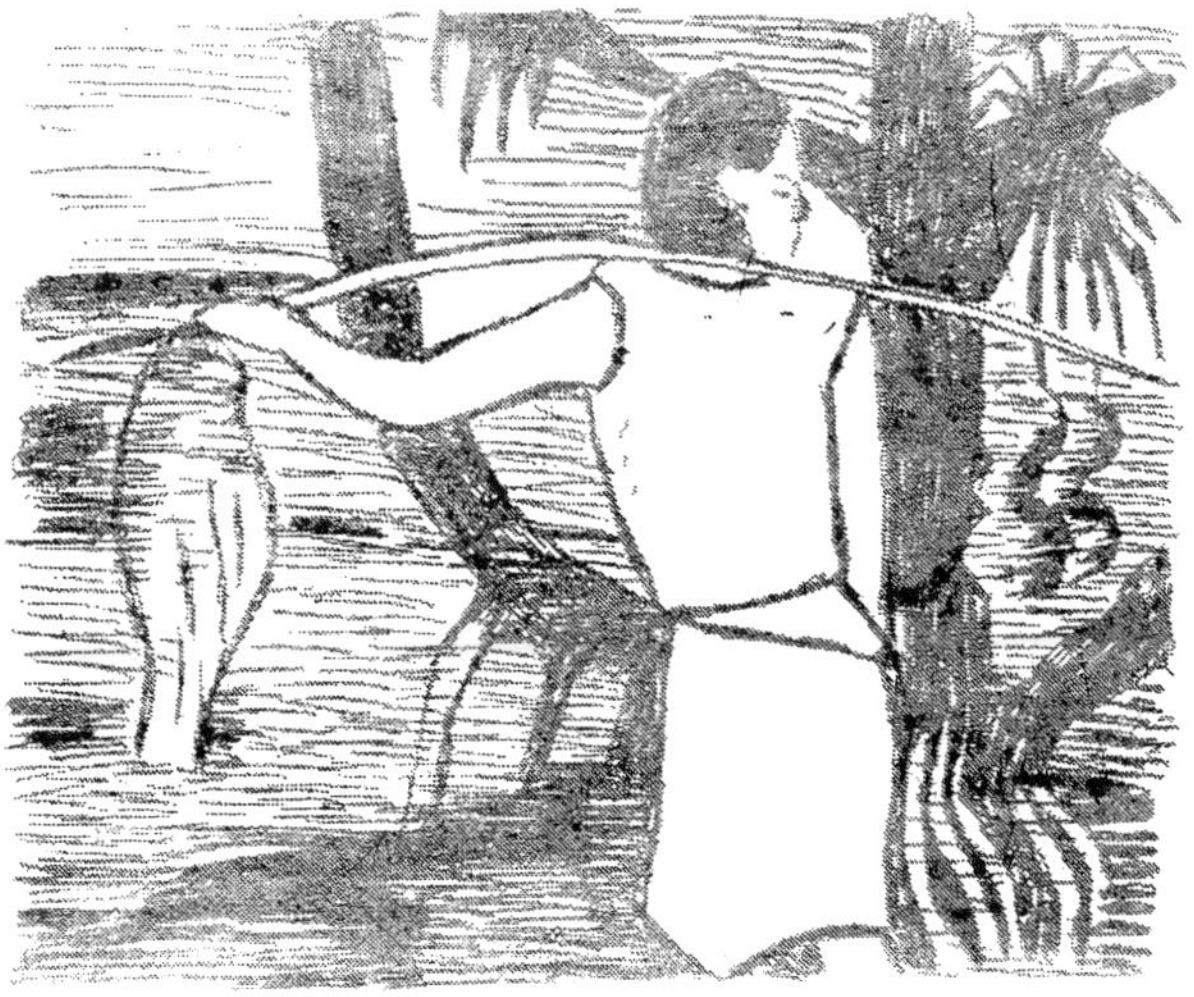

15

飯場の歴史をつくる会

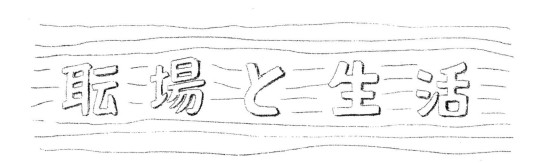

目　次

1959年5月25日発行通巻15号

―この本をつくった人たち―

本文孔版・表紙孔版・印刷 …………………… 朝日孔版　TEL（88）4174

製　　本 …………………………………… 会有志

製作事務 …………………………………… 土田敏助

編集兼・発行人 ……………………………… 東京都新宿区戸塚町3丁目305番地
竹村方　職場の歴史をつくる会
（代表　竹村民郎）

(1)

はじめに

子供たちのために良い先生であろうと云う気持は、みんなの先生がもっていても勤務評定反対の斗いの実さいの行動になるとなかなか一致できない。

世評に"坊さんと先生はゴマカスのがうまい"と皮肉られたようにこれまで教師の内には小市民的な、ことなかれの気分が支配し、教師相互の対立=考え方の相異は容易にあきらかにされなかったのである。

だが、この号によせられた吉田先生の文章を読むと、勤務評定反対の斗争がすすむなかで、のっぴきならない実践の中で、夫々の教師の考え方の対立が浮ぼりにされ始めつゝあること、そしてまた、この教師相互の理論的な対立をさらに深め鋭くする中に今后の方向をみつける努力が重ねられていることがよくわかる。

戦後の日本の労働運動全体の歴史の中からも私共は対立と共通点をあきらかにする手つづきをとびこえて、急進的にすゝむやり方は、考え方の異る多くの人たちによる統一行動を不可能にすることを学ぶことができる。

吉田先生の貴重な実践記録は、統一行動についての教訓の確認と、その具体的なすゝめ方についての手がかりをあたえてくれるものと云えるだろう。

銀座の生態（三）

職場の歴史をつくる会
銀座サークル

そうこうするうちに、八月は過ぎ九月に入った。私たちの組合では役員改選の時期になっていた。私の職場では、職場代議員はたいてい古い人から順番に上司が指名して出すことになっていた。古人からいる職場の人達の統率を保つために係長は組長ー交代員ー担当者を通じて意見を吸い上げるような形をとりながら不利なことはにぎりつぶし、上からの通達は文句も云わせずに押しつけた。たまに担当者がそれに文句をいうと「文句があるんなら戸崎さん（係長）に云って」と交代の人達はホコ先をそらせた。云っても仕方ない事だと思うあきらめと、何か発散させずにはおけない不満を私達は、よくまわりの人達に話した。売場の人、引合係の人等から「貴女たちはよく文句を云うわね」そう云われることもあった。もっとも、その中ででも個人的なせり合いはあった。古人もいてなかなか昇格できないので、組長係長によく思われて、早く上になりたい。そう思うのは誰も同じだった。悪口や、陰口が、いつの間にか上司の耳に入っていたり、職場会議のような公然と云えるが、はっきりと自分があらわれてしまうようなところでは発言しないということが多かった。こんなことがあった。他の職場から移って来た山本さんが職場会議の席上で生理休暇の事について発言した。「ここでは休暇の印は課長さんまでもらいに行かなければならないんですけど、その辺どうなんでしょう。前はそんな事はなかったように思いますが……」。私たちは色めいた。そうなのです。本当に取りにくいんです。しかしその後を続ける人はいなかった。来ていた組合執行部の人は、上司との話し合いで解決する問題だとか、後で調査しましょうという軽い形であしらって行ってしまった。後で山本さんは課長に呼ばれ、いろいろと話を聞かれたようだった。その後間もなく、山本さんは人事移動

（3）

で、職場をかえられてしまった。「心では思っていても口では云わない　いうなれば腹黒い人たち」

彼女はそういって私達をなじった。


山本さんもそうだったが、私より一年上の人たちというのは、話すことも、行動でも、比較的まとまっていた。それだけに一つのワクをつくっていたのかも知れないが。それはともかくとして、その人達が中心になって代議員選挙に対策をたてはじめたのは、九月に入って間もない頃だった。もとはと云えば、つみ重なった不満のはけ口を求めてだった。どうしたら上役に一対一でなく私たちの不満を聞いてもらう事ができるだろうか、まず反省会を開いてもらったらどうだろう。そうすれば私たちの不満がみんなの前で聞いてもらえる。それに代議員選挙だって民主的じゃない。何とかして私たちの声を反映させるような代表を選べないものだろうか。


雨がぱらついて来た中を公園のベンチでパンをかじりながら　それでもみんな真剣だった。「反省会は組長さんを通じて云ってもらったらどうかしら　組長さんの中にも良心的な人はいるんだから」

「いや、そうは云うけど　××さんは要領がいい人だから　聞く事は聞いてくれるけど、云ってくれるかどうかは解らないわ」

「そんな事はないわ、話せば解る人だと思うんだけど」

「だから貴女の考え方は甘いっていうのよ」


話しはつきなかったし、それ自体うっぷん晴しになってしまうようなところもあった。でも、反省会はみんながそれぞれ組長さんに話して係長に云ってもらうこと、代議員は平木さんか、彼女と親しい和田さんに内定した。何か考えているだけでとんとん拍子に行きそうにも思えた。


翌々日の朝、開店前の仕事を終えて売場に出かけようとしている時、和田さんが私のところへ来て、耳うちした。「平木さんは、体の調子がよくなくてお医者さんで無理をしては駄目だって云われたんですって、私も今のところ個人的な事だけど、とても忙しくてだめなのよ。だから平木さんにも相談したんだけど貴女を出そうっていう事にしたの」

「……だめよ、私なんか、だめだっていうのに……」

私は、おどろいて平木さんのところへとんで行った。

「……私なんかにどうしてやれって云うのよ？」出

（4）

来ないわ。自信がないわ。どうしたらいいかしら？」

「貴女がそういうのは解るけど、今のところ私も和田さんもだめでしょう？」

條件からいったら　やっぱり私がいいようにも思えた。

「貴女に少しでもやってみようという気があれば後は私と和田さんにまかせておいていいわ」

職場と組合の連絡役くらいの役目なら　ということで引受けたものゝ、動くに動けず、みんなにまかせてしまった。

推せんの署名をもらって組合事務所にとゞけた日の帰り、係長に帰りのあいさつをする時話した方がいいというので「今度出ましたからよろしく……」とことわりに行った。はたして係長は不キゲンに「あゝ、その事は後で話す　あしたの朝礼にでもな」そういった。急いだために係長の署名はもらっていないし、係長は係長で独自の候補者を予定していた。都合定員二名のところ三名出たわけである。それから後、それ〴〵に活動が始まった。係長はとかくイラ〳〵してまわりにあたりちらすことも多くなった。そのために私たちの事をやりすぎだと批判的に冷たく見る人もいた。また係長は一人づつ歩いては肩をたたいてたのんでまわったりもしたらしい。組長の前沢さんは、たのむよってポンと肩をたゝかれたひようしにドキ〳〵してお札を数えていた数がわからなくなってしまったと云っていられた。

日比谷公園に集った仲間たちも若さと情熱にあふれて張り切っていた。冷たい目で見られる度に動揺して「……どうしよう、こんなにまでして出て効果があるだろうか……」と弱腰になる私を「駄目よ、貴女がそんなんじゃ」と逆にはげましたりした。

支持する人達は若い人に多かったが、組長になっているような人でも「しっかりやってね、当選をいのるわ」と耳もとでささやいて行く人もいた。

選挙の当日は掃除当番で早く出勤した。ほんのちよっとした何でもない事がピン〳〵神経にひっかかった。

「今日の選挙、ユキコさん出てるわね」

そういった言葉に対しても「うん」と短く答えて、につと笑っている位がせいいっぱいだった。九時半近くなると部屋の中も休憩室も人があふれるように右往左往し出す。開店前の準備だ。

(5)

「おはようございます」「あら・おはよう」あちこちで交されるあいさつに交って「今日の選挙ね・井上さんのビラ出てなかったわよ」

「そうなのよ・どうしたのかしら」

「今朝早く自分で、はがしてしまったんですって」

「……」

思わず聞き耳をたてた・何故だろう，何故井上さんは自分からはがしてしまったのだろう，順番で無理に出され，私たちと係長の間に立って，きっと苦しまれたことだったろう。窓口に立つ井上さんは気のせいか悲しそうだった。

代議員になってからの毎日は　ます〳〵忙しくなっていった・代議員会・婦人部会　中央大会へオブザーバーとして等，会議へは，きまって出席し　ノートしていたがもう何度も代議員などして場をふんだ人達の発言が多かった，私は出納の問題をかかえ立往生しているような存在だった。それに選挙以前に集った有志達の集りは，要求が一つ一つ頭打ちされて行くとそう簡単に解決出来るものでないと知りながらも立消えて行ってしまった。ある人は誰かに忠告されたとかで・「私なんかには出来ない、貴女はまだ若いからいゝけど……」といゝ・またある人は「家が遠いから・バスがなくなるから」と帰っていった。

組合そのものも・一つの職場々々の要求をとり上げて行くという強さもなかったし、婦人部を通しての動きも、生理休暇に関してのアンケートを取ったり・不満を聞くために投書箱を作る話しも進めてみたが・結果としてよくなるところまで行かなかった。サークルの人達からも援助はされたし　市岡さんなどは組合役員としての経験も古いので代議員会や婦人部会の折もよく相談しに行ったが　組合の現状というワクの中では　やはり限度があった。一年間は何もかもそっちのけでやろうと思ったもの丶情熱だけでは解決しない障害が・つぎからつぎへと起きて来た。

ちょうどその頃、疋研の中でも何か面白くないという声があちこちでつぶやかれていた。何故だか知らないが活気がない・魅力がなくなった。何とかしたい，そう考え出して集ったのが四人・梶田さん石塚さん・大川さん・私だった。当時サークルに来ていた学生だった梶田さんは代議員になった私に対

（6）

しても本を読むことや、みんなの要求をどうやってつかむかということなど、いろいろ教えてくれていた。最初四人で集った。おそばやさんの二階では、みんなの話しが一様に主として古い人達への批判という形で表われた。「何から何までおぜん立てしてすじ書きが全部きまってしまう」

「親切すぎて或る場合には飛躍の段階にある人をだめにしてしまうんではないかしら」

「不勉強のせいもあるけど、みんなが少しでもしゃべれたら親しみがわいて来るだろう。そうするにはどうしたらいゝだろう」

二回三回集まっては話し、それをまとめ上げてサークルの人達全員に読んでもらい、それをもとに討論することにした。今までも面白くない何とかしなければ、そういう話しは出て来たが、一つの提案として出されなかったので、いつもその場で話し合う程度に終ってしまっていた。どういう形であっても批判ということをあまりしたこともされたこともない私たちにはどうしても固くなって緊張した空気を作り出して行ってしまった。

「……近頃歴研が面白くない、だけどもなくなったら困るという最低の条件のもとに自分の要求を出しそれを中心に現状を分析しながら、私たち中くらいに入った層が話し合ったんです……」

知らず〳〵のうちにみんなが自分より新しい人に対して壁を作って来てしまっていたのだ。古い人も新しい人も、一生懸命だった。その中でサークルのやり方は変っていったけれど歴研というものがもう私達の要求を満たしてくれるものではなくなっていたようだった。

ちょうどそんな矢先、職場の歴史をつくる会の交流をつくる話が持込まれた。私たち働くもの一人一人が歴史の主人公である。私たちが歴史を創造するという。本を読むだけでなくそこから学びとったものが実際に自分達の生活の中で表われてくるのだ。職場の組織作りははかばかしくないし、自分一人では勿論動ける程でない。どうしたらいゝ、過去の経験の中から新しい方向を見つけ出すという職場の歴史をつくる会のやり方は何か新鮮で大きな何かゞありそうに感じられた。こうして私は職場の歴史をつくる会の運動に参加することゝなったのである。

（未完）

一つの証言

たけむら たけお

敗戦の秋の一日、中学校のある村の辻に　〃天皇制批判、共産党演説会〃のビラがはられた。村のまわりに伊藤博文や　寺島刀山など、維新の志士たちの生家が散在し、聯合艦隊最後の基地かつら島にも近いという土地からだけに　このビラは静かな山村に波紋を投じたのである。

当日、会場で私は村人にまじって一人の同級生が坐っているのをみつけた。彼は級長で、なか〳〵頭もよく学徒動員のときも私に〃誰がために鐘はなる〃を読むことをすゝめた男であった。二人は日ごろ、よそものとして白眼視されていたが、今日はいち早く新しい思想にふれるという自負心を、ひそかに腹の底にもって座っていた。

反感と好奇心がいりまじった百姓の目に迎えられて　二人の共産党員氏が現れた。長い投獄生活は　さすがに影響をあたえ、二人は何か、すごみとくさみをたゞよわせている。

声は特徴のあるダミ声で　いまでも私は〃ポツダム宣言の……〃といっていたその声を、まねすることができるほどである。

特攻隊式の異常な空気が支配していた学徒動員の生活に、反撥と恐怖をもち、お説教と神秘的な国史への疑問から考古学の本などをかぢっていた私は、講演のむづかしい内容にもかゝわらず、何か、ひきつけられるものを感じていた。しかし、ポツダム宣言を強調するためか、外国の肩をもちすぎる様に聞こえるのは　いたゞけなかった。

講演の途中、よっぱらった百姓が、下駄をふみならして　あばれこむという一幕もあったが、とにかく共産党員氏は、尊皇にかたまっている百姓さんと、二人の生意気な中学生の頭に、ポツダム宣言と天皇制という言葉をやきつけるのに成功して会は終った。手もとの毎日年鑑（一九四六年版）をひいてみると、当時の〃大体の傾向としては、旧勢力の支配下にあった　広汎な大衆が次第に覚醒しつゝあり　天皇制の問題は論議としての域のみでなく、人民大衆の政治斗争へとたかまり、更に総選挙への関心、憲法改革の方向へ、とその政治的関心は発展してきた（同年鑑一五五頁）〃と書いてある。私が山口の農村で体験した天皇制批判運動も、日本全国に拡がっていた動きの一つであったことがわかるのである。

天皇自身も、この様な国民の動きと、マ司令部からの圧力により四六年元旦の詔書で　その神格を否定し、人間であることの宣言を発表した。

中学校をでゝ、何となく十数年になる。パン焼き器、電気ひげそり器　電気冷蔵庫、等とくらしの道具が便利となった。けれども、皇太子夫妻　伊勢神宮に結婚報告のニュース映画などを見聞していると、〃人間は昔のことは、よく忘れてしまうものだ〃ということが、あらためてよくわかるものである

（一九五九年五月一五夜）

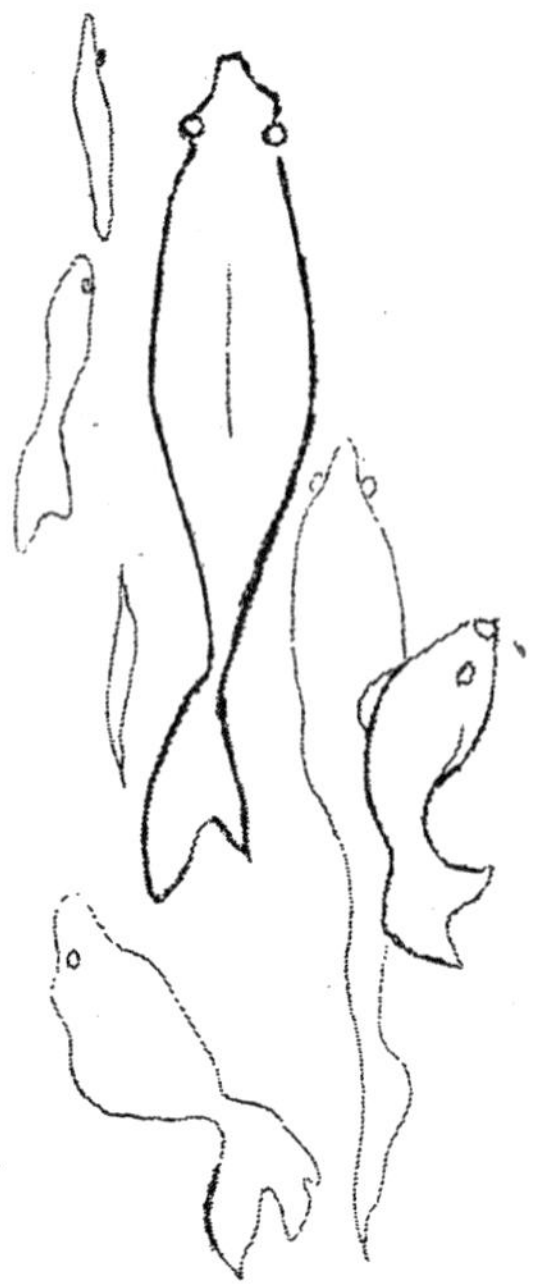

〔9〕

"職場の壁"と教師像
—これからの職場づくり—

京都市A小学校　吉田三郎

（はじめに）

今まで日本の労働運動の前面では、斗ったことのない、また斗う事が予想すらされなかった日教組が自民党、政府権力と正面から対決して斗った事は新聞やラジオを通して御存知のことゝ思います。しかし、それに対する理解は、あく迄もマスコミ特有のけんか両成敗的な域を出ないのではないかと思います。

そこで日教組に所属する組合員ではあるが、極めて平凡な教師が集まっている教育現場（本校）において勤務評定（以下勤評と略す）というものが、どのように受止められ、どのように理解され、どのように立向っていったかを明らかにして、勤評反対斗争の本質を見極めたいと思います。

またその過程の中から、私たち教員は何を学んだか、また、それを今后の職場作りにどのように生かさねばならないかということも述べたいと思います。

そうすれば、ジャーナリズムが書きたてる日教組の派伐抗争と云うものは、単なる役員人事の問題でなくて現場での教師のブツかりあいの違いがそれを支えており、現場からの積み上げが組織の前面に反映されたものであることも理解して戴けるものと思います。

先ず始めにお断りしておきたいことは、私が所属している京都教職員組合は日教組の中でも多分に戦斗的であると云われており、其の上北海道と共に勤評と、それの基礎となるべき学校管理運営規則が未実施であるという点で他の都府県が現在直面している勤評問題とには、かなりのズレがあり、それだけに経験と認識とにおいても甘い面が多分にあるだろうということです。

また京都教職員組合内に於いて私の職場は非常におくれた面をもち、絶えず問題になる特殊な分会であるため、出て来る問題も極めて特殊的であるという点も重ねて御断りします。更に問題のとらえ方の深まりや分析の未熟さ対して充分な御指導と御批判を賜わりたいと思います。

勤評問題をどのように斗ったかを申し述べる前にその斗い方を大きく決定付けた要因としての地域環境や・指導の対象としている子供がどのようなものであり、またどのような條件に取囲まれているかと明らかにしてみます。

（子供たちのくらしと学校）

観光客が何百万人と降り立つ京都駅の表玄関は、観光都市として申し分はないが、訪れた人が想像すら出来ないようなお粗末な裏口を降り立った所が校下になっています。

駅裏ということばがピッタリ当てはまるような未舗装のダダ広い疎開跡道路が、植えられて間もない稚い街路樹を圧倒するように東西に走っており、道路の向うには広さにはおよそ不釣合な小さい家々が建てこんでいます。戸数約二千三百戸、人口約二十人、児童数千六百五十人。保護者の職業としては中小企業の工員や職人、日雇労働者などが相当数を占めているのです。従って貧困児も多く生活保護法の適用を受けている子供が各学級七名内外、準貧困児で教科書の支給を受けている児童が各クラス十名前後であります。

其の他に学用品の買えない子や給食費が払えないので欠食し、その時間に運動場の片隅で昼食をとらないで遊んでいる子供もおるような状態です。更に遠足や修学旅行に参加出来ぬ子、野生会と言えば道具がないため、いつも欠席する子供という様な次第で教育者として窒息してしまいそうな現実がいくらでも存在しているのです。いやが応でも貧困という問題と対決しなければ勤まらないような状態です。児童を取巻く家庭や社会の環境が此の様なものであるから、自然子供達も、よく言えば開放的で直接的行動的といえなくもないが、大変言動が粗野、乱暴でしばしば教師達をてこずらせます。

一方親達も、日々の生活に追われ続け子供の教育に関心を持つ事さえ出来ないような状態です。新しく受持った子供の家庭訪問をしても「家の光男のことは、なにもかくも先生にまかしときます。なにせ朝早くから出て夜おそく帰るものですから、子供にすまないと思うのですが……言うことを聞かんかったらビシビシやって下さい。なんぼ、なぐってもうても結構です。まあとにかく、まかしときますさ

(21)

かい・かっちり仕込んでやって下さい」何も文句は言いしません」と聞かされるようなことも再々です。PTAも、こういう地域特有のボス的運営によって運かれ、無関心型、まかしときます型の親達の上に乗っかって一部の人たちだけのP.T.Aという感じがする位です。革新系の市会議員が会長であっても、ことPTAに関しては、その革新性さえ盛込めないような現状です。此のことが教師の姿勢にも表われ、区内のボスには平身低頭しオベッカを使うが、まじめに子供達の身になって考えてやろうとしないものが生まれて来る原因になっているのではないでしょうか。

小説〝人間の壁〟の中で石川達三も、小心で、保守的で、また利己的になりがちな先生を鮮かに浮き彫りにしています。

しかし少数ではありますが私共は子供に奉仕し、目立たぬ中にも日本の教育をがっちり支えている教員の実践を知ることができます。

こうした様々な型の教員たちが、さけられぬ問題として迫ってきた勤評斗争に、どの様に対決したのだろうか、またその斗争の複雑な過程は職場にどの様な対立をもたらしたのだろうか等について次に日常の経験から書いてみましょう。

(教員の実態)

(一)現状改革型。現在の社会を何とかして改革してくれるような子供を作ろうと云う要求を共通としています。

a、組織啓蒙型の教員　非健康的非文化的な生活を強いられている子供達を前にして、きれい事で終るような教育はとても考える事が出来ず、現実というものを正確に把握するための努力をかさね子供達の合理性を培うことに専念しいつも子供と共にあろうとします。従って勤評に対しては最も積極的にしかも組織的に斗いPTAのボス支配に対しても反感を持ちPTAの民主化を考えるのです。

また欠食児や学用品を与えることに対しても自労(日雇労働者の組合)などを組織的に組み市などへも働きかけます。軍隊に入ったか、入らなかったかを問わず戦争によって苦しい経験を人一倍味わせられた人、或いは極めて貧しい家庭で育った人の中でも社会科学の学習を積んだもの或いは組合運動に熱心に動いた人の中にこのタイプ多く勤評反対斗争の中では指導的役割を果たしたのであります。

b、消極型。子供達の現状は見るにしのびない。何とかせねばならないとは思うけれど、自分から進んではやれない従ってaのタイプの教師の教育実践、或いは教育を守る斗いには消極的ではあるが参加します。純粋に物事を見るタイプで教育という仕事の基底になる人間愛に目覚めた人で学用品など子供に買い与えることがよくあります。七月斗争で休暇願いを校長に突き付けたとき、校長からの奥さんどうの、御主人は?、子供は?、などと肩たたき戦法でかなり動揺したが休暇斗争に参加したのです。誰かが道を付けてくれればやろうとする型の教員と云うことができるでしょう。

(二)現状肯定型。現状を止むを得ない或いは当然と認める保守的な考えをもつ教員で相当数の教員がこの型にふくまれます。

a、義務感型。子供達の現実は、非常に困ったことだということはわかるが私は教育者としての分を守り出来る事だけはしようと考える。事務的に流れるけれども良心的です。子供や保護者を見る場合に、自分の考え方なり、生活なりを当てはめてつかむことがよくあります。たとえば父親が酒を飲んでおって給食費を払わないのはけしからんと云うような表面的な理解だけで留まり、何故日雇の親父さんが一杯の焼ちゅう引っかけねばならないか迄は考えてやらないのです。また四畳半一間で七人が住まっている子供などでも、小さい弟妹を抱えて勉強などする場所がないにもかかわらず、宿題を忘れて来たといってはひどく叱ると云った工合です。勤評についても、実施されると困るということはよく理解出来また戦前の自分自身の経験から、どの位困ったかも身にしみていますが、しかし教育委員会からの達し文で、地方公務員法違反であるといわれれば参加はしません。此のタイプの教員を、どのように組織化するかが今後の運動について一番重要な問題ではないでしょうか。

b、出世型。早く出世したいという欲望が強く中年以上の男性の教員に多い様です。

① 良心的出世型

子供の実態もかなり適格に把握し、日常の実践もまじめであるが、たゞそれ等の事が自分出世というもので大度を決めてかかる所に難点が見られます。実際の教育面でも、子供達に殊更に恩を売ったり、或いはクラスの平均点を引き上げるために極端な詰め込み教育をやったりする教員がこの型に入るのです。勤評については、休暇戦術は子供を犠牲にするから反対であると主張し、それを通す事により他の教員からの尊敬を信頼を出世の為にかちとろうとするのです。

② 競争型

いわゆる点取虫的タイプで校内的にもまた対外的にも自分の名前を売る為に研究論文に応募したり研究会などでも意識的に発言を求めます。前者と共通する面もあるが出世をより強く望んでいる所がちがいます。極端に言えば子供達を自分の出世の道具位に考えて、見せかけの調査や研究活動も派手にやるが日々の授業などにはあまり熱を入れない様です。給食費が払えない子供には、つらく当たり、貧乏するのは本人の心がけが悪いと決めつけてしまうのです。

勤評についても、子供を犠牲にする休暇戦術はとらないが勤評反対は理解出来るといいます。つたゞし他の教師の手前そう言うだけで、本当は勤評を実施されても、おそらく五段階評価の点を取る自信を持ち、かえって勤評を待ち望んでいます）

分会会議で勤評反対を強く叫び放課後（三時）なら集会に参加しようと意見を述べておきながら、当日になって見ると、勤務時間内（四時半）はちょっと工合が悪いと言う始末です。結局早退にさえも参加しません。

③ 要領的出世型

教師の風上にもおけない悪質なタイプであり地域や子供の実態には目もくれず、ひたすらPTAのボスや校長に気に入られようとしたり、他の教員を喜ばせるにはどうしたらよいかばかりを考えているタイプです。子供への授業は、毎日惰性ですまし、パチンコやマージャンにふけり、研究会や職員会議なども居眠りを続けます。逆にＹ談や一杯を飲む相談には眼の色を変えて、積極的に乗り出して来ます。保護者の無関心とＰＴＡのボス的運営に乗っかっている存在、ボスとの結びつきで、校長や他の教員もかなり遠慮している様です。

勤評についても、ボス達の考えを、おしはかり勤評大いに結構だ。無能教員が高級をとるのは不合理だ。勤評を実施して優良教員はどし〱昇給させるべきだと発言します。旧軍隊で幅を利かせていた要領よく生きるということをモットーにしている人物だと云えます。

婦人教師は一般に勤評が教育面において、どのようなマイナス面を、持つかについての理解が浅く、副次的な側面である勤評のしわ寄せは女性に来るという面からのみ考える人が多い様です。

（組合の指導について）

組合執行部の誤まりも大きく職場の斗いに響いたと思います。執行部に対して、私達の代表であるという考え方を持たせるような指導が充分になされず当然予想されたであろう警察権力に対しても一歩先んずるだけの組織的取組みが足らなかったのではないでしょうか。たとえば七月斗争が傾斜を生み、脱落した分会がかなり見られたのにも拘わらず何等対策らしきものがとられず、九月斗争にその手落が大きく響いたのです。七月斗争後の刑事の捜査に対しても抵抗のしかたさえ流されていなかったと云う状態でした。私自身も夏休み中に教え子が遊びに来ていた時私服二名の訪問を受けましたが幸いその時家にいたから、よかったものの若しも留守中であれば家人はどれだけ驚いた事でしょう。私の従兄弟も良心的で気の弱い教師ですが、七月斗争に参加し、度重なる警察の嫌がらせやおどかしで夜も寝れない程心配しておったという事です。彼は九月斗争にはとう〱参加しなかったのです。

（勤務斗争と職場）

私の職場では九月斗争（早退）に参加したもの十名勤務時間終了後参加したもの十五名、全然参加しなかったもの七名、この七名というのは要領的出世型と、競争型の人であります。夫々の型の教員が斗争の経験を経て、どのように変りつゝあるかというと、指導的立場に立った人は、日常活動が足りないことと

(15)

を反省しました執行部の指導の誤まりに対する批判も積極的にすゝめています。

消極型といわれる人は、まじめに考えるものが馬鹿を見た。今迄の認識の甘さを理解し一部の人は、相互不信或いは他の分会に対する不信の念も持った。これからは慎重な態度をとろうと考えるようになっています。
○義務感型の人々は参加しなくてよかった。今年からややこしい場合は、なるべく無難な道を選ぼうと云う考え方をしています。
○良心的出世型の教官はまあまあよかった。先走りは警戒せねばならないと云う批判をもっています。
○要領型の教員はまあまあ見ろ、要領こそ最善の方法だというようになり残念ながら、指導的立場の人間の微力さと、学校内における勢力関係から、やや後退したかと思われます。しかし、あえて市教委の兵に告ぐ式の通達文を、けって十名が参加した教員もまた参加は出来なかった人々もギリギリの立場に立たされることにより自分自身の立場や日本の教育につけてよく考えたと云うことや更に出世型というものがどたん場になりそのズルサが暴露された事も一つの成果ではないでしょうか。
今年度は、一人一人が自分の教育力に対して、自信を持ち何でもないような自分が、非常に大切なのだという自覚をもつ必要があります。このために私たちは共同の研修活動を組み、一人一人の経験記録を持ちよって、考えて行くような集りを作り、学校運営の方向を決める企画委員会にも交替制ではあるが、全員が参加する機会を作りました。更に校長とも教育の大切な動きを話し合うことを通じて組合の方向への理解を深めて頂き教員の大多数を支配している（出世型）の考え方を変革させる工夫を意識的に伝場の中で日々積上げています。その成果や欠陥もまた申し述べる機会が更にある事と思います。

なお京都では先日も校長公選制がよいと発言して問題を投げかけた進歩的な蜷川《にながわ》氏が知事であり、京教組の団結の下に現在は休戦状態であることを申し述べておきます

（一九五九・五）

"職場の壁"と教師像を読んで

高橋秀夫

この一文は、会員の友人で京都のある小学校の教師をしている人から会によせられたものである。雑務のたくさんある忙しいなかをさいてわざわざ筆をとってくださった吉田さんにまず感謝したいと思います。

ここでは、一去年来文部省が発行してきた教職員の勤務評定の実施に際して、吉田さんの職場である一小学校における各教師の受けとめかたや夫々の行動の様子が描かれています。

この勤評問題は大事な日本の問題として大きく取上げられてはいたものの、教師ではない私たちにとっては、知っている人でもいて直接に聞いたりする以外は、それをめぐって一つの職場内では具体的にどのような動きがあり、そして現在ではどうなっているかはなかなかうかがい得ないことです。

この吉田さんの文を読んでみて、小さな職場の中にあっても、子どもたちのために本当に役にたつ良い教育をやろうという気持は皆が持っていても、勤評問題の実際の行動に際して見られる態度が、やはりいくつかの異なったものとしてあらわれてきていることは、私たちの身のまわりのことをかえりみてやはり深く考えさせられるものを含んでいます。

朝日新聞に連載になった石川達三氏の小説「人間の壁」など、職場ではどのように反響があったのかといったことなどは是非お聞きしてみたいところです。

日本教職員組合でおこなってきた教員の創造活動をもとにした自主的な研究組織である教研全国集会も今年で第八回をかぞえるに至りましたが、今年の大会の第十八分科会では、「職場・教師の生活」がテーマとなりました。

そこでは「教師の生活と職場の問題をどう打解するか」「職場作りと今後の問題―職場作りの壁は何か―」「明るい職場をつくるために、仲間づくりをどう進めるか」そして「勤評実施下における職場の問題」などのテーマで全国各地の実践が報告されていきます。

こうした内容は、吉田さんのこの文の意図した目的と同じ方向を持つものです。

そして、全国集会は閉ずるにあたって三つのわたくしたち(教師)の誓いをのべました。

その最後の一つに、「わたくしたちは、自由と団結とがない職場では、教育践も組合活動も不可能であると考えます。職場こそ自主的研究のとりでであるから、ひとりひとりの教師がいよいよ職場の民主化をたたかいとり、教師の団結と統一を守りぬきます」と述べています。

このことは、それぞれ職場の事情を異にするとはいえ私たち全体にとっても共通の問題ではないでしょうか。

吉田さんには今後とも職場の実践の中からより生生しい教師の体臭を感じさせる問題を出していただきたいと思います。

〔書評〕

奈良本辰也 "二宮尊徳"を読んで

田畑　健

戦前の小学校の校庭には、天皇の写真を安置してあった「奉安殿」と、薪を背負って読書する尊徳の幼年のころの像との二つは、かならずあったものだった。私たちのように、おもに戦後の教育を受けてきたものにとっては、それも僅かに記憶の一つとして教えるぐらいにすぎない。さいきんのように修身科の復活が教育の逆コースとして、すゝめられてきているときに出版された尊徳がじっさいにはどういう人間であったのかということはなにもしらないといってもよい。この書は、戦前の誤った尊徳観をもっている人にとっても、戦後の教育を受けた人にとっても、啓蒙的な意味で大きな役割を果しているといえよう。

しかし、この書の持つ意味は「啓蒙としての書」というよりも、「正史としての書」という点にあるということは当然である。

奈良本さんはこの本の中で農村の中に根をはって生きつづけた尊徳のねばり強い力はどこからきたのかという点と近代思想の芽生えをもつ徳川末期の思想家としての尊徳という二つの点に主として焦点をおいてその人間像をいきいきと書いている。二、三年ばかりの間 自分の歴史を書く運動をすゝめてきた私たちは「個人の歴史」をどう書くかという立場からこの書を考えてみる必要もあるだろう。

ところで著者が「尊徳が農村の中に根をはっているこの不思議な力はどこからでてくるのか」という問題よりも、思想家としての尊徳の方に大きな関心をもってこの書を著したからだと思うが 封建制の矛盾に充ちたその体制の変革期に生きながら 何故に尊徳が歴史への見通しが持てなかったかということがこの書まで問題意識として不足しているように思う。ところで、

尊徳が改良主義者の域から何故脱出することができなかったということは、基本的には何故封建社会に対する批判ができなかったかということであるといえるだろう。著者はその原因として、学問の伝統に生きるものと、百姓の片手間に読書する者との相違だとのべている。だが過去に生きた庶民の歴史をほりおこす場合 庶民のねいもうなたくましさを書くと同時に庶民のもつ後進性 視野の狭さを、しかと明らかにしてほしい。こうして浮ぼりにされる人間像は今日の私たちにも役立つものだからだ。

編集後記

かいこがはしからきれいに桑をたべてゆく様に私たちの雑誌も号をかさねるごとにすみずみまで心のこもったものにしたいのが念願です。編集係の岩波君が病気になりましたが、会のことを心配せずゆっくり休養して下さい。岩波君が急病になったため編集の仕事は一週間以上トップし一時は予定日の発行があやぶまれました。機関誌を共通の財産にしようとする会員の方々に努力と編集のための二ヶ月間の準備はこのピンチを切りぬけることに成功し、定期期発行が可能になりました。二年間つゞけて来た自分の歴史を書く運動は各方面に反響をよび注目されてまいりました。これからも会の大切な仕事の一つとして続けたいと考えています。

耺場と生活

16

耺場の歴史をつくる会

目　次

編集兼　発行人
東京都新宿区戸塚町3丁目305
竹村方　職場の歴史をつくる会
（代表　竹村民郎）

萱屋根の下

（家と自分の歴史をたどって）

岩浪忠夫

一　庄内平野

庄内平野は、昔から米どころとして名高い。江戸前のすし屋では、庄内米を使うのが昔からの慣わしであった。

海上十里の沖合いには暖流が流れ、最上川、赤川の二ツの川にいだかれて、冷害や旱魃も少い、豊かな米の産地である。

真平につづく田圃の一角に立って眺めると、足元からはじまる細いあぜ道が、はるか北のはずれの鳥海山のふもとまで続いているような気がする。

村落が平野のそこかしこに浮島のように盛りあがって見える。その中の高い萱屋根や黒々としたかわらの屋根は地主の屋敷である。

平野のほゞ真中　長沼村というところに私の生れた家がある。三棟の土蔵にかこまれた高い萱屋根を持っている家であった。

百町歩の地主といえば、広い庄内平野でも大きなものに数えられた。

かびくさい土蔵の二階には、青光りする唐獅子に守られた、真暗なところがあった。中には目だけがぎら／＼光っている不動明王の像が置いてあった。

土色によどんだ池を真中にした庭園があり池のほとりにお宮があった。年に一回お祭りがあり、村の社の神主が来てのりとをあげ分家の人達がやって来て拝んでいった。

このような家に生れて二十年、家の

父の権力ーそれは地主制度というものであろうーの下で私は育って来た。今後私が生きて行く中で、私の家がどのように影響して来るのかそれをこの中で私は追求してみたいと思う。

二　伝説と家訓

昔、長沼村は岸辺を深く葦で囲まれた大きな長い沼であったという。山形の城主、最上家が改易になって、浪人していた大沼という人が、それをうずめて田地にしたのだという。沼をうずめる工事は大規模この上もないもので、土や砂を運ぶ馬車はひきもきらず、その言い伝えを話してくれた父の表現をかりればピラミッドを作る時のどれい達のように人々が群をなして働いていた。

その新田地にいつのまにかやって来て土着した同じ最上家の浪人が岩浪家の先祖と呼ばれる人だったといわれる。しかし大沼家の出した莫大な工事費と一度に百町歩近い土地へその頃はまだ荒地が半分以上をしめていたらしいが）を買いしめた岩浪家の持っていた金は一体どこから出たのか何も語りつがれてはいない。最上家の家臣録にも大沼、岩浪両家の名前はのっていないそうである。だから昔から、この両家は最上家改易の折どさくさにまぎれて金倉を破って逃げたどろぼうではないかと、悪口をいう者がいたらしい。

とにかく村の物持ちとして何代か続くうちいく度か盛すいをくりかえしたらしい。何代目の当主かわからないがひどく貧乏していた時の或る正月朝早く若い女の訪う声が門口に聞えた。出て見ると人影は見えず、二つのまんじゅう笠が重ねて置いてあるだけだった。その時天の上から声がして「その笠を末長く家の宝として伝えよ、家は子々孫々代々さかえるであろう」といった。

それ以来、再び家運がもりかえしたという。そのまんじゅう笠は今でも家宝として残っており正月には床の間にかざられて家族たちに拝まれている。

　幕末近く、七代の頃再び家運が衰えた。領主酒井家の度重なる御用金の徴発、村役人をしていた当主は、領主の役人が取立て徴発に来るたびにもてなしをし、まいないを出さなければならなかった。その費用だけでも家を傾けるに充分だったという。それに加え家庭内の不和から相続争いがおこり「先祖以来これなき衰徴」に立ちいたった。この家運をばんかいし、それ以後のはん栄の基をつくった八代の当主は、今でも私の父によって岩浪家中興の祖として仰がれ八代多蔵残した。「岩浪家遺訓は、九代目多市郎へ私の父の祖父）私の祖父、私の父によって家をおさめる最高の掟として、その精神を受けつがれている。次にその全文をかゝげて見よう。

遺訓之覚書

一、私まで八代連綿と家名は相続いたし候へども、六代の末に至り多四郎太郎左衛門二軒の末家を出し家督分け譲り、その頃専ら家内不和よりの事にて甚だ衰え「それより七代当八代に至り、先祖以来これなき衰徴にえあるべく所、元通り家名相続仕候に付、不行届の私甚だ難渋仕候に付、子孫もさぞ苦労これあるべくと不安心に存じ、愚文認め置候。文の拙きを厭はず心を深く察し熟覧給はるべく候。
一、御上より御掟厳重仰せ達られ候條々篤と相見仕り、衣食住は申すに及ばず、都て御制法一切相背かず、能々土民の身分、これなく家食物に美を好み、奢りえなき様、衣類は絹布相用ひ申すべからず、土民とて着用木綿にて不足これなき筈能相考え、世間風流に拘らず屹度相守るべく候、若し心得違いこれあり候ては、家名衰徴の基且つは買利も盡し申すべく義と恐入り存じ奉るべく事
一、家の盛衰に拘らず百姓の家業相止め、外家業決して仕るまじく候事、
一、肝煎役村一同強て相頼まれ候とも決して勤め申すべからず候、七代の親相勤、甚だ案外の苦労も出来に付、我等へ屹度御遺言に御座候、先祖より肝煎役相勤め候も左までは之れなく候　上祖父

兵衛も懸うなき義に付一ケ年限悴に勤めさせ退役成され候　壹組壹人づゝ願立候者の為め所預役申さゞる義と言ひ伝えこれあり候へども、此方より以外相成らざる義に候段御上より御差紙にて仰せ付けられ候とも　病気言ひ立て候ても相勤め申さず候様相心得申さるべく事

一、時々分限を計り倹約は勿論に候へ共、不徳不善なる儀えれなき様常に心懸くべく候．肝煎長人は勿論組申睦ましく相交り不和に相成らざる様、且つ組方取り扱い専ら其の心得にて公平出入などえれ無き様相心得べく候　組方は別て差て手もなき幼少にして親なき者極貧窮の者に憐愍を加え　分限相応の施し致さるべく候、尤も名聞に致され候ては何の徳にも相成らざる義屹度相心得べく事

一、親子兄弟親類末家隣家召仕出入の者に至るまで、夫々失禮えれなき様相心得べく候、さりながら土民の身分不相應先代よりこれなく立派なる言葉は相用い申すべからず、言葉は口計りにて何の物入り候事に付これなく候へども、自然奢りに押し移り申すべく候　常々愛敬専ら相心得べく候　無礼は不和の基に候　礼義は心一つ言語の上品不品に付拘り申すべからず　能々恩愚相心得べく候事

一、子供聟取に遣候節　能々分限並子供多少を計り倹約相守り衣類諸道具呉れ遣し申可候　當時世間一同風流奢を専ら真似候節ゆへ世間に構はず大体其の心得有るべく候　兎角身分と家督の分限を計り　少しにても奢りけましき義えれなき様致すべく候、子の愛に迷ひ或は外見外聞を思ひ分限応いたすべからざる段相続心安き時節に候とも仕きたりの模様能々相考へ衣類諸道具等並諸進物等に至るまで華美奢に相移らざる様致すべく候、私相続の時節に爺と子供等拾壹人もえれあり候て日何とも分限身分も計るべき様これなく、誠に以て迷惑至極に存候、箇様の時節を厚く遠察致し　猶得又親類多く相成り跡相続も甚だ難渋致すべく篤能能相考へ　大きなる家柄等へは縁組致すまじく候事、

一、縁組の儀百姓同業の家柄にて人柄相応家内睦

まじく不徳不行跡これ有くや成る丈け穿鑿いたし別て智輿は念を入れ相組むべく候、猶又分限不相応の家柄大きなる處へ親類出来候ては自然と奢り押移り申すべく候、且又御帯刀の御家山伏醫師の御家並に都べて町家商人等成るへく丈け縁組致すべからず候　若し此方不似合の大家並に別家業等の親類出来候とも自の分限を計り万事倹約に相勤むべく候　先方親類へは失礼不義理にも存ずべき義尤に候へども先祖よりの御諭りへ不足相立て候不義理にはくらぶべからず其の上痛々衰へ相続行き届き兼親類中へ御合力相頼み候には憎悉申すべくと決断致さるべき事

一、婚禮並諸振舞金正人寄りすべて他人親類とも取扱い方上品を用い奢り相成らざる様大略先代より仕来り候様相考へ倹約専ら相心得申すべく候　さりながら酒食等不足いたさゞる様意を用うべく候　御客は勿論勝手に至るまで振て致悦乙候様取持致し機嫌よく御帰りに相成り候様いたすべき事、

一、年回佛事別て葬禮等佛を敬い祭る事肝要に候へども外聞外見を繕ひ先代より相考へ奢け自数義之れなき様致すべく身凱立見れ又先帳見合せ倹約いたすべく何分別桟書置見合相計るべき事、

一、此上家督衰微仕候てはこの家名その遺相続甚だ行届きがたき旨　仍て決断いたし家並に諸道具衣類等上品なる不用の諸物等売拂ひ先代より相伝の田畑苗代谷地を以って差繰り致さず　右揚米分限に倹約を専らに致し家内睦まじく農業励み申すべく事

右之條々常に相心得此度相守り申すべく候猶申遺し度き義数多く候へども　愚案に付大略仍て件の如し

嘉永五年　壬子二月

岩浪姓八代

俗名　多蔵書之

行年四十六歳

九代目

多市郎殿江

心だに誠の道にかなひなば
祈らずとても神や守らん

心こそこゝろまどはす心なれ
　心に心こゝろゆるすな
上を見ずかせぐ打手の小槌より
　よろづのたからわき出るなり
らくという物をもとむる心こそ
　身をくるしむるかたきとはしれ
人にまけおのれにかちて我を立てず
　義理をたつるが相続の道

岩浪家の家訓の精神は　一言でいえば　土民の身分柄をよくわきまえ　身の分限を計り諸事倹約を旨とせよということであった。

内容から言えば　さほど世家の家憲と変りばえのするものではないが　その実行に当っては厳しさを極めていた。

百姓の娘は野良仕事さえ知っておればよいと娘達には針仕事は一切習わせず　推肥を田圃に運ぶもっこかつぎを朝から晩までやらせた。

家中のたゝみをあげ　普通の百姓家並みにむしろに敷変え　土蔵に米は入れず座敷の雨戸を閉め切って　床の間に米をかざり　家族は全部一間ぐらしをした。

しかしそうしたことは未だ出来ないことはなかった。「土民の身分不相応なる言葉は」「自然替りに押し移り申すべく候」というしきたりの実践には一番苦労したという。

当時我家では町方言葉で話をしていた。例を上げると　父母のことを町方では「かゝちや」「だ6だちや」といゝ　村方の中流では「だゞ」「がご」といい　貧乏ないわゆる水呑といわれてた人たちの間では「とゞ」「んな」といわれていた。

当時村方でも　地主の家では町方言葉で話をしていた。八代の当主は　言葉のあらゆる面で　これを村方の中流の言葉へつまり一階級下の言葉へに切りかえるように命じ　まず身をもって実行した。単なる倹約だけではなく言葉まで変えるということは家族の者に取って並一通りのことではなかった。村方の言葉になり切るまでには四五年もかゝったという。

こうしたことが全て戸主の大きな権力の下で行なわれた。今から考えるとどんなに厳格に取りしまられていたか想像もつかない。しかし息子たちはこの家訓に忠実に受けつぎ、家産は次々に豊かになり　私の祖父の時代にはとうとう村一番の物持ちとなり　村長として村を治めるようになっていた。

　そうした中で私の父が成長して行ったのである。

三　祖父と父

　私の父の幼い頃は病弱だったといわれる。鼻水をこすったあとがぴかぴか光る筒ぽの袖の着物をきて　近所の子供達とかけまわった。親達の後について　朝早くから野良について行く子供達は、砂利の敷かれた道路の上を　平気で走りまわるのに、父は足の裏がいたくて　泣きながら歯をくいしばって走った。八人兄弟の七番目に生れ　病弱の身を大切に育てられた。
　それでも若死した兄達の代りに跡目相続された父は　家を治める家訓の精神を厳しくたたきこまれたらしい。
　父の幼い頃は　まだ父の祖父が当主であった。いろり端の横座に父がうっかり座っていると
「去れ」
とただ一言で　頭をこずかれて追い出された。行燈の下に正座して黙然と書見している祖父の後姿に、父は恐れを感じたという。父の祖父が死に、私の祖父の時代になった。八代の中興以来、次々に産をなして　そのころには持田七八十町歩、小作人三百人をこすほどになっていた。
　父は小学校を終え　藤島町に出来た農業学に通いはじめた。百姓の身でありながら尚その上の学問が出来るのはひとへに御先祖様の御恩だぞと祖父にいましめられ、父もまた青年らしい喜びにもえながら　二里の道をわらじばきで雨の日も、吹雪の日も休むことなく通った。
　農場の実習のかたわら　漢文の素読を受け、初

歩の経済学を書った。

「どうです、このひざき、古人の文章は何度読みかえしても良い、さあ、もう一ぺん読みかえして見ましょう」

情緒的に教える先生のあとを追いながら、父は唐宋八家文を読み唐詩撰を読み、文学を味う喜びを知り、また哲学書や経済学の本を読むことを学んだ。

二十二才で十八才の私の母と結婚した。近村の地主の娘であった母は、酒田市の高等女学校を出ていたが、結婚式の当日まで父の顔は見たことがなく、どんな人と一緒になるのかと思って、恥かしくて顔もあげられなかったという。

祖父の前では正座して一度もぞんざいな言葉を使ったこともなく、どんな無理ないいつけにもそむいたことのないという父と祖父との関係と同じく、祖母と嫁である母との関係もずい分きびしく、娘時代、はしのあげおろしにも女中がついていた母の苦労は並一とおりではなかったらしい。まだ部屋ずまいで祖母にももちろんさからったことのない父には、一度もかばってもらったことはないという。

当時はもう百姓をしなくともくらして行けるようになっていたが、たとえどんなに産をなしても百姓が鍬を手からはなしてはならないという家訓から三反ばかりの野菜畠は部屋ずまいの父にまかせられていた。

学校を卒業しても本を手からはなせなくなっていた父は、その畠に一番さいばいの簡単な玉ねぎとうもろこしだけを植えて、あとは部屋にこもって読書に熱中した。夕方になると自転車に乗って母の実家に行き、慶応に学んでいた母の兄弟たちと肌をたゝいて議論して、夜明け方自転車を引きずって帰って来た。そして起き上ると玉ねぎの手入れを一寸やってきた読書に熱中した。出来上った玉ねぎを処分するのは母の役目で、出入の商人や百姓にそっとくれてやったりする苦労は大変だったらしい。

母に、晃蔵、千恵という二人の子供が生れた頃当時のツアール、ロシヤに社会主義革命が没発し

—8—

当時の日本にも労働者の政治運動が活発化しはじめた。二人の子を持っていたとはいえ、まだ二十六才という若さで部屋ずみの読書家であった父は、またゝく間にその思想に共鳴を持った。そのころ母の弟が慶応に行っており、野呂氏や野坂氏の活動のことや、すでに若手の助教授として迎えられていた　小泉信三氏の経済学の講義のことなどが　いやでも父の耳に入り、また農業学校時代の同窓生にもアナーキストの運動に身を投じたものが二、三人いた。中でも同村の富樫某という人は中央で指導的役割をはたしており、帰村する時には必ず刑事が一人二人つきそって来たという。

　父はこういう人達を家にとめ、議論を聞き、血をわかせながら跡目相続という宿命をおわされた自分をのろっていたという。

　一方そのころ村に於ける岩浪家の地位はいや増しに重くなっていた。小学校の校庭には岩浪安蔵（祖父の名）寄贈の奉安殿が立ち　鎮守の八幡社には岩浪安蔵奉納の豪華な神輿が納まった。

私の祖父が八幡社の拝殿に神輿を買う十円札を一ぱいに並べた時、生れて初めて見る盛大さと、洪水の様に莫大な札の美しさに目もくらむように有難く、頭があげられずたゞ祖父の方を伏拝んでいたという。父の跡目相続者の位置はますます抵抗出来ないものになって行った。

　或る時父が自分の部屋で書見をしていると何に腹を立てたか　祖父がおどりこむ様に入って来て髪をつかんで引きずりたをしなぐりつけた。

「百姓のあとつぎのくせに　昼間から書物など読みくさって！　作るものはたまねぎしか知らん、何のざまだ。

— 9 —

逆らうということを知らなかった父は正座したまま

「私が悪うございました」

と頭をさげ続けた。

　祖父が去ってから父はくやしさのあまり三晩尚も忍声に泣きつづけた。

　父母の間には更に二人の子が生れ、[illegible]

と長女の千恵子の二人はいたずら盛りに[illegible]

た。父のやる方はないふんまんはこの子供達の方に向けられた。

　或る夏の日のことであった。広い屋敷をめぐる外濠の方で　子供達のさわぐ声がした。父が出て見ると兄が近所の子供達と一緒に水口をせき止め水をかい干しながら　雑魚をつかまえていた。何がなしに腹の立った父は　そこにあったバケツをひろい上げ
「何でこんなことをする」

といゝながら　兄の横びたいに振りおろした。近所の子供達は逃げてしまい　照りつける夏の日の下で　ひたいから血の流しながら兄は泣きもせず立ちつくしていた。物音を聞きつけて　母がはだしで走って来た。母にすがりついて　初めて声をかぎりに泣き叫んだ。

　おとなしくて　父にうらみ言一つ云えない母は何もいわないで一緒に涙にくれるのだった。

　こんなことが度重なり兄も幼いころの活発さをなくし、人にものを聞かれても、はかばかしく返事の出来ないようなぼんやりした子供になっていった。

　こうした中で祖母が死に　祖父は後妻をむかえた。義理の祖母が来てから　祖父の母に対する風当りが更にはげしくなった。そして何ということなしに　こんな気のきかない嫁は離縁しようということになった。

　正面きってさからえない父は　母の里の当主であり郡内でも有力者の一人であった母の兄にひたすら調停を頼み込んだ。幸いそれは丸くおさまったが　父にあたえた打撃は大きかったらしい。それ以来父は義理ある母に三十年間さからいもせず、さりとてさほど大切にもせず無関心をよそおいながらつかえて来た。

　やがて一時盛んになった労仂運動も　治安維持法の成立後　弾圧に弾圧が相つぎ　運動からのだつ落者がふえて行った。

　当時相当の地位にあった富屋氏さえも　ケロリとした顔つきで家へ帰って来て
「あのような運動は　結局若いころの一時の熱にすぎない」

といゝながら　どこかの中学校の教師になって村から去って行った。

隣村の同級生で長いこと運動に参加していた男はたい捕され、釈放された時、変節したゝめに釈放されたのだろうと同志にせめられ
「あんな非人間の裏切りには二度と参加しない」と涙を流しながら父に話した。

多年の夢は思わぬことからくつがえされ父の脳の中は人間に対する不信と理想のそう失でにえくりかえる様に苦しかった。黙々と畠に出て働く父の生活は孤独そのものだった。

長兄はやがて小学校をおえた　こゝで父の祖父に対する最後ともいうべき抵抗が始まった。

「これからのせの中はたとえ百姓でも或る程度の教育が必要です、まして地主の跡つぎともなれば何百人の小作達を治めて行かなければなりません、どうか多蔵を町の中学校にやって今少し学問をさせて下さい」

父は自分の息子のため　ひたすら祖父に頼みこんだ。　父は兄を大学に進めたかったのだ。

「百姓の子は百姓のことさえ知っていればよい あまり学問をさせすぎるときたお前のような人間が出来上る。多蔵は農業学校にやればよい」

初めは耳にもかけなかった祖父も、父の熱心さにとうとう折れて兄を中学校に出してやるときめた。

それまで他人事の様にぼんやり成り行きを見ていた兄もさすがにうれしそうに盛岡市の中学に通いはじめた。しかし父の夢には第二の難関があった。兄が中学の四年になった時父はまた祖父の前に出て行った。

「どうか多蔵を大学にやって下さい」

しかしこればかりは頑として受けつけられなかった。兄は全くあきらめてほとんど受験の準備はしなかったらしい。ただ父だけはあきらめず何度でも祖父の前に手をついて頼んだ。さすがの祖父も再び折れて
「もし　多蔵に大学に入るだけの頭があったら入れてやってもよい。しかしもし試験に落第したら二度とこの話はお前の口からは聞かないぞ」

父もそれ以上のことは言えず　そのまゝ

さがった。ともかくも受験だけは許されて兄はその翌日から急に受験勉強をはじめた。父にとつては一か八かの勝負だったが、どういうつもりでか当時でも秀才コースといわれた一高を受験校にえらんでいたことゝ、勉強が一夜づけだつたことで兄は無残にも失敗してしまった。

兄が進学をあきらめ畠の仕事に精出しながら芥川龍之助の全集等を机の上にひろげるようになつた頃、父の机の上には仏教の経典や、宗教哲学の本などがつみ重なっているようになった。

やがて一九三三年、多美子 安裕 安昭という子供に引きつゞき私が生れた。

一九三六年 祖父が死に父は四十四才で、はじめて部屋ずまいをやめ 岩浪家の当主となった。

次号につゞく

私の中にある地主思想

七月十三日の研究会から

組織の強化という言葉はどこの労働組合やサークルでも叫ばれている言葉です。最近の大会シーズンの中でも、各労組はいの一番に組織の強化をあげ 後退しつゝある労働運動を団結と統一のもとにたてなおそうと努力していきます。言葉やスローガンだけでなく 本当に組織の強化をはかるには どうすればよいのか、こゝら真剣にとり組まなければこのまゝずる〳〵押し流されてしまいそうなのが 現在の日本の労働運動の姿ではないかと思います。

最近行われた参院、地方選挙等の経験から 私達は組織の強化に積極的にくんでいるのは どちら側かを身をもって感じとりました。幸いに選挙は目に見え、数字であらわれ、結果は明らかにでて、私達を少なからず緊張させますが、各個人の職場や生活の中では実際のところ私達はどれだけ自分達の立場をみとめ合い強くなろうと努力していることだろうか、むしろ私達の弱い力ではどうにもならないと逃避しているのではないでしょうか。

職場の歴史を作る会では　新しい組織論のこころみとして　個人における弱さをみとめ合い克服する中で組織の強化につとめようとする研究会をひらき、七月十二日には会の中心的メンバーである岩浪忠夫氏を囲んで「私の中にある地主的思想」という題で報告してもらい　それについて各会員によっていろいろ討論されました。その一端を皆さんにお伝えすると共に、今後会を発展させるにはどうすればよいかを考えてみたいと思います。

岩浪氏はいうまでもなく山形県の庄内平野に根を張った農地改革までは百余町歩の田を有する大地主の子孫です。それだけに大地主としての岩浪家の歴史は　面白くて退屈しない話ですが研究会は最初に次の様な問題点を出して岩浪氏の話をきゝ討論されました。会の今までの傾向としては　話をきゝその中から問題点を出していくというような方法でしたが、正直なところ一体誰が討論の内容を整理し、問題点をとり出し、又その問題点をどうして会員の中へ広め討論させるかがはっきりしていませんでしたが、今回は

一、私達は報告の中から　仲間にある古い思想をどう変えてゆくか、

二、我々の身近にある保守的な歴史を勉強してゆこう、

このように、二つのことを頭において話をきいたわけです。

岩浪家の古い歴史と岩浪氏の歴史は本号からのせられ、くわしくかゝれていますが、一寸岩氏の話をきいてみますと、

とにかく東北の大地主の生活は私達には想像もつかない程　封建的だったようです。歴代、家と土地を維持するためには、あらゆることに自我をとしての分限を守れとかいろいろな制約があり。

— 13 —

家制まで書いて代々その家を守って来たそうです。戦後農地改革によって大地主としての特权はうばわれ天地がひっくりかえったような家のこんらんの時代をのりこえ、岩浪氏は中学や高校で学びその中でなおまだ消えない地主としてそくばくにたえかね父に反抗したりして、東京へ出て大学に入り、いろ〳〵な進歩的なサークルや運動に参加し活動し、現在職工の会員となり、大学も卒業してT印刷え就職しているというのが、氏の私の歩んで来たあらましです。

誰でもそうですが　現在の自分の考え方や行動なりが、過去の歴史的な諸条件によって制約され、個人ではどうにもならない運命であるといったいものです。岩浪氏は勿論そんなことはいゝませんが、会員の中から次のような質問と討論がなされました。

今話をきいたような家から出て現在の岩浪氏はどう変って来ているのか。

進歩的な組織の中へ入り活動するが、失敗して、又別の組織へ頼ろうとしてその中へ入るがそれもうまくいかない、又別のと報告されたが、組織やサークルへの参加の場合の動機や失敗した後の相違やその組織の中の質的な変化をどう考えているのか、

失敗の中から学びとるものがなかったかどうか、あったら次の組織の中でどう生かされたか、経験を整理しているのか、学校で学んだ理論と体験の比較は一体どうなのか。

反抗したはずの家の封建性をあらゆる運動の中で、出て来なかったろうか、反抗すればする程意識しているのではないか、

失敗の経験もよいが、その貴重な経験の積上がを大切にしよう。あゝいうものに関係してあったからと、へん目でみられないようにするためにも、悪びれず努力することが大切だ。一人でこそ〳〵尻尾をまいてしまうからこそ若気のいたりというようなことが出てくる。

思想的な甘さがあるのではないか、生い立ちの苦労や経験も豊富なからも弱さが発見されたことだ。

現在の組織「職場の歴史を作る会」はどう考えているのか、今後の問題は、

これらの質問は本当のところ岩浪氏の一番いたいところを付いていることがわかります。これらの完全な解答を出すことは無理な話ですがこのよう質問がでて討論する中で、痛いところ即ち弱いところがでて来て明らかになって来たことです。

岩浪氏がそう思っていないことを望みたいところですが、仮にこう考えてみますと封建的な地主の家に反抗して上京し大学で進歩的な思想を学び取り前進的な運動に参加したが、その運動は失敗はしたが、自分自身としては普通な人間とくらべ ほめられることそすれ、低い評価される理由がない。それはよいとしても岩浪氏が現在の考え方、思想なりに、はっきりした方向がないとすれば、明らかにプチブルだといわれそうなことです。報告や話の中で、会員達は若干、岩浪氏のそのプチブル性をみとめざるを得なかったようです。若して「私の中にある地主思想」といえるものがあるとすれば岩浪氏のそのプチブル性ではないかと考えられます。

プチブルはいやな言葉ですし、労働組合やサークルの学習会で、自分達はプチブル性をもっているから勉強しなくてはならないなどとは聞いたこともありません。会の中心的メンバーである岩浪氏にプチブル性をみとめさせるのは個人的な興味やいやがらせではなし、職場の発展をより願ったために、そのプチブル性を克服してもらいたいためからなのです。

或る会員から今日のような討論は今迄のようなごく身近なものからとりあげた問題より、このような生れた家を通して歴史的に個人の問題をとりあげたのは、会の討論のスケールが、随分大きくなったような気がすると述べていましたが、折角大きくしたスケールを、討論しただけで終っては又えの小さなスケールになってしまうおそれがあります。

岩浪氏のような問題はみんなの問題であり弱さであると共に会の弱さでもあるわけですが、だか

— 5 —

らと云って妥協して付いけないと思います。何人の問題をとりあげて討論する場合の欠陥は弱さをみとめ合うけれど、自分の弱さまで含めてしまい妥協した形の討論になりやすいことです。何故ならば、自分達が、そのような古い思想や保守的な考え方を変えようと努力し、単に斗っていないからではないかと思います。今日の研究会の中でも確かにそのような傾向があったようです。先に岩浪氏の報告に対して質問はしたけれど解答が書けなかったのは、質問した会員達の中で自分の弱さ古さを認識しておらずましてや整理もしておらず、岩浪氏の弱さと比較することもできないため活発な討論はできなかったと云えると思います。それがためにあの質問は今後のみんなの問題課題になったとも云えます。職場の厂史をつくる会が押しすゝめている個人の厂史も自分達の職場や生活の中で抵抗もなく支配している保守的な考え方や古い思想を抵抗なしに妥協しているその弱さをえぐり出し克服し斗う中で、弱さのおそろしさを勉強し、強くなるにはどうすればよいかをつかみとろうとする運動の一つと云えます。岩浪氏もこの研究会を通して　自分の家の厂史と自分の厂史を又新しい立場から書き続けしっかりと会のためにがんばろうと張切っております。

この度の研究会から学んだことは、自分の古い思想や保守的な厂史を勉強する中で、私たちは自分達の家庭や職場という組織の中の古い思想や、保守的な厂史をすぐ見つけ出し理論化させることです。そして会の発展をはゞむもの、職場の団結を阻害するものは、身近にある保守的な厂史につながっていることを研究会から得た最大なものです。

（終）

編集後記

本号の合評会を八月二十六日にすることになっておりましたが、機関誌係の準備の不備から皆さんのお手もとにとゞくのがおくれ、合評会までお忘れにしたことを深くお詫び致します。

職場の歴史

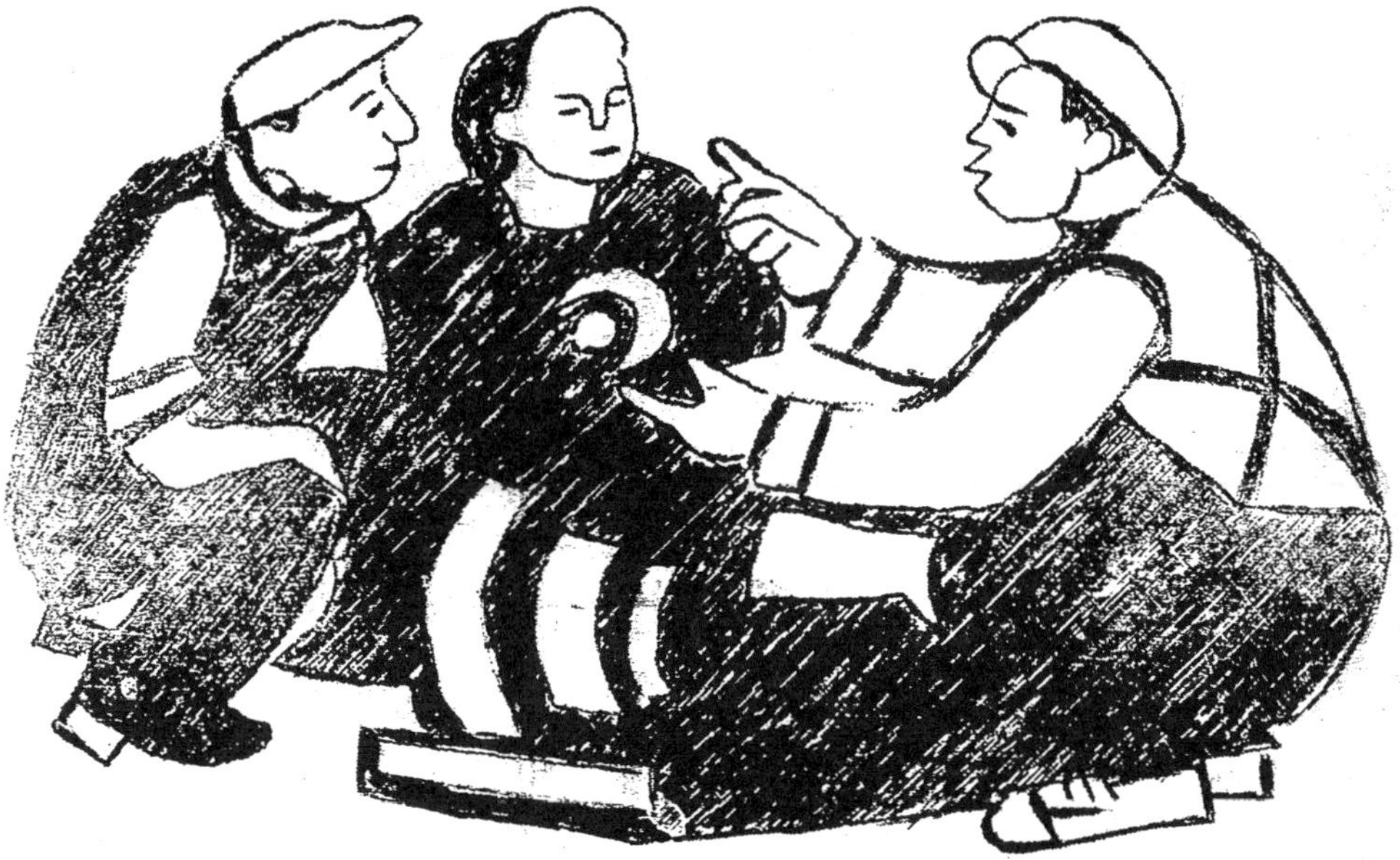

17 1959.12

職場の歴史をつくる会編集

目次

會についての覚書

〃力をあつめて、はやく、良い作品を　たくさんつくる〃ことを一九六〇年度は目標にしたいと思う。本年も会活動のなかで、委員会、合評会などたくさんの〃会議〃がひらかれた。これは必要なことではあったが、その場合〃三人寄れば文珠のちえ〃長い時間かけ、大勢で、問題を話しあいさえすればなんとかなると云った安易な気持もわれわれのなかにあったのではなかったろうか、ふくろうの様に〃口だけで、夜あつまってくる〃やりかたや、〃お公家さんの歌の会〃のために〃鍛えあげるべき〃創意〃や〃友情〃そして〃生活〃がどれだけつぶされたことだろう。会の〃成果と課題〃について語るまえにわれわれの〃失敗史〃も検討しておこうではないか。

二つの天皇制論について

井上清氏〃皇室と国民〃
松下圭一氏〃大衆天皇制論〃を読んで

飯塚節子

四月十日以来、いわゆるミッチーブームに始まる皇室のブームは一応消えたとはいえ、皇室に関してのニュースが今年は何かと私達の目にふれる様になりました。昔のブーム以後天皇家の存在は急速に私達の前に大きく、親しみ易くなって浮び上って来た様です。

私達の職場でも、週刊誌や、グラビヤを囲んで皇室の話題で賑わう事が多くなりました。又、誌上でも「天皇制」についていろ〳〵と論議されております。その中でも、中央公論五月号にのった、井上清氏の「皇室と国民」八月号の松下圭一氏の「続、大衆天皇制論」はある意味で〃天皇制〃についての論議を夫々代表していると思いますので、その思想をつづってみたいと思います。

井上氏の「皇室と国民」はまず歴史家の立場から「皇室が国民のものになった」と云う事はどんな意味か、過去の日本史をふりかえっています。

歴代の為政者は常に皇室と国民を結びつける政策を取って来たが今回のような天皇制ブームと考えられるのは過去に三回ある。

明治維新後の天皇全国旅行、今上天皇の欧州旅行、そして摂政就任と結婚、オ三が戦後の人間宣言、そして今回は四度目のブームにあたる。これ等のブームは常に日本の重要な時期であった。明治天皇全国旅行の際は、士族が明治政府に不満をいだき、人民は飢寒に苦しんでいた時であった。終戦後、アメリカが日本をよりたやすく支配していくには天皇をいかなる地位におくか、その結果が天皇の人間宣言であった。

国民が皇室を自己の救済者或りは、理想体現者と信じこまされたとき、実は、それは国民が皇室を救済して自分自身をしばる力を強めていたのである。今度のズームは、皇室を国民のものとするのではなくて国民を皇室のものとする。したがって皇室を王冠としている独占ブルジョアジーの思う所え国民をひっぱっていく憲法改悪への思想的地ならしをする事である。このズームを保守勢力、反動勢力は警職法改悪反対の国民の意気を結婚ズームにはぐらかし又、戦争違反者を恩赦にあやかろうとする。これを見ただけでも現代の君主制がどんなに無害に見えてもマスコミが作り出す天皇制のイメージより重要な現代天皇制の本質がある。

反動的意図を打ちやぶる可能性はどこにあるだろう、それのためにはどうして国民は皇室に容易にひきつけられるか「万世一系の天皇」の歴史的意味と見とおしを追求しなければならない。

天皇は専制権力者であったがそれ以上に神的権威者でもあった。天皇の神的権威はどうして生れたか。中国人の間では「天」西洋人の間では「神」の様な絶対的価値の観念を日本人はつくり出す事が出来なかった。天皇はこの国土の創造者である神の子孫であり現人神であると云う思想が古代に於いて確立した。天照大神の子孫であるが故に人界の最高の権威者であった。そしてこの皇室の「万世一系」を支えて来たものは、日本社会の変革がいつも不徹底であったからである　この支配階級の交代の不徹底は何故生じたか。一つは近代以前の水田農業の生産力が発達がきわめてのろかった事にある。もう一つは日本が小さな島国であった事である。

生活の向上と云う事を知らず古い昔ながらの習慣が強く残るところに、変革が不徹底になる基礎があった。そして交通手段の未発達な時代では先進文明を支配階級のみがいち早くとり入れ、自己改造をしていった。

又、島国のため他国との交戦もなく単調な歴史を送って来た事も万世一系を支えて来た事情である。

しかし現在ではこの諸条件はほとんどなくなって来ている。明治政府が旧支配者から天皇の名によって人民を「解放」した様に現在の国民を何物からも解放出来ない。

天皇制が永久につづくと云う万能性は全然ない。「大家天皇制」になったとは思わない。唯伝統的権威だけがあるのみである。

農村の生産様式も家内労働から社会労働に変化していこうとしている。個々人がサラリーマン化していくなかで天皇制の基礎、家父長制もくずれる方向に向っている。

今度のズームはたいした事ではない、それはほんの上っつらだけの事である。本当に大衆の心に食い入るには　条件がなくなっているのだ。

以上が「国民と皇室」の要意をまとめたものです。

この論文を読んだ後、松下氏の「大衆天皇制論」を読んだのですがこの二つの論文からまず問題として残った事はズームに関しての二人の意見の相違でした。井上氏は最後の部分において、ある様に「今度のズームはたいした事ではない、それはほんの上っつらだけの事である」と云い切っております。それに対して松下氏は「単なる空ズームではない」と反論しているのです。

日本の中に起きた一つのこの出来事に対する二人の意見の相違は一体どう云う所から来ているでしょうか。

井上氏の場合「たいしたことでない」理由として、今まで天皇制を支えて来たものを分析してもはやその力がなくなっていると云っているのです。厂史的条件も、地理的条件も変り、もはや文明世界の辺境ではない。そして天皇制の最大の力となっているその伝統的権威さえもうすれて来ている。農民も小商品生産者であり、農業、農業機械を採用する近代経営者でもある。そしてその生活の中からは何々がサラリーマンになり、家父長制がくずれ始めている。

大体以上の様な事ですが、厂史学者らしく過去をふりかえり、厂史的な長い流れの中で問題を追求しています。この点、解り安くかゝれていましたし、非常に面白く読む事が出来ました。しかしこの文の中程で、また、この様にもかゝれています。

「独占ブルジョアジーの思う所え国民を引っぱっ

ばっていく具体的には天皇を元首とする憲法改悪への思想の地ならしをすると云う事である」現在の時期をこの様な危機だと見ていながら「たいした事でなり」と云われているのはどう云う事なのでしょうか。松下氏の場合は対照的にこの様に云っています。「今回のブームは皇室の『新イメージ』を新中間層の中に植えつける事に成功した。」新しいイメージとは「小市民層の理想、幸福な家庭」と説明しています。

そして日本人全体の八〇％以上が、どんなイメージを持つにせよ天皇制を肯定しているとものでています。

中央公論四月号（残念ながら私は読んでいないのですが）に松下氏の「大衆天皇制論」の前編がのせられているそうです。そしてそこで書かれている「皇室のイメージとマスコミ」に対して井上氏は次の様な意見をのべています。

「マスコミによって『皇室自体が大衆社会状況に適合せしめられてしまった』と云うが適合せしめられたのはマスコミと大衆のイメージにおいてのみであり、現実にそうなったわけではない」と。

しかし松下氏はマスコミが果した役割は否定出来ないと云い、今回のブームはマスコミの政治的、可能制についての最大の実験であったといっています。

以上の様な事から判断すると二人の意見の相違はマスコミをどう見るかによっているようです。そして松下氏の場合、マスコミを自由自在に操従する独占ブルジョアジーの力の強さに対して赤信号を出したのですが、井上氏の場合は昔より成長して来ている大衆の力を認め「天皇制」と云う事のみについて楽観的な見方をしているようです。

こうして考えてみると二人のこの相違は、問題の立置そのものに少しのずれがある様に思えます。

しかし井上氏は天皇制を道具として国民をあやつる保守勢力そのものこそ現代天皇制の本質であると見ているのを考えると「たいしたことではない」という結論と矛盾している様に思います。いくつかあげられた結論の理由はこの事から考えると私達の頭の上を通り過している様に思われるのです。

私達の職場でもよく皇室の事が話題にのぼるのですが、私の周囲にいる若い人達は天皇家の人々を「お天チャン」とか「チャブダ」とか呼びながら、盛んに悪口をたゝき合うのです。その様な話の中からは一種の親しみを感じこそすれ、反感の一かけらも感じられません。そして知合の老人が御婚約の知らせを聞いてびっくりして卒倒したとか、四月十日には赤飯を炊いて祝った話し等をして笑い合ったものです。

この様な時、さも批判的に見えるのですが、それは「抵抗」と云う事からは大分縁遠いものなのです。単調な生活の話題の一つなのです。週刊誌を中心に行列の馬車に石を投げた少年の事が話題になった時、その人達は少年をさかんに味方するのです。

「あんな突飛な事をするのはやはり異常じゃないかしら、天皇制に反対と云う事にはならないと思うわ」と反論が出されたのですがそれ以上話しはつづきませんでした。

この二つの論文をよみ、改めて私達の周囲を見まわした時、日頃私達が得られるニュースがいかに社会の「断片」であるかと云う事を今更に感じました。天皇制と日本の軍国、天皇制と独占資本。そして安保改定、こうした一連のつながりのある知識に私達はなかなか接する事が出来ません。今度のブームにしても特に注意を払はなければ単に天皇家の結婚と云う事だけでやり過してしまうでしょう。断片の話題で終ってしまう中からは例え反感があったにしてもそれは抵抗の力には発展出来ないでしょう。

いよいよ機械化され単調になっていく私達の仕事、そして社会の断片のみを誇張したニュース。私達がこの様な中に置かれているのだと考えた時、改めて現代のマスコミの恐しさを感じるのです。

自分の歴史 職場の歴史
を書きましょう

原稿募集〇。
職場の出来事、書評、歴史等々歓迎
職場機関誌係へ

国会のことを書いておくこと
上京の目的
題が良くない
年月日を入れる（TU）
職場の心理描写

改作

都会に生きる

恩給局職場の歴史をつくる会

この作品を見られた皆さんは「又か」と云われるかも知れません。事実この作品は機関紙八号、十一号と発表されました。会は現在出版にとりくんでおりますが、[illegible]の一つとしてこの作品を載せることに致しました。十一号は書簡文で発表しましたが、このたびの改作は読者の皆さんからよせられた御批判、御助言、そして書簡文の長所をとり入れ欠陥をおぎなうよう努力致しました。一部ではありますが、皆さんに読んで頂き〝読まれる〟〝喜ばれる〟作品にしたいと思います。皆さんの御批判を望みます。

第一章　谷間の生態

章あらたにすること

十一月十七日、雨の降る日会議事堂前で都電を降りた。私の気持はいえしれない思いで躍動していた。内ポケットに入れられた総理府恩給局より来た採用通知のはがきをたしかめ、雨に濡れた議事堂前の銀杏並木を通り恩給局の門をくぐった。

私が上京して六カ月あまり、叔父の家で将来の行く末を案じ、解析、英語等の参考書を見ていたのは苦痛であった。丁度、高校で三学期を迎えた頃には私たちのクラスの大半が就職が決っていた。担任の教師は、今年も卒業生の就職希望者全員就職出来るだろうと豪語

「南くすまん」
山こ入ゆよ

飛躍

をけていた。その時すでに私はお茶ノ水近くにあるというS出版社に決定していたのであった。友人からはうらやましがられ、私自身もその仕事の状況をあれやこれやと想像しながら最終学期を終了した。

ところが、私の上京直前、東京に居る叔父から意外な手紙が届いた。「和夫の就職の件、聞くところS出版社の経営余りかんばしくないとか、見合せたらよいかと思う。とにかく和夫を上京させて下さい」といった主旨の内容であった。

大斧で脳天をなぐられた思いであった。とにかく叔父も上京しろと云って来ているし、東京に行くばかりの用意をとゝのえていた私は一切友人にも話さず上京したのであった。

郊外の静かな住宅地に叔父は一家をかまえていた。叔父は都中央のある警察に勤務し、いかめしい制服ではなく、私服の警官であった。叔父も私を上京させたものゝ職がないので困っていた様であったが、西も東もわからない私に職探しをやらせず、叔父が機会あるごとに職を探がす為に奔走していた様であった。あれこれと持って来る会社も私にとってみれば一生勤めなければならないと考えれば拾捨選択せねばならなかった。

六カ月ともなると私の気もおちつ[redacted]なくなって来た。丁度、叔父の知合で恩給局の或る役職にある人と会った時「恩給局で職員を募集しているがどうか」と言う話からトン〳〵拍子に話しが進んだ。私としても異存はなかったし「総理府」と聞いたとたんに手をついて叔父にお願いした。

「総理府恩給局」と聞くとすぐ大きな建物の役所を想像した。しかし想像は当らなかった。国会議事堂に隣接する七棟からなる二階建の木造建築が今後私が勤務しなければならない恩給局である。議事堂と比較するとまるでチッポケな建物にしか思われなかった。

私と同じく入局した者、十数名総務課の入口の廊下で待っていた。しばらくたつと係の者が来て私達を他の部屋に案内した。階段を降り、渡り廊下を渡り、長い廊下を過ぎた、廊下を過ぎるごとに何か雑然として来る感じである。雨の降りしきる中を私達は身をまるめて次の庁舎に渡った。部屋とも廊下とも見さかえのつかないところに雨傘が列をつらねてひろげてあった。私達はその間を縫うようにしてついたてのたてゝある内側に入った。部屋の中は薄暗く何か湿っぽい感じがする。大きな部屋は旧兵舎を改造した為か二十本近い柱が立ち並び、所々に電燈がつき、その下では百名以上もの人達が働いている。私達は部屋の片隅に並べられてある机の前に[redacted]された。

その後、約一週間私達はその部屋の片隅で仕事の研修を受けた。最初の日、浅野さんという私達の係長である人が来て仕事上の注意をした。仕事を迅速かつまちがえなく遂行するためと云ってインク壺、書類等々の位置が大切であると係長みずからやって見せた。考えてみれば馬鹿らしい事のようでもあるがしかし、私達は真剣に聞き実行した。

私達が今後行う仕事は恩給を大別して文官恩給と旧軍人恩給の二つにわけられる。その旧軍人恩給の中の一五〇万件もあるといわれる遺族に対する扶助料の恩給証書をかく仕事である。この証書を書くのに原書（原本ともいう）といって金額計算書や戸籍謄本等の綴込れた書類を書くのである。始めの二日間というものはこの告知書（恩給証書）を発送するための封筒かきであったが、三日目にようやくにして告知書かく仕事に移った。係長、先生達の注意もあって、原書を手にとり、告知書を前にすると何か緊張する思いがしたが想像以上に単純な仕事であった。しかし一日中鉛筆をにぎって三枚の謄写をとるとなると大変つかれ指の関節も痛む。

一番いやなのは個人別の日計表を書かされることである。誰しも自分の一日の出来高を日計表を書きしるすとなると結局いやでも応でも競争心がわいてくるのは人間の心理であるうか、それに輪をかけてもう一つの日計表が他でつくられている。それは私達研修生が書いた告知書を以前からこの告知書かきにたずさわっている人でもあろうか、三人係で、校合といって告知書を再検査している。その校合の時、誤りがあれば日計表に書き統計に出されるのである。その統計が毎日帰りぎわ発表される。その日も私は五カ所位まちがえてしまった。こうした時もたえず私は不安なものにおそわれる反面、〃なにくそ明日こそは〃と思いながら帰途につくのであった。

一週間の研修期間も終るころには、暗に先生から誰々は何処の班にという配置がえの内話がもらされた。公務扶助料の告知書を書いている班はAからE班まであった。このAからE班という順列も段階別になっていると聞かされたものであるから、私は何処の班に廻されるか不安にさえなって来る。

配置がえは何ら予告はなかった。翌出勤してみると前日まで研修していた私達の机は一つもなく、机の配置が変り、机の上に白墨で名前が書かれてある。

私は自分の机の探がすに苦労した。ようやくにして見つけることができた。八時十五分を廻る頃には出勤する人もふえ、あちこちで自分の机探がしでざわめき十又、配転八チエ辷と、古い人でもあるか小声でつぶやいている。席について、一緒に研修を受けた人達はどこに居るかたしかめた。机を並べて受けた米山君は私の後の列、同郷のW大学夜間部に通っているという萩野さんは斜前、いつも木綿の風呂敷に本を抱んで髪をベサ〳〵させて出勤する大村君、その友人の一寸大村君と対象的なきちんと学生服を着こなし、髪をオールバックにした斉藤君は私の真前である。全員がE班に配置がえされた様子なので心強くもあり、こうなってしまうと他の班との差別感もさほど感じられない。

ところで、私は背広も買う金さえないので学生時代に着古した学生服を着て役所に通った当座は気にもし、背広を買わねばと思っていたが、恩給局に入ってみると大部分といって良い位学生服を着ていた。不思議に思えたのも一、二週間、そんな疑問も直に解決した。昭和二十八年旧軍人恩給復活に伴い恩給局の業務量は極度に増加し、その業務を早く消化させる為の局の考えもあってか学徒援護会、職業安定所、あるいは伝手をたどって恩給局に学生を雇入れたらしい。（表一）

私は叔父——某課長という入局の線をたどって入ったのであるから本職員であろうと思い込んでいた。叔父もそう思い込んでいたらしい。しかし入局して二日目局から出された書類で分ったのであるが、その身分は臨時職員という事実であった。何んとわめいても仕方がなり、がまんしよう。そんなあきらめ感があった。ところでE班に配置がえされてから友人も一人二人と増えてきた。昼休みの一時間、陽あたりを見つけ、あるいは日比谷公園とか、お堀端を散歩に出るとき、色々と自分の生活のことを自然に語り合うようになった。

M大学に行っている身丈の六尺もあろうと思われる志津田さんと散歩に出たとき、彼はこう語った。

「月給も安いし、休むと金にならない。病気にでもなったらどうしようかと思うんだ」

愚痴というより彼には深刻な問題であったろうし、私も同感であるが、どう言って良いやらそのすべさえわからない。志津田さんは家から全然仕送も受けず大学に通っているのであった。それを考えると私以上に苦しい生活をしている人達が恩給の中に多勢いるのだと思うと、一種の安心感と、どうにもしようのない宿命のようさえ思えてくる。

表(一)

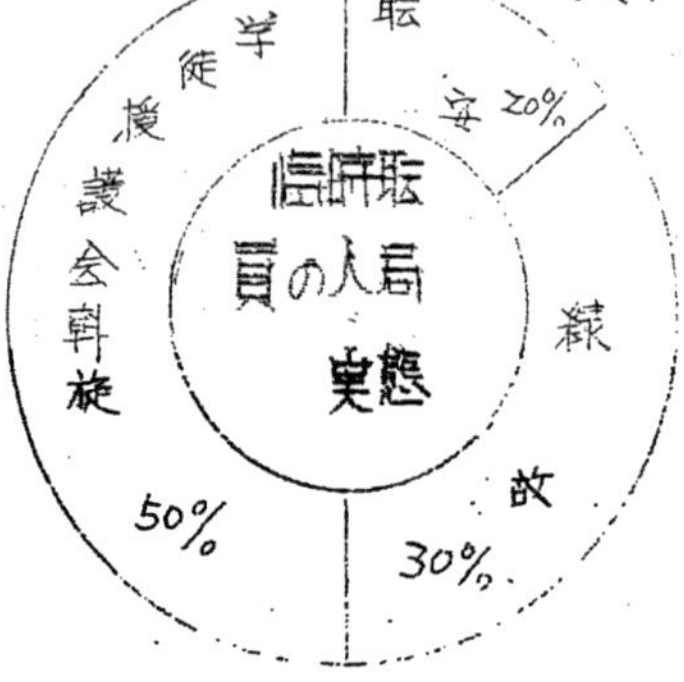

(註) この内85%が夜間学生である

ところで、こうして友人と話をして行くなかでわかった事であるが恩給局で働いている大多数の人達が臨時職員であることを知った。私は臨時職員の制度そのものは知らないがこうした現象が起きたのも一つに旧軍人恩給復活に伴い業務量の増加、それに加え大量の臨時職員をかゝえるような不変則の状態が生れたのだと思う。

私達の身分と云えば、事務官の人や、雇(いわゆる正職員)と比較すれば勤務条件はきわめて悪く、賃金といえば、日給二百四十五円という日雇労働者同然の低賃金

或る日、私は田舎の友人に恩給局に勤めていることを知らせた。その返信に「月給が安くても良いではないか。官庁は堅いし、恩給もつくだろうから……」と、私はどう自分の実情を友人に知らせて良いか迷った。官庁に働いていると聞くと誰しも「恩給」を考えるのではないだろうか、私自身もそう思い、そう信じていた。しかし「恩給というものが恩給局に入って知ったのであるが、ほど遠い嶺の花にしか思われなくなった。臨時職員からいつ雇になるか分らない、その上「恩給」のつく事務官になるとなったら何年後のことであろうか、全くお先真暗と考えるほかない。

さて仕事といえば毎日同じ告知書かきである。

「君達より一週間も早く入った者はもう一二〇件も書いている」と仕事をアオル様に云う班長。

私達は告知書一枚書き上げる者に一件と数え、一日一生懸命頑張っても七五〜八〇件位が精一杯、それをもう一二〇件書いたとあれば休んでもいられない。その為か、十時、三時あるいは昼休みにも仕事を続けている人が多くあった。こうして仕事の件数を上げるのが日計表によって、個人個人の競争となり、そして各班同志の競争のようになっている。

班長は隣の10班の出来高を聞いて来ては「今日は発送が少ない」10班では [illegible]

たろをアオル。

或る日「皆さん有難度う御座居ました。今日は皆さんの協力で千何百件発送することが出来ました」と大声で私達に報告する。

ところで入局して以来、私達は局長の顔を見たことがなかった。以前に友人や、班長から局長はぞうとうきびしい人だと聞いていた。局長の来るのはいつも突然で、もし机の上に新聞や本などおいて置いたり、仕事をしながら煙草など吸っていたりすると大変だそうである。以前局長に叱られやめさせられた例もあると聞いている。

その日も来た。いつの間に連絡がとれたのか係長が班長にその事を知らせる。班長は緊張にと、皆、机の上をとゝのえ、静まる。二、三人の靴音がした。係長の「ハッ、ハッ」と笑い長に対する返事かその声がした。頭をもたげることも出来ない、鉛筆をたゞ光らせたデスクを一巡する靴音、私の座っているデスクに入ったらしい。後を通り過ごすのを肝た、一瞬固くなる。

とう〳〵局長の顔を見ることも出来なかった。まるで戦時天皇が国民の前を通る時に似た様な気さえした。

具体的な出来事を例示されたし

つけたりの様

ユーモラスに書く

第二章　廣場と孤独

恩給局に勤めて、その毎日は憂うつであった
十月二十八日、私はいつものように朝早く出勤し掃除にとりかゝろうと思いふと机の上を見ると誰がおいたのか、誰もいなりすべての机の上に「草」という新聞に似た半紙大位いの紙がおいてあった。さほど気にとどめず掃除にかゝったが、皆が出勤して来るに従って、その新聞が職場で

契約書があった方が良い（TU）

話題にされだした。何かこの新聞は組合をつくろうとする人達がつくった新聞であることを知った。そして日がたつにつれ「組合をつくろう」とか「組合を作るに賛成か反対か」といった新聞やアンケートがひんぱんに職場にくばられた。しかし誰がくばるのか、誰が組合をつくる運動をやっているのか殆ど知ることもできなかったし、私もあえて知ろうともしなかった。

十一月十七日　退庁まぎわの四時半頃、係長が私達に一枚ずつ紙を渡し「直ぐに記入捺印をして私に出して下さい」といって来た。

私は手にとり目を通してみた。契約書（註）とかゝれ、勤務期間と勤務心得等が書かれている　今さらこんなものをどうして出す必要があるのかと契約書に対する疑問と不満が湧く職場の中はざわめき立った。

（註）

契約書

一、身分は日々雇い上げの臨時事務員として、使用期間は昭和二十九年十一月十七日より昭和二十九年十二月十七日までの一カ月とする。

略

六、日給以外の諸給与などは一切支給しない。

七、左の各号の一に該当する時は退職を命ず。

２、疾病及び私事の故障により引続き十五日以上執務しない時

３、その他、局の事務員として不適当と認められた時、

右承認する。

氏名　　　　印

突然職場にかけ入んで来た人があった。ほとんど見たことのない人である。

「皆さんその契約書は出さないで破いて下さい」「若し署名捺印をしたら皆さんは一カ月でクビにしてもよろしいと認めたも同じです」ときれぎれに訴えるその人の一語々々私の胸にひゞく。何か理解できなかったこの契約書がその人の言葉でいゝつくされているような気がした。誰かゞ立ち上って集め出した。青い顔をして係長はたゞ立っているばかり。何のためらいもなく私は集めている人に渡した。

五時を告ぐベルの音に外に出ると、正門広場に皆立ちどまって帰る様子もない。誰か群衆より一段と高い所に立ち雄弁に今日の契約書の報告をしている「皆さん、この屈辱を、この怒りを、明日の結成大会に持って行こう。明日は全員参加しよう」と……

十八日は組合結成大会があると思うと何か怒しいような気持で出勤した。

午前十時頃、私達の職場に組合加入用紙がくばられてきた。準備委員を始めて見る私は好奇心と恐ろしさ見たさとも似っかない思いである。私は組合のことについては無知識・無関心ばかりか、でき得る限りこうしたものから遠ざかりたい気持であった。というのも紹介者の某課長に会うたびに「組合が出来たら組合に入るな」とか「組合運動をすると将来のためにならない」と云い聞かされ、これが一種の組合に対する恐怖心ともなって私の心の中に芽ばえていたかも知れない。

席を立って廊下に出ようとしたが考えてみると結局後で又くるにちがいない、大きな声で組合に入れと云われるんだったらと又椅子に掛けざるを得ない。加入用紙を机の上において考えるというより機会があればのがれたい、そんな気持が働いていたといった方が適当かと思う。誰か見知らぬ人が集めている。まだ書いている人もいる、私は思い切って加入用紙に署名と捺印をした。

表はあった方が良い。(TU)

府将切

恩給局職員構成(表二)

29.2

職別 \ 性別	男	女	計
事ム官	77	0	77
雇	66	42	108
臨時職員	702	335	1037
計	845	377	1,222

(註) その後3月〜11月にかけ毎月15名〜40名の臨時職員が雇入れられていた。

曇りがちの肌寒い日だ、私が庁舎前の広場に行ったときには既に組合員は数百名以上と思われる位集っていた。かって恩給局で広場にこんなに大勢の人が集ったことはないだろうと思う。何か一生懸命人をかきわけ走り廻っている人もいる。演壇でもあろうか、その上でマイクを取りつけている人もいる。演壇のうしろに官公労の宣伝カーが横たえてあった。緊張した空気がただよっていた。寒さのせいでもないらしい、私の体は震えが来てあごがガク〳〵する。誰か演壇に立った。

「皆さん今日の組合結成大会を成功裡に終らせるため、たとえ当局より業務命令が出されても最後までこの会場にいて下さい」

業務命令そのものがどのようなものであるかわからないが、しかし何か不安な予感がした。昼休みの終りを告ぐベルの音が恩給局全体に響き渡った。誰一人と動くものもなく、大会は始められた。

ところで、組合を作る運動は、私の入局以前から進められていた。

一九五三年から五四年にかけ各課ごとに規模は小さいが学生仲間で「息吹会」とか「稲門会」といった会がつくられた。会の性格も「みんなで青春をたのしもう」「意識ある生活をしよう」といった純粋な親睦会であった。ところが「息吹会」の会員は課の職制の非難を公然と追求したことから、課長に「組合をつくる者に利用されるおそれがある」という理由で解散を命ぜられた。稲門会も同じ理由で解散を命ぜられたのも時期を同じくしていた。

スピードが早い（ない）

飛躍

（このまではよせて言ってます）

（社会化する方向に立つ）

しかしこうした中に学生として、"何かしたい" "何か学びたい"という欲求はおさえることが出来なかった。恩給局と同居していた農林省の人達と学習を一緒にしていた人達も、独自に局内に学習サークルをつくり始めた。原書のつまれた倉庫の中では「歌う集り」がもたれ始め、その数も少いが、少しずつ増えて来た。今まで課単位のものが歌を通じ、学習を通じて全局的なサークルへと進展した。やはりこうした会合をもつにも非公然のサークルのため、場所をさがすのに一苦労であった。チャペルセンターの木影に入りあるいは濠端で数人が集り学習を行い、歌をうたった。

五月下旬、早大生の武藤君は丁度その日、自分の仕事も済み、次の書類が入る間、英語の本を開いていたところ、たまたま職場を見まわりに来た局長が背後から「なぜ仕事をしないんだ」とどなるなり、武藤君の本を取り上げ机に叩きつけるという事件が起きた。翌日より長い間勤めていた武藤君の姿を再び見ることが出来なかった。この事件は学習会の人々に異常なショックを与えた。

学習会は日計表の問題や、プールがあっても泳げないといった問題、そしてめまぐるしく起る職場の問題を学習と結びつけ討論するようになった。折から合理化のしわよせにたえかねて立ち上った近江絹糸の女工さん達の人权斗争はみんなの心をゆさぶり、日鋼室蘭の争議、東京証券のスト、そして無数に立ち上がった中小企業労働者の斗いにさゝえられ、"学習会に出る人達に組合をつくる確心を深めさせた。「自分達で果して組合が出来るだろうか」「臨時職員の組合ってあるだろうか」ぜんぜん不安と疑問があった。しかし「都内二十三区の内十七役所は都内臨時職員組合連合会を結成した」「東京都従務局臨時職員が組合をつくった」とか「都庁や統計局の臨時職員には有給休暇も定期昇給・健保も失保もある」と何処で調べて来たのか外部の資料がもちよられる。それは首をかしげていた皆の心を明るくし、大きな刺激と成った。

さて組合がつくられてから職場はおさえにおさえていた不満が一度に爆発したごとく活気にあふれ、十時、三時の休憩時間に「掃除はどうしようか」「世の人達はかりにお茶呑みをやらせてよいか」「日計表をどうしようか」といったことを自主的に職場懇談会で話し合いがもたれた。

十二月に入ると官公労では年末要求二カ月分を掲げ年末斗争に入った。恩給局の組合もこれに呼応して「賃金を三百円にしろ」という独自の要求をかゝげ決起大会、局内デモ、座込みと多様な戦術が用いられ斗りが組まれた。

ところで私は日給三百円になればなったでそんなに良いことはないし、それを望む所であるがと云って私自身が積極的に斗争に参加する気持は起らない。今まで組合運動を知ろうという意欲もなかったし、労働組合そのものを嫌悪な目で見て来た私は「斗う」[illegible]る」といった言葉がきざなものとして一層私の気持を消極的なものにした。

庁舎前の広場に座り込みに入った状況が知らされた。今までほとんど耳にもしなかった[illegible]葉が聞かれた。"無期限座り込みの仲間に組合員から職りカンパ"りんご一ケ、キャ[illegible]ル二ヶといったビラが、あるいは職場で報告された。さて"カンパ"とは何だろう。そんな疑問さえもった。

一賃金三百円引上げ貫徹総決起大会、庁内デモ、あるいは退庁後に行なわれる正門前の[illegible]の報告会等々あったその日の帰りなぞは皆、いつの間におぼえたのか労働歌[illegible]がら帰った。

給と知っている歌もないそんな時、毎日の都電で通うにも一々[illegible]

殆どの人々が四ッ谷、有楽町の国電駅まで歩いていた。私達五、六人のグループは毎日四ッ谷に歩いて帰った。日のとっぷりと暮れた平川町から麹町にむけて歩くとき、へ仲間にはいゝ娘が沢山いて、ホウ、ホウ　ととんきような掛声をかけて楽しそうにうたいながら帰る。私にはうたう勇気もなかったし、その歌詞さえ知らない。「ホウ、ホウ」と掛けるその掛声はうたっていなり私の方が恥しい、そんな気持で、歌のうたわれているときは列から離れて歩くようにした。ときには何か話題を出して、その歌をそらし話しに集中させようと考えたこともあった。（以下略）

安保阻止第八次統一行動における成果と私たちの課題

清水澄夫

十二月九日、職場の歴史をつくる会研究会―哲学教程―の中で若干先月二十七日行なわれた安保阻止第八次統一行動について討論がかわされた。その討論を整理しながら私の考えを述べたいと思う。

一

十一月二十八日各新聞は安保阻止第八次統一行動における国会請願デモをあつかい「デモ隊国会構内に乱入」「暴徒と化したデモ隊」等の大見出しで報導を[illegible]った。それと同時に「国会周辺デモ禁止」「自民党単独提案も考慮」等と国会請願の大衆行動にくぎをさすような宣伝を始めた。その裏に政府及び自民党は国会の会期を延長し、広範の国民の反対や疑惑を押しきって、ベトナム賠償協定の批准を強行しようとしているばかりでなく、安保改定にからむロッキード問題を袖でかくし、大衆行動の自由を奪う突破口として年内に国会周辺デモ規制法案を国会に提出しようと考えている様に思われる。こうした政府自民党の考えは一石二鳥の考えに立ついることについては後で述べるとして、職場の人、研究会に集った人達がどう考え見ているかを述べられた。その主要な意見は次の通りである。

○国会請願のデモは国民の当然の権利であって、あれほどの動員数におよんだことは成功であったと思う。

○今まで安保阻止の統一行動を七次まで組まれて来たがその間組合幹部といわれるものは安保問題は職場の人達に入らない、入らないと云い、又思い込んで来たが、この度の統一行動でそんな迷信は消え、安保斗争の一応の確心を得た。

○マスコミの影響はさほど職場の人達に与えていない。

○あらかじめ予定されていた或向傾のいんぼうにまきこまれたのではないだろうか。

○指導性の欠陥。

○あれだけの行動を予想していなかったのではないだろうか

○メーデー事件と似ているような気がする。

○一部極左分子にせんどうされたのぢゃあなかったか。

○デモ規制法といった問題で安保斗争の焦点がずれてしまっているのではないか。

○国会構内デモは失敗ではなかったか。

等々の意見が出された。

二

これら多くの問題の中から私なりに整理してみると次の三点に分けられる。

第一に、第八次統一行動は全国どの地域をとってみても今まで七次にわたった統一行動に比較して、きわめて大きな規模と、安保阻止の飛躍的な発展をとげたということである。

第八次統一行動は全国六五〇カ所三五〇万人が参加したといわれ、きわめて大きな規模で阻止の斗りが展開されたのである。東京においては国会請願の大衆行動として数万におよぶ労働者階級、民主団体、学生等が参加した。私たちの職場でも当初参加者が何人出るかあやぶまれていたが、いざその日には八〇名を超す参加者が出た これによって今まで組合幹部とか活動家といわれるものが、安保問題は職場に入らない（職場の人達に理解されない）といっって来たが、いざ参加してみると、そのカは大きく入らないと思っていた迷信も打ち破られ、安保阻止への一層の確信を得たということである。

オ二に、マスコミ及び政府自民党は国会構内デモをあたかも「騒じよう事件」のごとく報導し、宣伝しているが、職場の人達に（労働者階級に）さほど影響を与えていないという事実である。

二十八日になるやマスコミ及び政府自民党は国会構内デモを大々的にとりあげ、そのデモ規制の立法化の問題を大きな紙面をついやし、問題の多かったベトナム賠償問題、ロッキード問題をおこいかくす方向が打ち出されてきた。

構内に入った、入らないの論議をかわし合い、まんまとマスコミにあやつられ、乗じたのは組合活動家といわれるものではなかったろうか、統一行動で高まった安保阻止への確信を組織することをおこたり、構内に入った、入らないの論議で自から安保阻止の問題を一時的にしろあったということは反省せねばならない。

私たちは安保阻止の斗いの基本的任務は、安保条約改定のネライとその危険性、そして世界が平和共存という方向にあるとき政府の政策がいかに歴史に逆行しているかを国民大衆の中にもちこみ組織して行くことであった。ではこの問題をいかに理解したらよいかということである。私たち組織された職場の人達がマスコミの影響を受けないということは当然なことであって、独占資本家と政府自民党がネラッているのは、国会デモ事件を利用して労働者階級を孤立化させようとしているのではないだろうか。即ち、中間層といわれる、ホワイトカラー、インテリ家庭の主婦等に〃議会民主々義を破壊する国会周辺のデモは取り締るべきであり、この度の不祥事を再びひきおこさないためにも国会周辺のデモを規制する立法が必要である〃と当然のような論理で国民を労働者階級からゆう離させようと考えていると思うのである。

ヤ三にトロツキストの過激な極左冒険主義によってオ八次統一行動の統制がこんらんされたということである。

三

労働者階級は相手の階級と斗う最大の武器として

組織性と規律性をもつ階級であって、過激な極左的冒険主義的な傾向は斗りを発展させるものではないと思う。江戸時代における一揆や騒動は斗りを成功させるものではないということは歴史の教えるところであると考える。
私たちは砂川斗争あるいは現在多くの中小企業労働者が合理化に反対したちあがっている中で、幾つかの警官の守うきょを身で感じ、目で見てきた。第八次統一行動は国民の基本的権利である請願権にもとずいての当然な行動であって、それに対し五千をうわまわる警官を動員して来た。日頃、国民大衆は政府の安保改定にからむロッキード問題、ヴェトナム賠償問題等の強行審議に不満と疑惑をもっていたところに数千の警官隊の出動に輪をかけ憤激を増させたのも当然であった。
物理的力関係は弱いところを破るのは当然で、警官隊のベリケードを破った憤懣と敵意は一度に爆発し日頃の警官隊の暴きょと、不信と仕返しをしたりという思いは誰しもの心にあったのではないだろうか。
こうしたときに、トロツキストや全学連指導部の極左的扇動が統一行動の統制を乱す原因となったのではないだろうか、
これには指導部（総評）の指導性の欠陥は大きな問題として指摘しておかねばならない（ここでは述べないが）のであるが、要は国会内に入るか、入らないかは労働者階級の組織性と規律性によって決められるべきものであると考える。
そして労働者階級はこうした組織性と規律性によって他の階層を指導するばかりでなく挑発者の危険から国民大衆の斗いと行動を守って（理論的防衛）行くものと考える。所がこの面における理論の弱さを労働者階級の中にさけれるだけさけたいというものの考え方があるのではなかろうか
自分自身もそうであるが安保問題を職場の人に話すに理論の弱さから安保改定の危険性を強調し、広い視野にたった理論的展開に努力をはらわなかった、例えば安保改定の勉強をするに色々の解説書（パンフレット一冊かじりつく、それが整理（自身の理論体系）が出来ない内に良い本が出たといえば又かじりつくといったベッタリ主義的傾向が私自身に強かったし、全般的にもいえるのではないだろうか
そうしたところから組織性と規律性が乱された原因

となっていると考える。

労働者階級の理論武装と身近な人への説得の実践にそが国民大衆の斗いと行動をより発展させるものと考える。

編集後記

年の瀬も迫まり、皆さんのお手もとに届いたこの機関誌を忙がしさのあまり粗末にしないで下さい。

☆前号(十六号)の岩浪氏の「萱屋根の下」続編を今号に載せる予定でありましたが原稿が機関誌係のもとにまいりませんでしたので次号にゆずることに致しました。

☆皆さんがこの機関誌を御覧になって感じられる点がございませんか。そうです機関誌名を以前の「職場の歴史」に改名したことです。十号より十六号まで「職場と生活」という誌名で発行を致してまいりましたが、やはり職場の歴史をつくる会の機関誌として「職場の歴史」の誌名が妥当であり、創刊号よりこの誌名を採用してまいりましたし、運動に変更あるいは変更の理由が生じない場合においてはやはり機関誌の継続性と持続性をつらぬくためにももとにもどすことに致しました。それと同時に表紙カットにつきましても「職場の歴史」誌名と同様皆さんになじめるものとしても当分使って行きたいと機関誌係(編集部)としては考えております。

☆この度安保問題について書いて頂いたわけですが今後読者の皆さんの作品、意見等なんでも投稿へのせようという試みからこうした紙面をとった次第です。皆さんの職場の出来事、個人の歴史、職場の歴史、書評、意見など編集係へおよせ下さい。

発行人　東京都新宿区戸塚町三の三〇五
竹村方、職場の歴史をつくる会
竹村民郎
編集責任者　清水澄夫
発行年月日　昭和三十四年十二月二十一日

歴史

職場の歴史をつくる会編集

耺場の魂いあふれて

目次

魂いあいふれて

はじめに

恩給局職場の歴史をつくる会

戦争で多くの人が死んだ。そして多くの人が銃弾に手、足、目等々を射ぬかれ、再びもとらぬ体となった。その数は二百万以上と推定されている。

子を失った親は大きな打撃を受け、一家の支柱である夫を失った妻は子供をかゝえ毎日をどう生きようかとたえずその苦難の道を歩んで来たであろう。手や足の五体を失った傷痍軍人が街頭で、車中で、立たなければならなかった。

一九四五年十一月二十四日、連合軍総司令部は政府に対し「恩給及び恩与」に関する覚書を手交し、政府はこれに基いて四六年二月勅令六八号を公布して旧軍人関係及び公職追放者に対し恩給の支給をとりやめたのである。しかしながら朝鮮戦争を契機として資本のたてなおしは労働者を職場からくちくし、必然的にその遺族の生活は貧困なものとなって来た。

一九五三年八月に法律一五五号によって旧軍人関係の恩給が復活される。その恩給費は国家予算の一割をしめる一千億円の予算が計上された。

遺族に対する国民の同情心と、国の恩恵的施策は、恩給法の改訂ベースアップと重ねる内に「恩給亡国論」と与論をわかせる。しかしながら、子供を抱えた戦争未亡人は職に就けず、頼みとする扶助料を早く支給してもらうべく恩給局に足を運ぶ。手や足を失った傷病者は傷病恩給を出来るだけ高額にもらいたく医師に公傷の度合を見てもらうため病院へ何度も足を運ばなければならない。こうした反復が受給者と国家の行政を担当する恩給局との間になされている。同時に恩給局当局と、そこで働いている職員との間にも多くの問題が生じていた。

この恩給局に私は働いていたし、現在も働いている。　ここで受給者と恩給局間の問題は大きな国民的問題という観点に立ち、そこから職場の矛盾をとらえることに近ずく出発点として、主に恩給局当局とそこで働く職員の問題を指針に、私、個人の矛盾を書くことにしたのである。

第一章　無権利下における臨時職員と組合結成の胎動（一九五三年〜一九五四年十一月）

一、田舎から東京へ

一九五〇年暮、その頃になると県下の新聞は高校進学者の志望校を報導し始める。就職難も影響してか、商業関係が大変な倍率をしめていた。五一年私は町の商業高校に進学したのである。それもM高校は県下でも上位の就職率を示しているという理由からであった。

三年間、ソロバン、簿記の検定と、就職、就職で大半をついやされ、最終学年を三学期を迎える。その頃になると、クラスの大半が就職が決定、あるいは内定し始める。内容も学校推薦、伝手という各種の就職決定様式がとられたのである。担任の教師も県下の高校に先んじ百％の就職率を示すだろうと豪語をはいていた。

その時、既に私は叔父の紹介もあり、お茶ノ水近くの、S出版社に就職が決っていた。友人からうらやましがられ、私自身もその社の仕事の状況をあれやこれやと想像しながら最終学期を終了した。

私の上京直前、東京に居る叔父から意外な手紙が届いた。「和夫の就職の件聞くところS出版社の経営良くないと聞く。見合せたらよいかと考えます。とにかく和夫を上京させて下さい」といった内容のものである。大斧で脳天をなぐられた思いがした。

叔父も上京しろと云っているし、東京に就職出来まかなるだろうといった安易な考えも伴って、上京することゝした。父母もさほど心配した様子もなく上京を進めた。

叔父は郊外の静かな住宅地に一家をかまえている。叔父の職業は都中央の某警察に勤務し、いかめしい制服でなく、私服の警察官なのである。

私の上京は叔父に対し職探がしという負担を掛けた様だ。上野から叔父の家まで来る間のめまぐるしい都会の雑踏と、電車の乗かえは、どうたどって来たかわからない始末、その西も東もわからない私はどう職を探して良いやらそのすべさえわからない。

月日が過ぎるに従い、叔父、叔母に対する気兼は生じた。しかしながら自身から進んで職を探すことが出来ないのは明白といわざるを得ない。たゞいざ試験という時の準備に参考書を開くのが積の山だった。

叔父は機会あるごとに職探がしに奔走している様子がうかゞわれた。或る印刷会社の植字工、あるいはパン屋の見習いといった就職先がみつけられて来たのである。やはり私は事務系を志望し、過去の実績を生かしたく、叔父には申し訳ないがことわって頂いた。し

大きなビルディングが想像され、〃どんな仕事かな恩給の証書を書くとなると毛筆だろうな、さほどヘタでもないから……〃とまだわからない仕事のことで想像していたのである。

二　総理府恩給局に入って

十月十七日、雨の降る国会議事堂前で都電を降りた。内ポケットの総理府恩給局から来た採用通知のハガキをたしかめ、雨に濡れた議事堂前の銀杏並木を通り、恩給局の門をくぐった。

ビルの建物も現実には木造二階、建築であった。国会議事堂と七棟からなる庁舎は、まるで対比にならないチッポケな建物でしかない。庁舎内はまるで静かなもので学校の授業中のごとく殆ど人影が見えない。受付でハガキを見せ総務課の人事係を聞いた。そこには私と同じ様に入ったのか、十数名の人が廊下に立っている。係員が来て、私達を案内するといって階段を降り始めた。階段をおり、渡り廊下を渡り、長い廊下を過ぎた。廊下を過ぎるごとに何か雑然として来る感じである。雨の降る中を背をかゞめ次の庁舎に渡った。

〜2〜

かしながら六カ月もなると私の気持もおちつかず、見得や外分とか、希望しても希望通りになれる世の中ではない、もうどんな職にでもついてやろうという気になって来たのである。

五四年十月の初旬、想像も出来ない〃官庁へ入ってはどうか〃とそんな話がもち込まれた。叔父の知人で総理府の或る役職にある人に合った際恩給局で現在職員を募集しているがどうかという話が出されたと云っていた。

総理府恩給局、これ以上望むところはないと決め、早速叔父と二人でその紹介者の私宅を訪れ、就職問題をお願いしたのである。その人はもう決った様に「だいじょうぶですよ、まア、しっかりやるんだなア、ハ…」きわめて楽観的に大声を上げ笑っていた。

もう卑屈な思いにしたらずとも胸を張って歩ける思いがする。叔父から具体的にその環境等を夕食あたびに話してもらうのが楽みにさえなって来たのである。

「恩給局は国会のそばにある」そんな言葉を聞くと、そこは廊下とも事務室とも見さかえのつかない庁舎である。ただその判別のつくのは、ついたてで仕切られ雨傘がひろげられてあるのでわかる位だ。

私達はつい立の内側に案内された。部屋の中は薄暗く、湿っぽい感がする。大きな部屋は旧兵舎を改造した為か二十数本にも近い柱が立ち並び、電燈の下では百名以上の職員が働いている。私たちは、部屋の片隅に並べられてある机の前に案内された。そこは私達新入局者が恩給業務について研修を受けるところであった。

研修といっても長期のものではなかった。私達は総務課の文書第三係に所属し、最初の日、文書第三係長の秋野さんという人が私達に紹介され、恩給の概要を説明された。わずかの時間で恩給全般の業務を知ることはとうてい出来るものではない。係長は、

「君達がこれからする仕事は大変重要な仕事である。戦没者の遺族はこの証書が来るか、来るかと首を長くして待っているのである。証書が届けばまず第一に仏壇に上げ

ると聞いている。そのために早く研修を上げて皆と一緒に仕事をしてもらいたい」しかし係長は研修期間をいつまでとも云わなかった。

事務用品がくばられた。インク壷にペン軸一本、ペン先が三本、鉛筆が三本、ゴム消が二人に一個、これが私達事務をとるのに必要なものであるらしい。そして係長は仕事上の注意をする。「鉛筆は短くなって使えなくなったら、こゝにいる中村さんに云って、それと引換えに新しい鉛筆を頂きなさい。それから仕事をするには姿勢が大切です」と云いながらインク壷、書類等の位置を係長自からやって見せる。私は聞きめがしてはならないと真剣に聞き それを実行した。

恩給を大別して文官恩給と旧軍人恩給の二つに分けられる。私の所属する文書や三係はその一八〇万件以上といわれている旧軍人恩給の遺族に対する公務扶助料の告知書をかく仕事である。この告知書をかくのに原書といって扶助料請求者の請求書、戸籍謄本、そして会計算書等が綴られた書類であって、その書類を見て書くのである。始めはもっぱら告知書を請求者に送付するための封筒かきであった。三日ほどしてよう日計表に環をかけ、もう一つの日計表がさけられてる。それは私達研修生の作成した告知書を以前からこの仕事にたずさわっていた人々がこうごうか係末し、点検している。校合の際、誤りがあれば日計表に記入し、統計に出されるのである。この統計は毎日帰りぎはに発表された。

こうした時、私はたえず不安な気持が湧いて来る反面、"何くそ、明日は"と思いながら帰ったのである。

研修も終る頃、暗に先生の中村さんから皆々は何処の班にゆくという配置がえの実情がもらされた。文書や三係にはA班からE班までの各班があり、この班も仕事のする班と段階別になっていると聞いている。そんな関係もあって、私は何処の班に廻されるのか好みもあったし、不安でもあった。

配置がえは何ら予告なく行なわれた。朝出勤して見ると前日まで研修していた机の配置は変り、机の上には白墨で名前が書かれてある。八時十五分を過ぎる頃には出勤する人も増え、各自、自分の机を探がし始める。「又、配置がえか、チエッ」古い人でもあるか小声でつぶやいている。席について一緒に研修を受けていた

〜3〜

やく告知書というものをかくことになった。係長、先生達の注意もあって原書を手にとり、告知書用紙を前にすると何か緊張する思いがしたのである。がしかし想像以上に単純な仕事でもある。一日中3Hの鉛筆を握って三枚の用紙に謄写することは大変指の関節が疲れる仕事でもあった。

一番いやなのは日計表を書く仕事である。原書は一束二五件になっている。その束の上に氏名票というものがつけられている。私達はその束を持って来るのに、帳面に氏名、持ち出し月日、何時何分と記載し、同様に氏名票の欄に記載し告知書作成に入るのである。同時に帰る際、一日の個人の出来高を記載し先生に提出する。結局私は作成件数を上げるために一生懸命にやった。デスクの前の方の誰かが休憩時間中も一生懸命に書いていることがしばしばあった。たまたま係長がその人達の告知書作成状況を見て大変ほめたことがある。「皆が堀越君や、上沢君のように書ける様になったらもう研修も卒業だな」と云っていた。その個人別人達はどこにいるか探がす。机を並べて研修を受けた米山君は私の後の列に。同郷のW大学夜間部に通っているという荻原さんは斜前。いつも木綿の風呂敷に本を抱んで、髪をバサバサさせて出勤する大村君　その友人の一寸大村君と対象的な、きちんと学生服を着こなし、髪もオールバックにした斉藤君は私が二班、[illegible]寅正班に配置がえされた様子なので心強くもあり、安心もした。

私は背広を買う金さえないので学生時代に着古した学生服を着て役所に通った。当初気にし、背広を買わなければならないと思っていたが、恩給局に入ってみると大部分の人が学生服を着ている。不思議に思えたのも一、二週間、そんな疑問も解決出来た。

一九五三年、旧軍人関係の恩給が復活され、極度に恩給局の業務量は増加した。その業務量を早く消加させるための局の考えもあってか、学徒援護会、職業安定所、あるいは伝手をたどって恩給局にアルバイトとして学生を雇入れたらしい（註一）

私は恩給局に入るのに、叔父、それに総理府の某課長という線をたどったんだから当然本職員と思い込んでいたのである。叔父もそう思っていたようだ。がしかし、入局して二日目、局から出された書類で、私の身分が臨時職員であることを知った。

恩給局職員構成

1954、2現在

職別＼性別	男	女	計
事務官	77	0	77
雇	66	42	108
臨時職員	702	335	1,037
計	845	377	1,222

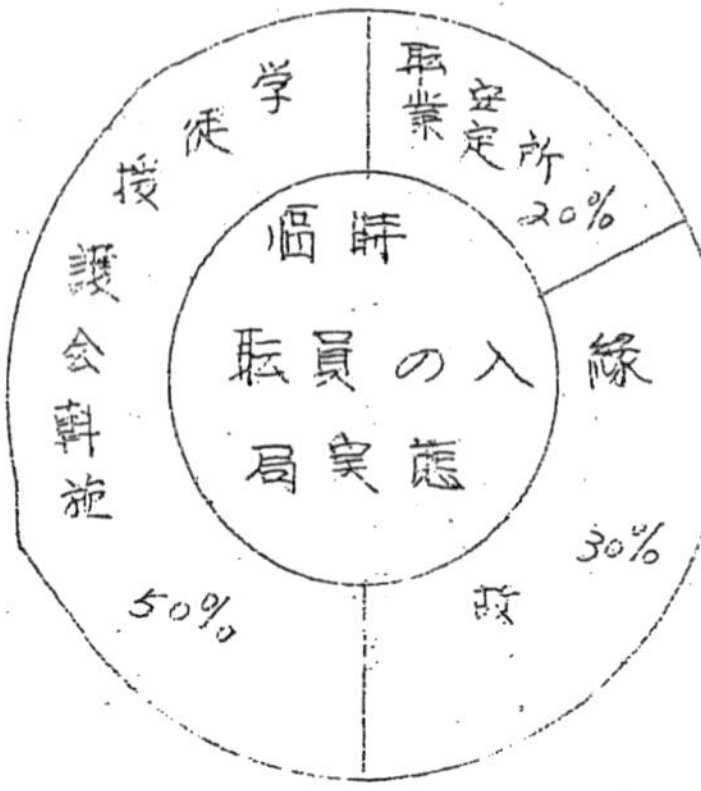

(註)この内六五名が夜間学生である。

(註)その後三月〜十一月にかけ毎月十五名〜四十名の臨時職員が雇い入れられている。

三、臨時職員はたゞ働いた

巨班に配置がえされてから友人も一人、二人と増えた。昼休みの一時間、陽だまりをみつけ、あるいは日

せた。その返信に「月給が安くてもよいではないか、官庁は堅いし、恩給もつくだろうからね……」私は彼に実情をどう知らせたらよいか迷ったのである。官庁に勤いていると聞くと「恩給」がもらえると考えるのが一般の人達である。私自身もそう考えていた。しかし恩給というものが、恩給局に入って、げと遠い雲の花としか思われなくなってきたのである。臨時職員からいつ雇になるかわからない。その上「恩給」がつく事務官になるといったら何十年後のことか全くわからなくなってしまう。

さて、仕事といえば毎日同じ告知書作成である。「君たちより一週間も早く入った人達はもう一二〇件も書いているよ、頑張ってもらわなければ……」仕事をアオルように班長は私達に云う。告知書を作成するに一日懸命に頑張っても七五〜八〇件が第一杯である。それを一二〇件も作成するとあれば休んでもいられない。そのためか、十時、三時の休憩時間に、或いは昼休にも仕事を続けている人が多くあった。

こうして件数を上げるのが日計表によって、個人個人の競争となり、そして各班同志の競争となっている。

~4~

比谷公園とか、お濠端を散歩する時、色々と自分の生活のことを語り合った。M大学に行っている志津田さんと散歩に出た時、彼は深刻な面持で私に「月給も安いし、休むと金にならない、病気だといっても中々寝られやしないよ」愚痴というより、彼には深刻な問題だったろうし、私にも共感を覚えさせたのであるが、彼にどう答えてよいやらその方法さえわからなかったのである。志津田さんは家から全然仕送も受けず大学に通っているのであった。生活の面を考えれば私以上に苦しい生活をしている人が恩給局の中に多くいるだろうと思えて来る。反面、皆は大学に通い希望がもてるが、私は何ら望さえ持てられない。こんな生活が、宿命とでも云えるような気がした。

臨時職員の私達は事務官の人や、雇の人と比較すれば労働条件はきわめて悪い。賃金といえば二百四十五円、休暇は全然なく、病気して休めば無給、健康保険、失業保険にも入れないのである。

或る日、私は田舎の友人に恩給局に勤めた事を知ら

私達はそのために、鉛筆をとぐことさえおしみ、出勤すると四本の鉛筆の両端をとぎ仕事にかかるのである。仕事になれると、複雑な書類をさけ、書きやすい書類を選んで書いたが、これも係長や、班長に発見され順番に持って行くよう命ぜられたのである。又、便所に行く生理的要求も局の方からおさえられ、部屋を出る場合には、班長の許可が必要となっていした。

ところで入局して以来私達は局長の顔を見たことがない。以前からの人や、班長達から局長はそうとう厳しい人だと聞いている。局長の来るのはいつも突然であると云う。若し机の上に新聞や本、あるいは煙草、などを吸っていると叱りつけ、或る人などは局をやめさせられた例もあると聞く。だから皆は局長が職場を廻るのを局長の巡視といっている。その日も来た。いつの間に連絡がとれたのか、係長が来、班長につたえ、班長は私達につたえる。皆、机の上をととのえ始める。職場は静まる。二、三人の靴音が部屋に近づく。係長の「ハッハッ」と局長に対する返事か、その声が静った

部屋に聞える。私達は頭をもたげることができない。ただ鉛筆を走らせるのみである。デスクを一巡する靴音、その靴音も消えた。式場の閉会後の空気のごとく職場は静かな声が走る。そしてその局長の巡視も無事におわったが、局長の顔はほとんど見ることができなかった。

四、組合結成は恐しかった

十月二十八日、私はいつものように朝早く出勤した。誰もいないすべての机の上に「葦」という新聞に似た半紙大のパンフレットがくばられてある。皆が出勤して来るに従い そのパンフレットは職場の話題となり始めた。私はその内容を見ずに居たのであるが、話を聞くと組合をつくろうという人達の集が出した新聞であることをしった。そして日がたつにつれ、「組合をつくろう」「組合を作るに賛成か、反対か」「局長組合結成に賛意表明す」という新聞や、アンケートが職場にくばられた。しかし誰がくばるか、誰が組合をつくる運動をしているのかわからなかった。

十一月十七日、退庁間ぎわの四時半頃係長が私達「若し署名捺印をしたら皆さんは一ヵ月で首にしてよろしいと認めたものも同じです」ときれぎれに訴えるその人の一語一語が私に寒気を覚えさせる。"本当に首にまでしようと局は考えているだろうか……"疑問と不安が湧く。誰か立ち上って集め始める。係長を見るとただ青い顔をして見ているだけである。"本当に局の方に出さなくても心配はないだろうか……"気迷いしながら集めている人に渡した。

五時を告ぐベルに外に出る。正門前の広場に大勢の人が立ち止り、帰ろうともしていない。誰か群集より一段と高いところに立ち、雄弁に契約書の問題を報告している。「皆さん、この屈辱を、この怒りを明日の結成大会へ持って行こう、明日は全員参加しよう」と明日の組合結成大会への呼びかけをした。

十八日、組合結成大会があるので、気が進まないまま出勤した。午前十時頃、私達の職場に組合加入用紙がくばられる。始めて準備委員を知る私は好機心とも、怒ろしさ見たさとも似つかない思いで見たのである。組合加入用紙を手にしてしばらく躊躇せざるを得ない。叔父のこと、総理府の某課長のことが頭に浮ぶ。皆氏

～5～

に一枚ずつ紙を配り、「すぐ書いて私の所に出して下さい」といってきた。目を通すと、がり版刷りで契約書（註二）とかかれ、勤務期間と、勤務心得が書かれてある。

（註二）

契約書

一、身分は日々雇い上げの臨時事務員として、使用期間は昭和二十九年十一月十七日より昭二九年十二月十七日迄の一ヵ月とする。

略

六 日給以外の報酬手当などは一切支給しない。

七、左の各号の一に該当する時は解職を命ず。

2、病気及び私事の故障により引続き十五日以上勤務しない時。

3、その他、局の事務員として不適当と認められた時。

右承認する

氏名　㊞

(註) 職員はこの契約書に署名を拒否したが、「十五日」の線は局の内規としてたえず使われるのである。

どうしてこんな書類を今さら書かせるだろう、そんな疑問が湧く。突然職場にかけ込んで来た人がある。

「皆さん、その契約書は書きないで破いて下さい」

名を書く、私一人だけ加入を拒む勇気も無く、氏名捺印をして係員に渡した。

曇りがちの肌寒い日である。私が庁舎前の広場に行ったときには既に人は数百名以上と思われる位集っていた。かって恩給局で広場にこんなにも大勢の人が集ったことが無いであろう。

何か一生懸命かけずっている人もいる。演壇でマイクを取りつけている人もいる。演壇のうしろに官公労の宣伝カーが横たえられ、倉庫の壁にスローガンがかゝげられてある。緊張した皆の目は演壇にそゝがれているようである。たゞ〳〵私は時間が気がかりでしかたない。

「皆さん今日の組合結成大会を成功裡に終了させるため、たとえ当局より業務命令が出ましても、最後まで協力をお願いします」

昼休の終りを告ぐベルの音が恩給局全体に響き渡る。

誰一人動く者も無く大会は始められた。

五、組合結成の職場の動き

鉛筆と同じの
臨時職員

組合をつくろうという動きは私の入局する以前からそのこころみがなされていたのである。

一九五三年法律一五五号によって旧軍人関係の恩給が復活し、恩給局の業務は一躍二百万件という膨大な数量に増える。しかしながら恩給局の職員定数は二二二(予算)定員法(一九四九年六月施行)によって定員が制限されていたのである。従って定員と、業務量にアンバランスは結局のところ、恩給局に多くの臨時職員が生まれた大きな原因ではないだろうか。この臨時職員の問題について朝日新聞「今日の問題」を引用すると、臨時職員は「中央、地方あわせて六十万人とも百万人ともいわれる。国の予算や地方府県の予算に現われている公務員の数は、学校の先生や警察まで入れて百八十万人ほどだから、かりに六十万人としても非常に多い人数である。この人達の給与は予算の人件費には計上されていない。物件費、つまり紙や鉛筆の費

階上でアドバルンを上げて学資にしていた。そしてその前は小さな商店の運搬の仕事や、煙突掃除をした経験もあったという。しかしその人達も仕事にアブレ学資がなくなれば九段の学徒援護会に行く。その時「霞ヶ関、某官庁、一日三百四十五円当分の間」の求人広告が目に入り、安いけれどしかたがないと思って恩給局に入って来たのである。

四、組合結成の動きは
近江絹糸にささえられていた。

低賃金に学資を浮かせるため、どうしても生活費を切約しなければならない。ある人は「俺は米を買う金がネエンで、カツオ節を醤油漬してその汁をすゝりながら一週間ほどやったがつらかった」と「俺はメシに醤油をブッカケて食べることをチョイ〳〵やった」とかその生活も様々である。昼メシにはコッペになにもつけないで喰っている人。恩給局に勤められても交通費がないため恩給局をやめた人もいる。又、自分の血を売って学資や生活費にしている人もいた。その一人、中西さんはある同人誌に自分の血を売る生活と、職場でたび〳〵貧血に悩まされることを書いている。

用のなかなどから支払われるわけで、一般職員よりかなり低い日給で働いている。（略）臨時職員だから臨時の間に合せの仕事をしているというわけではなく、一般職員と机を並べて同じような仕事をしているし、統計とか調査ではかなり長期的な重要な仕事をしているようだ。たゞ違うところは、たえず失職の脅威にさらされていることで、予算で物件費が節約されゝば、真先きにクビを切りの対象にされる心配が多いわけだ。（略）これほど多くの臨時職員というものがあるも不思議なことだし、どうせ必要な職員なら〃臨時〃ということでなく定員のなかに入れたらよさそうだし、お役所というところは庶民の常識ではわからぬところである」（五五年三月一六日）

恩給局で働いている私たち臨時職員も物と同じ様にあつかわれ、低賃金で働かされていたのである。恩給局に入った多くの学生は、以前は町の印刷工場で製本の手伝い、ある者は石ケン工場で油にまみれ、又小さな会計事務所でソロバンをはじいても天丼や、ビルの

ところで恩給局で働く臨時職員の大半が学生であることは既に述べてきたところである。これらの学生は学校において社研（社会科学研究会）哲研（哲学研究会）等に入り、又、地域でセツルメントに参加し活動している人が多くいた。これらの人達が中核となって、一日の大半をさく恩給局の職場で何らかの活動グループを作ろうという動きが始められる。

一九五三年から五四年にかけて各課ごとの小規模なグループが生れる。それは「息吹会」とか「稲門会」といったグループであった。性格も「みんなで青春を楽しもう」「意識ある生活をしよう」という純粋な親睦会ともいえる性格のものである。ところが「息吹会」の会員の一人が課の職制の非行を公然と職場で追求したことから課長に「組合をつくる者に利用されるおそれがある」という理由で解散を命ぜられたのである。「稲門会」も時期を同じくして自然消滅といった形で職場からその姿を消す。がしかし、こうした中で学生として〃何かしたい〃〃何か学びたい〃という欲求は

おさえることができなかった。
恩給局と同居していた農林省の人達と一緒に学習していた人達も局内で独自に学習サークルをつくり始め又、新宿のある歌声喫茶でうたった歌を、倉庫の中でうたい始めたのもその頃である。数も少なかった会員も少しずつ増え始め、課単位のものが歌を通じ、学習を通じて全局的なサークルへと進展する。しかしながらこうした会合をもつにも、局で認められないサークルのため、場所をさがすに一苦労したのである。チヤペルセンターの木影に入り、あるいは濠端で数人が集り学習をし、歌をうたった。

五月下旬、早大生の武藤君は丁度その日、自分の仕事も済み、次の書類の来る間、英語の本を開いていたのである。たまたま職場を見まわりに来た局長に見つかり、「何故仕事をしないのか」となるなり、武藤君の本を取り上げ机に叩きつけるという事件が起る。当然その理由から長い間勤めていた武藤君の姿を見ることはできなかった。

この事件により、学習会に参加している人々に異常なショックを与えると共に、活動に厳重な警戒心をもん達の人権斗争は皆の心をゆさぶり、日鋼室蘭の争議、東京証券のスト、そして無数に立ちあがった中小企業労働者の斗いは自分達の問題として考えさせた。こうした情勢の中で学習会に出る人達は組合をつくる確信を深めさせるに至る。かしかし、「自分達で果して組合が出来るだろうか」「臨時職員の組合ってあるだろうか」そんな不安と疑問がつきまとっていた。学校で活動している人達は積極的に資料を集め、六法全書をひもといた。「都内二十三区の内十七区役所は都内臨時職員連合会を結成した」「東京都総務局臨時職員が組合をつくった」とか「都庁や総理府統計局の臨時職員には有給休暇も定期昇給も、健康保険も失業保険もある」と外部の資料を持ちよられたのである。それは首をかしげていた皆の心を明るくし、大きな刺激となって、組合結成の段階へと進むのである。

計表の問題、プールがあっても泳げないといった問題や、武藤君の問題等、めまぐるしく起る職場の問題を学習と結びつけて討論するように成り始めた。

こうした問題が恩給局で起っている折も折、合理化のしわよせにたえかねて立ち上った近江絹糸の女工さ

第二章　スパイと自立への脱却（一九五四年十二月〜一九五五年五月）

一、十五日休んだらクビになること

組合はできたとはいえ条件はまだくあまりにも悪く、組合活動の妨害はつねに行なわれていた。組合事務所もやっとのところで部下の一すみを囲ってもらう。掲示板に掲示することを何回かの交渉で許されたと思ったら、係長の印、課長の印、次長の印と、印をもらいに何度かおじぎをし、その上掲示期間はたった二日間ではずされてしまうのである。また、組合の役員が仕事中にぬけ出れば離席時間として係長がつけ、一時間三十三円給与から差引かれる。組合活動家の隣に係長とか、非組合員が席をとり、どんな本を読んでいるか、誰と話をしたか、何を書いているかと、スパイに等しい事実が発見されたこともあった。

一九五五年三月、組合の斗争の中心は〝いかなる理由があろうとも十五日以上（日曜も含め）欠勤したものは退職させる〟ということを局議の決定だとして、実行している当局の態度に強く向けられていた。

ところがその頃、毎日職場で顔を合せる大村君、斉藤君が休んでいるのに気がついた。病気で休んでいるのではないかと思っていたが

頃なので不思議に思え、友人に聞いた。「二人共クビになったという。驚きと共にその二人が何故クビになったのか、その原因さえわからないまゝ、胸の中にもやつかせていた。

組合からは"十五日の線撤廃"の当局交渉の内容のビラがひんぱんに職場に配られてきた。そして十五日目でクビにされた人達の事実も知らされた。自費で入院した人は医師の診断書を局に提出していたにもかゝわらず、退院して見ると出勤簿からその人の名前がはずされていた。又、ジを患った人は生活を守るために病をおかして出勤し、病状を悪化させている事も知らされた。だが大村君や、斉藤君のことは一行たりと書かれていない。

この十五日の線の問題が職場にクローズアップされるに従い、各課の職場から十五日の線にかゝりクビにされた人々のことが明るみに出て来た。神経衰弱で田舎で療養に帰った人のこと、年末・年始で休んだ人等そして大村・斉藤両君のこともかゝれていた。原因は些々のことだったのである。一寸した手違いで大村君が斉藤君の出勤簿に印鑑を押したという理由だけである。

職場の中で私の叔父が近在の警察の私服警官であることを知る人は誰もいない。又、私もできる限り話さまいと思ってきたのである。もしや、私がこのことを友人に話すとしたら、それそうとうの勇気も必要とされたのである。が、しかし、私の友人関係の範囲では信頼をもって話せる人はいない。

私はその日からというものは孤独感におそはれ、家に帰っては日記帳をめくってその日の出来事を書いた。

三月×日

昼も間近かになった頃、係長の峯岸さんが私のところに来て、高く積まった書類を見ながら私に、「浅野さんが呼んでいるから、昼休みに行きなさい」と云う。浅野さんは総務課の課長補佐をしている。時々私のところに来て、受給者から依頼された調査を頼みに来ることがあった。だけれど今日はどうして私を呼んだのか理解しがたい。浅野さんの居る一号庁舎の二階の部屋に行った。窓べの深椅子に掛けた浅野さんは一人タバコをふかしていたが、私の姿をみつけてか、吸いかけのタバコをもみ消し、笑顔を浮べて私を迎え、椅子を進めた。

る。だけれども現実は二人共クビになったのである。昼休みには彼等と散歩もした。冗談を言い、笑い合ったこともある。だけれども、もうそれはできない。

二、スパイすれば職員になれる

私は今までやっていた公務扶助料の告知書かきの仕事から公務扶助料の統計をとる方に廻った。今まで告知書かきしていた時はたびたび配置がえがなされたが何等私たちに予告はされず、翌朝出勤するとやられているという状態だったのである。がしかし、今度の配置がえは私の意向も聞かれた。「君は級持ちだそうだがどうだ、統計をとらないか」と係長が云う。私も望む所であるし、職場の人達に対して、自分の意志が尊重された、そんな優越感さえ覚えてくるのである。

ところで統計をとる様になってある日、突然課担当の課長補佐から呼び出しがかかった。呼び出されたぞの用件は、私に組合の情報を知らせてくれというのである。

「君は○○町だったね」と私の住んでいる町のことを話しだした。話によると浅野さんも近に居たらしかった。

「ところで君の叔父さんは、○○警察に勤めているんだったネ」

「ええ、そうです」

今まで微笑を浮べて話していた浅野さんの顔が不思議なほどまじめになったようだった。椅子から半身のり出した浅野さんは

「君は叔父さんに組合のことを話しているかネ。随分よく知っているが……」

意外な質問であった。

「いいえ、僕はべつに……」

これだけ云うのが精一杯であった。

「なあに、いいんだよ。君が叔父さんの家にいるんだから安心して話して悪いことはないがネ、しかし、鎌田君こんな事も考えられるんだ。君が恩給局のことを叔父さん話しても、ある場合においては叔父さんもお話に於

かわることにもなり兼ねないこともあるんだがネェ」

「……」

「そこで君に今直ぐとはいわないが、叔父さんに話している程度のことを私に話にしてくれないか」

今、浅野さんの一語々々が思い出されて来る。明日ある執行委員の立合演説会の模様を手紙で知らせることまで引き受けて来てしまったのである。どうして良いかその判別に迷ってしまう。呼ばれた時、「叔父さんとの話しって、ただ世間話をするぐらいだけれど」といったのであるが、事実そうだったから仕方が無い。

叔父の帰りは不規則だった。以前いっただろうか、叔父の帰りが遅いのでおばと先に食事をとろうとした所に叔父が帰って来た。オーバーのポケットから一枚の紙切れを取り出した叔父は「お前この人知っているか」と聞いたことがあった。私は「知らない」といった時叔父は一寸狼狽した様子で食卓からその紙を拾い上げポッケに入れてしまった。思い当るとしたらそんなこと位である。

「浅野さんは私に「不利な様なことはしない」と言った。不利にさせないというのは仕事の事、身分のことへの人影しか見当らなかった。窓べの浅野さんの机にはまだ何もなく、一目で出勤されていないのがわかった。ホッとした思いであったが、後の事を思えば不安でもあった。

横合から声を掛けた人がいた。声の方に振り向くとでっぷりと肥った課長の神田さんであった。「何か用か」と尋ねて来た。私は突差の事に、用件の良し、悪しの判断もつかないまま、頼まれた手紙の事を話し、封を切った神田さんは私の手紙に目を走らせた。足がガクガクし、その場に立っているのも息苦しい気持であった。「分った」読み終るや神田さんは大きくうなずけた。うしろ身をひかれる思いで部屋に帰ったが、これから後どうなるだろうか、又、心配事が出来て来た。

三、自前の生活へ

四月に入ると、大学の卒業期に入り職場の中は悲喜こもごもの姿が見うけられる。大学を卒業しても「臨時職員なんて」こんな考えをいだいている人達が多いのである。何とか自分の望む職業、それが満されずと

～9～

であったろう。

三月　×日

昨夜一晩考えたが、結論をみちびき出すことは困難であった。勤めに出ても何か普段の自分を失ったような、人目をさけたい気持が一日中続いた。とにかく明日は何らかの連絡をとらなければならない。

今日の集会に参加しても何ら変った問題もなかった。それをあえて浅野さんに知らせる必要があるだろうか、組合のことを全然知らない私に何故頼んだろう。それを承知してのことだろうか。ただ考えてみるに何で同じ職場で働いている人々のことを報告して私の利益になるだろうか。報告して、浅野さんのお気に入りになって、あわよくば「官」になりたい、そんな考えは毛頭ない。

そして翌日、　三月　×日、

朝早く報告することばりの手持を持って浅野課長補佐の部屋に行った。火鉢に赤々と炭が積まれ、時計は八時一五分を廻ったばかりで、部屋の中はまだ二、三も身分の安定した職につきたい。こうした思いは卒業する人達のみでなく、恩給局で働いている臨時職員の誰しもが考えていることである。誰々が何故どこへ就職した、こんな噂はたちまち職場中に伝波する。「あめでとう」という祝福の言葉の影には、たえられない自分を隠していたのかも知れない。反面、「卒業したんだ、恩給局をやめればどうにかなるんだろう」そんなやり切れない思いに浸りながら恩給局を去って行く人もある。

私と同じデスクで働いていた大門君も家庭の事情で郷里の宮城県へ帰るといって恩給局を去った。大門君の去った後、箱山君が配転されて来た。彼はH大学に通い、なか〱の優秀家でもある。

彼は一心に机に向って本を読んでいることがしばしばある。そんなとき、私は何という本を読んでいるか尋ねる「いやあ、これかい」とテレながら本の表紙を見せる。「社会主義基礎講座」そんな活字が目にうつる。「へエ、むつかしい本を読んでるんだネ」と思ったままでのことを云っただけで内容を話してくれとも云わなくても、彼は話すのであった。一時は迷惑にさえ思えたのであるが、しかし、度重ねる内に彼の話が面白く好深く思えて来た。

「松川事件て知っているかい、下山、三鷹、松川と続いておきた事件、あれはデッチ上げ事件だよ、この本にくわしく書いてあるんだ。読んで見ないか」と松川事件という広津和郎の本を見せた。〃松川事件〃ただ列車転覆事件としか知らない私は、真相を知るためにも読む気になった。

こうして私の知識欲とでも云うか、学問に対する欲求が強まれば強まるほど自分の生活条件を変えなければならない必要性を感じてくるのである。行き帰りの国電の中の立ち読みと、役所での休みのあいまだけではどうしてもだめであった。

叔父の家に帰れば、夕食の仕度もチャンと整いただ夕食をすませ、ラジオを聞き、新聞を読み床につく、こうした毎日の循環は恵まれた生活とは思えなくなって来たのである。

職場でみんなが集まると、下宿のことが主に話される。から五分位のところに下宿をさがすことができた。思い立ったら即座に実行しなければ気のおさまらない、気性も伴って、叔父に相談せず、下宿の主人と話を決め、敷金も入れ引越の日取を五月一日と約束して帰った。さて下宿をすることがトントン拍子に進むにつれ叔父に話す機会が失なわれた。そのたびに憂うつな気持にひたった。

今夜こそ話そうと心を決めたのが四月二十八日である。叔父の帰りは幸にしていつもより早かった。食卓をはさみ、気せく心を静めながら下宿をしたい事を話した。叔父は驚いた様子で「下宿をな……」と考え深げに聞き返す。叔父から承諾が得られるまでは、やり切れない気持である。胸に一物ある心地、それをおさえておくのは叔父夫婦に大きな疑解をまねくおそれがあるので懸命に下宿をするに至った経緯を説明した。私の熱心さに打たれたのか、安心感が伴ってか、しばらくして「そうか、知夫がそんなに考えて下宿するなら良いだろう……だが下宿はつらいぞ」これが叔父の承諾の返事でもあり、長い下宿生活への注意でもあったのである。

「今の下宿は高いや、替えようと思うんだ」「安い部屋はないかな」「今一畳千円がそうばだぜ……」こうした厳しい生活と斗いながら新しいものを求め、昼は職場に、夜は学問に……。こうした職場の友人の姿がうらやましく思えてきた。

生活条件の改善、それは自前の生活へと次々にその考えを強いものにさせたのである。

ある日、自分の月給で学校に通っている小坂さんにどの位あれば一人で生活できるか聞いた。小坂さんは克明に、通勤ヒ、月謝、食費、下宿代と紙に書いて説明してくれた。小坂さんの説明だと、どうしても月給の月給では生活ができない状態だった。この赤字をどう埋めるか聞くと、さも楽天的に「バイトで埋めるサ」といっていた。こうして出来る限り多くの人に聞いた。私には、月謝という多額な金は当座必要としないし、贅沢をしのべば生活は出来る自信が湧いて来るのである。

四月下旬、友人の工屋さんの紹介で中央線の荻窪駅

引越は簡単にすんだ。部屋を見渡すと何か殺風景でミカン箱に詰められたわずかな本と、片隅に置かれたコウリ一つ、それに寝具、これが私の全家財である。下宿とはこうも不調和な味気ないものとは想像もしていなかった。下宿の実態の知らない私に想像させてくれるその部分は、なんといっても映画の画面であった。しかし、現実の下宿の実態を見るとき、その格差が画面に調和された、美しいものとしか観客に与えないものであることができたのである。

北向に背丈もする所に一間位の窓がある。たぶん一年中、部屋に陽が入らないだろうと思えた。部屋の中はうすぐらく　ベニヤ板に四方仕切られ、湿気のおびた空気は、ベニヤ板独特のにおいを一層強く、私の鼻をつく。叔父の家とは各段の相違であるが、部屋の良悪しより、これから自前の生活を始めるのだと考えると、緊張感と共に、生活の色々なプランが頭の中に浮んでくるのである。

四、組合結成後の職場の動き

要求は山ほどある

政府は国家公務員に対する年末手当を一・二五カ月分と発表した。これに対し官公労は年末手当二カ月分を要求し、第四波の実力行使の斗争形態を組み、十一月二十五日よりその斗争に入った。

うぶ声を上げた恩給局職員組合は、組合結成大会で承認された日給三百円引上げの要求をもって、構成員十名の賃金対策委員会をつくり官公労の斗争に歩調を合せ、年末斗争体制に入る。十二月二日、当局は賃金引上げに対する回答を出してきた。それは三段階による。高卒一五円、短大卒二〇円、大学卒二五円という形式であった。しかしながら組合員は三〇〇円の要求を通すまでは後えひかないという態度で当局回答をけり、十二月十一日、庁内広場にテントを張り、長期の座り込みに入ったのである。同時に庁内デモ、局長室前の座り込み等の戦術を波状的に行い、ついに二〇円・二五円・三〇円のベースアップを認め、賃上げの斗争に一応の終止符を打たざるを得なかった。

やはり職場懇談会で主要な議題となったのは日計表廃止の問題である。いざ日計表を廃止しようと、その話し合いを始めたのであるが、早急に実行するまでには行かないむつかしさが生ずる。「日計表は業務上必要なものだから仕方がない」「そんなに日計表、日計表って神経質に云う必要はないではないか、当然自分のやった仕事は明示すべきである」「日計表があるために休憩時間さえ休まないでいる人がいる、どうしても日計表は廃止すべきだ」等々の意見がかわされた。連日のように開かれた職場懇談会で一応日計表廃止の行動を職場の一人一人が行動を行い、廃止へ進めて行くことにした。それは「日計表は必要である」という人の意見を頭からおさえるのではなく、係長が係の出来高を把握するにどうしても必要であるというならば各個人の名前を書かず一括して提出すればよいということにした。次に各自七五件以上は書かないという業務規制を実行し、日計表廃止へと漸次その方向へと進めるのである。

「こうした中で組合結成前は総務課文書や三係は「文三地獄」として暗い言葉で職員の中で表現されていた

ところで恩給局職員の1/3以上をしめる女子職員は組合結成後、早時に婦人部活動に着手し始める。十一月二十二日、土居さんの司会により、第一回の会合がもたれた。婦人部長に就任した執行部の鈴木さんが集まった人達に紹介された。「婦人は特殊な多くの問題をかゝえていますから、婦人が一つになって、婦人の意見を執行部に反映させたいですよ」（葦一号）と集った人は語る。そして婦人部は「組合が強くなり、時間の予裕が一日でも早くとれる様になったら、生花、洋裁等やりたいものばっかり、それに私たちだけで講習会、教養講座をおこないたいと思っています」とその抱負を語るのであった。

こうした婦人の問題は職場における職場懇談会にも繁栄していた。「女性のみがお茶汲みをするのは非民主的だ。これは男性も一緒にやるべきだ」男性からもこんな意見が出る。三、四〇人の人のお茶汲みを数名の女性がしていたのを、男性も女性も一緒にやることにした。

のである。がしかし、組合が出来、職場懇談会がひんぱんにもたれるに従い、文書第三係の部屋がいかにも馬小屋に似ているところから「馬小屋」と名づけられ、その表現も明るさが見られる様に成る。組合の大会があるたびに文書第三係から決議文が読まれ、名称も馬小屋一同」と必ず書かれていた。

一方恩給局は本庁を霞ケ関におき、分室を皇居の中にもっている。分室は一時わずかの人数しかいなかったが、その数も次第に増し、一九五五年の始めには一五〇名以上を数えるまでに達する。分室の仕事は六万数千冊の旧軍人恩給に関する原書の整理である。五四年五月に移った飯田君は「埃と湿気でむし〳〵する倉庫の中で、本庁から運ばれて来る原書を各ブロック別（各地方貯金局別）に整理する仕事だが、係長や課長に、にらまれて一日中机にしがみついているのも苦しいけれど、四貫目もする原書を背負い、両手にかゝえての階段の上り下りは楽じゃなかった。一そ恩給局をやめて、又議会にでも行き別な仕事を見つけよう」

かときえ聞こえたと證話あゆみに書いている。しかしながら「上司から圧迫されないで、自分達で仕事をやっていく楽しさは、いやいやながら働かされる仕事より張合があった」とつけくわえている。全室の人達は自分たちの手で生活を一つ一つ改善して行くことをやり始めていたのである。作業衣の要求、休息室の改善、そして仕事の手順や時間を上役と相談し実行に移していた。

しかしながら臨時職員という身分はその枠を越えようとはしなかった。この改善のため組合は五五年二月二十六日、人事院に対して「非常勤職員の勤務条件に関する行政措置の要求」を行ったのである。国家公務員は四八年七月政令二〇一号によって争議権、団体交渉権が奪われ、同時に「国家行政組織法」に基き旧「各省官制」に代り「各省設置法」の制定により人事院が生れた。国家公務員の団交権、争議権の制限に代り、その僅かの救済の場として認められたのが「不当処分に対する審査権」及び「苦情処理申請権」という訴願権なのである。恩給局職員組合はこの「訴願権」に基き「行政措置要求」を行ったのである。しかしながら、十五日の線による首切りと、執行部の任期改選が重り、職場には人事院提訴の論議が浸透しないまま、四月から五月にかける連休を迎えるのである。

第三章 ゴールデン・ウイーク斗争と自己の発見・職場の民主化発展

（一九五五年五月〜五五年七月）

一、有給休暇がほしいけれど――――

第二十六回メーデーは降雨にもかかわらず恩給職組からも百名を越す人が参加した。ところで職場は次々に民主化され、わだち同人、つくし同人、あるいはオンチユーラス、楽友合唱団等のサークル活動も公然と職場で行なわれ始める。しかしながら明るさをとり戻して来た職場の人達に暗い影と、強い怒りを覚えさせずにはいられない事態が生じた。臨時職員は四月から五月にかける祝祭日が無給であるという現実である。薄給な上に、減収は直接生活にひびくものがあった。

、五月十一日、組合は当局に対しゴールデンウイークを有給休暇にせよという要求を提出。五月十七日総評事務局長岩井氏が来組し、「有給休暇獲得総決起大会」を開き、大会は盛り上りを見せる。しかしかし、当局は年々その要求に対し解決の糸口を見せず、十九日組合は、非常事態宣言を発し、職場は事実上職場放棄の状態に入った。こうした中で私は組合の意義を身をもって体験したのである。

五月二十日、朝から皆仕事をしないで一つのデスクを囲んでいた。職場懇談会で決ったプラカードを作っている者、図案を考える者、プラカードに紙を張る者、その技量に応じて仕事が分担されていた。「団結」「有給休暇をよこせ」等々しっぽりと墨のつけられた筆で書かれた更紙がいつか床にちらばり始める頃、「全員広場に集合して下さい」執行委員の声が職場に響く。作業をしていた者も、出来かけのプラカードをかついで出て行く。私も広場に出ようとするところ「鎌田君、日計表をまとめといてくれよ」係長の声。「仕事をしなくても出すんですか」と問返すと、係長の云うには仕事をしても、しなくても、提出すべきものは書くのだということである。

いつか職場は静まり、係長、班長、そして私を含めた三、四人の人がとりのこされてしまっていた。あせり気味な私は日計表を書けるだけの準備を整え、広場に出た。ムシロ旗やプラカードが群集の中に並立っている。

「局長よ！交渉に応ぜよ」

「十五日の線撤廃」

ゴールデンウイークを有給にせよ」といった要求がかかれてある。中にはペリカンの絵に「二枚舌の局長」と描かれたものもあれば、出歯ぼうちょうを持った大狸がスクラムを組む組合員に立ち向っているプラカードもある。組合員をおしわけ係の人達のところに行くとようやく執行部の報告が聞きとれた。

「再三組合は局長に交渉を申し入れて来た。それに対し局長は業務多忙、国会出席の口実で一方的に交渉を拒否している」と報告がなされるや、組合員の中から「これで解散するのはもってのほかだ」「何か気勢を上げろ」「そうだ、デモ〳〵」の声が飛ぶ。しばらく時がたって、誰か壇上に立って「これから局内デモをしたいと思います」とデモ体制に入る指示がなされた。

デモも終り局長室前に座込んだ。新聞紙が運ばれ、皆それを敷いて座り込む。時間がたつに従い仕事のことが気にもかゝってくる。座込みの中からぬけ出す口術として「便所に行く」という以外にない。職場に通ずる方会は皆、シーンと静まり、廊下を歩く私の足音だけが廊下一杯に響き渡る。職場に帰ると組合員の志

恩給局と外務省の空地との境に高い土手でしきられ、そこに背丈以上もする木塀が立っている。丁度恩給側の土地がかぎ形に出張ったところに便所が建っている。その建物と木塀の間隔は大人一人位が通れるくらいしかない。帰り支度をした者は皆そこを通り、便所の裏側に廻っているようである。私もようやく裏側の狭い建物と木塀との間に行くことが出来た。三四人立ち止り何かしきりに見つめている。空地を誰か駆け逃げるようにして帰る姿が見えた。木塀の縦板が二枚はずされ、人が一人くぐれる位の穴があいている。ここが帰る唯一の道だったようだ。くぐり抜ける際に一寸でも足を踏みはずせば土手からころげ落ちそうなところを誰一人口を開く者もなく、その穴に足を入れる。足が入ると胴を、手はしっかりと横板につかまり、背を弓のようにまげて、頭を板にぶつけないように穴から抜く。私たちも同じことを繰返した。ほとんど三人は話をかわさず都電に乗り込んだ。私は組合の斗争が多くなるにつれ、塀をくぐりぬけて帰る日が多くなった。

三、賃金カットと超勤手当

したのであるが、それもつかの間、彼等から私に話し掛けてきた。「俺達は保安要員も同然だ、それを執行部はむりに俺達をデモに参加させようとする。俺達はそんなことには不満だ」と、五三年頃の炭労で起きた保安要員引上げ問題を例にして話す。私はそれもそうだと思いながら席につく。

時計は四時を廻っている。誰一人職場に帰る様子もない。青ざめた顔で、係長が駆け込むようにして職場に入って来て、班長を呼ぶ。席にもどった班長は「今日は早いけれど帰りなさい」と私達にいう。私は〃正門や裏門は組合の人たちがピケを張っているのに帰れったって、帰れっこないじゃないか〃そんな事を考えていたのである。すると尼津田君も、菊波君も帰り支度をして「帰ろう」という。〃大丈夫なのかな〃そんな不安感を抱きながら支度をして廊下に出る。他の課、係の人たちも帰り支度をして隠れるように便所の方に行くのが見えた。

六月八日は月給日である。平常の給料日であったならば二時頃には各自に渡されたのである。がしかし、四時を廻ってもまだ給料が出る気配がない。給料を待ちきれず騒ぎ出す者さえいる。その騒ぎも次第に静まった。ようやく給料が渡され始めたようである。もらった給料は以外に多い。不思議に思えその明細を見ると〃超勤手当〃がついている。この一カ月組合の手前で超勤をした覚えはない。咄嗟に不安な予感を覚えてくるのであった。

職場も静まったのも一瞬のことであった。執行委員の中山さんが職場に駆け込んできて「ちょっと、聞いて下さい」両手をかざして職場の人達を制し、意外なことを語り始めたのである。渡された給料が各課で引かれているということであった。「賃金カット」「そんな馬鹿な、誰がつけたのだ」「おい給料袋を集めろ」そんな声があちこちから起る。私は賃金カットというその言葉が全身に響き渡る気持。すばやく袋から金を抜き出し、屑籠の中に給料袋を捨てた。職場の大部分の人が賃カットをされているこの現実からのがれることが出来るのは給料袋を捨てた方が良いと判断したからだ。

三谷君が集めた給料袋を手に、机の脇にたゝずむ、私に近より「鎌田君」と手を差し出す。「捨てちゃった」ドギマギしながら云う。

「そんなことという、皆んなこうして出しているんだから」

三谷君は集めた給料袋をふりながら真剣なまなざしで私を見つめている。私は捨てたことを頑強に云い張ったのである。二、三人の者が「何だ〳〵」といゝながら私たち二人のところに近ずいてくる。瞬間、私は机の脇に置かれてある屑籠から給料袋をとり出し三谷君に無言で渡す。しわくちゃになった給料袋を見つめた彼は「そうか、鎌田君こんなことにこだわっていたのか、心配するな」と意外な言葉を口にしたのである。三谷君はこういう事態を承知していたように、微笑を浮べて私から遠ざかって行った。

その後、職場の人々は、係長のところに行き、誰が

三谷君が議長して、私の仕事の問題を出す。それに加えて私が仕事全般のことを話す。私に対して皆、非難するだろうと想像は、思いのほか、皆真剣に聞いてくれ、真剣に考えてくれた。「そうか僕等は全然知らなかった」「そんなに忙しいのか」「それを三人でな」と驚いている人もいる。又、「鎌田君が大会や、職懇に出て、仕事が出来なかった時にや、誰かゝ手伝うとしたら……」「もっと人数を多くする様、係長に云ったらどうか」と意見もだす人もいる。私は有難かった、「決起大会や、職懇に出るようにします。人員を増す問題については色々と問題があるでしょうから、もう少し考えてもらったら良いかと思うんだけれど……」と、私の問題で係長と紛争するのをさけたい、そんな気持も伴ってつけ加えた。

職場懇談会のまとめは〃私が決起大会、職懇で仕事が忙しくなった場合は、手のすいている人が当分の間手伝う〃ということになった。保安要員というものがこのようなものでないことがわかると同時に、語話すれば、一人で悩み、苦しまなくとも、良いんだと思えて来るのである。

〜214〜

離席メモをつけたかを問い正していた。こうしたことは、各職場で行なわれ、八日以降、それが明確になるまで係長、課長、そして班長に至るまで抗議が行なわれたのである。普段おとなしい人までが、係長にくってかかっていた。この姿を見ているのはつらいことであった。

私は、いつか志津田君達が言っていた保安要員といっていた言葉を思い出された。その時はそうだと考えたが、賃金カットの問題が起った以降本当に自分のしている仕事が保安要員と同じような機能をはたすか疑問となってきたのである。一度、三谷君に話しようと考え、私の仕事の全般的なことを話し、"仕事のしない日でも日計表は提出しなければならない"と係長からいわれた事まで話した。三谷君は「個人的な意見を云ってもしょうないと思う、どうだ職場懇談会で話してくれないか」と云った。皆の前で話すのはいやだったが、何か私の事に誤解の目で見ている人もいるのではないかと考え、承諾した。

三、職場の動き

サークルの発展と、職場問題の普及

ゴールデンウイーク斗争は局長が病気とか、国会出席という理由で恩給局に出勤しないため、事態は長期化するに至る。それに対し当局は事態の拾収をはかろうとせず、争議に官憲を介入（六月二十日三十日）させるという態度にでてきた。

ところで、皇居内分室の組合員は本庁で開かれる決起大会、報告大会に赤旗を立て、むしろ旗をひるがえし、インターを歌いながら大手門を出、隊伍を組んで参加した。「皇居内でインターが歌われ、赤旗がひるがえったのは有史以来のことだろう」と参加した一人は語っていた。

このゴールデンウイーク斗争の真最中、六月二十一日、恩給局職員組合第二回文化祭が人事院ホールで開かれた。第一回の文化祭は一九五四年の暮、二十五日、庁内、庁隅のガレージで行いかけたのであるが、官憲に介入され最後まで行えなかったのである。しかし、

第二回の文化祭は土曜日にもかゝわらず白地の鉢巻に紅で「団結」と染めぬかれた鉢巻をしめた組合員が会場をうめつくすほど参加した。文化祭まではサークルもはっきりした名称をもつものは二、三しかなかった。他の出演する団体は単なる同好のグループでしかなかった。ところが文化祭を契機として、白鳥劇団、劇団熊ん蜂、日ソ親善協会恩給支部、あるいは華道サークル等々が生れたのもゴールデンウイーク斗争の特徴も云える。

一方恩給局の臨時職員の問題は政治的及び国家行政的側面から全国的にクローズアップされ始めたのである。六月四・六日の両日恩給局局長は衆参両院の内閣委員会に恩給局争議について喚問された。その中で石橋政嗣委員が恩給局臨時職員の勤務条件について質問した中で、局長は「ただいま問題になっている紛議を起して参りました直接の原因となっておりますのは、四月二十九日、五月三日、五月五日の三日間を有給にしてもらいたいという要望が出されて、それから起っているのでございます。(略)主管課長でございまする総務課長は、当日即日会いまして、約一時間二十分

日、二日役所に出ませんでした。これは組合の諸君も非常に興奮していることであろうし、(略)また再び好ましからざる事態に立ち至ると考えたので」あると答えている。続いて石橋委員は他の官庁の臨時職員に比較して恩給局臨時職員の給与の「劣悪な条件」蚤ってあるところに問題の絶え間のない原因があるじゃないかと思うのでありますが、まずこれを妥当な線だと考えておるか」の質問に「恩給局の臨時職員よりも、今石橋委員が指摘せられておりますごとく、給与のよいところもあるかと思いますが、またそれと同時に恩給局の臨時職員より給与のよくないところもあるのでございます。(略)私は決して恩給局の職員の給与が非常にいゝものであるとは思いませんけれど、今石橋委員の仰せられたごとくに、特に劣悪なもの」とは考えていないと答えている。そして十五日の線の問題について臨時職員は本職員に比較して事務の経験もない、事務能率も落ちる。沢山の恩給業務を急速に処理するには業務の簡素化が必要がある「その結果といたしましては、それぞれの事務に携わっているところの職員が長く休む、あるいは出勤常ならずということになり

~15~

たのでございます。主管課長といたしましては、かゝる要求は人事院規則の十五の四によって禁止されていることでございまするので」この要望に応じ得ないと答えている。又五月二十、三十日の警官の出動に対し「正常な状態に復した上において話をするようにしてもらいたいということを説示したのでありますがなかなか聞き入れるところとならずして、結局夜の九時過ぎまで至ったのであります。夜の九時になりましてもなおそういう状態が続きました結果、次長、総務課長はやむなく翌日の仕事のことも考えまして、警察の保護願いを出して帰らざるを得なくなった次第であります。（略）そして次長、総務課長はもう遅いから帰る。帰してくれ、こう云ってもなかなか帰してくれない。それでやむなく再び十二時過ぎに警察の保護願いを求めまして、そして次長、総務課長は帰ったような次第でございます。私はこの事態を聞きまして、非常に遺憾に思ったのでございます。それで私は三十一日と一でなくして一連の事務全体が渋滞してくるような結果になるのでございます（略）そういう結果といたしまして産業の当のないような方につきましてはやむ無く産業の当てのある者と変っていただくような措置をとろう」と十五日の線というものを考えたと答えている。（以上内閣委員会議録二十八号より、五五年六月六日）

局長はこのなかでことごとく、政令、法律、あるいは予算、業務等に転嫁し、職員の実態を知ろうという気がまえをもとうとしない態度がよくうかがえる。

こうした問題のあった矢先の七月十八日、人事院は先に（二月二十六日臨時職員の待遇改善の行政措置要求）要求していた判定を行った。

その内容は、

一、辞令を交付し雇用条件を明かにすると共に、解雇にさいしてはなるべく理由を明示すること。

一、現在の給与日額を若干増額すること。

一、昇給を行うこと。

一、有給休暇のほか、選挙の投票などの場合に休暇を認めること。

一、解雇の基準、業務管理の方法等の運用に留意すること。

一、組合活動については正常な労使関係の樹立につとめること。

一、臨時職員のうち、恒常的な業務のため、在を相当期間継続して雇用の必要がある者については、それを常勤化するよう考慮すること。等であり。この判定を知った組合員は小おどりして喜び、ゴールデンウイーク斗争として長期斗ったその結果なのだという実感が各自の胸の中にあった。日本経済新聞は十八日夕刊で「有給休暇と給与増額」「恩給局臨時職員に、人事院判定」と報導し、翌十九日、朝日新聞が「昇給、有給休暇を認めよ」と報導している。朝日新聞の要旨は「人事院のこんどの判定は根本的な解決にはならないまでも、とりあえず非常勤職員にからむ問題に対する一つの判例となる」ものとして注目すべきであると書いている。そして「人事院規則を、非常勤職員に対しても労働基準法に定める有給休暇を与えるよう改正する予定である」と加えている。

人事院判定は法律的な拘束力がないにしても、恩給局職員組合に新たな活動の足場をつくり、組合員の確信となり、勇気となって判定履行の段階を迎えるのである。

（完）

職場の歴史

19 60'8.

職場の歴史をつくる会編集

職場の歴史

目次　一九六〇・八

発行人、東京都新宿区戸塚町三の三〇五
竹村方　職場の歴史をつくる会
竹村民郎

声明

職場の歴史をつくる会は、岸内閣と自民党による五月二十日未明の安保条約の強行採決に抗議します。

権力と数の力による民主主義の破かいにもかかわらず、岸首相は一身をなげだしても民主政治をまもる決意が必要だといっています。わたくしたち国民は、岸首相とその徒党が日本の民主主義についてかたるなんらの権利も、資格もないことを主張します。

審判は国民がすることこそ、まさしく国民の権利であり義務であります。いまや二千万余の日本国民が岸内閣打倒と日米軍事同盟締結破棄のたたかいにたちあがりました。ただちに岸首相の退陣と国会の解散を要求する声なき声はひびきあい、巨大なさけびとなりつつあります。

職場の歴史をつくる会も、この怒りの大行進にさんかし、ファッシズムの見えないあみを全国のあらゆる職場や家庭、町や村にはりめぐらそうとする陰謀をてっていてきに追及してたたかいます。

〃国民は政府よりかしこい〃わたくしたち日本国民はテロやリンチをともなう一さいの弾圧にその叡智と団結の力でたたかい、かならず暴政をたおして、世界の平和を熱愛する人民と握手できる日をむかえることができるでしょう。職場の歴史をつくる会も、そのたたかいを最後までつらぬくことをここに声明します。

一九六〇年　六月

職場の歴史をつくる会
代表　竹村民郎

自分の歴史をつくる今日的課題

労仂者のみなさん、都民、科学者、学生のみなさん。五・一九、五・二〇、六・四、六・一〇、六・一五、六・二二とわたくしたち日本国民は岸内閣打倒、安保阻止のたたかいをすすめてまいりました。

戦後史の大きな日付の一日一日は、国民各層のあいだに見事な協力関係がつくられていく過程でもありました。安保阻止国民会議では、安保条約廃絶のたたかいにそのエネルギーを継続、発展させていくために、学者文化人学生の協力による帰郷運動の強力な展開と労仂者による故郷へのハガキ運動を提案しています。帰郷運動の展開のなかで真実が伝えられ、すすんだ都市と、おくれている農村の矛盾がただしく発展することとも平行して、国民の思想変革が飛躍的にすすめられる必要があります。

職場の歴史をつくる会においては、自分の歴史をつくる運動の経験を生かして、五月、六月のたたかいの記録を自分の歴史として書くことを訴えます。わたくしたち自らがさんかしたたかった偉大な斗争を、その内部から記録し現代史の證言の一つとしておくことは、自分の考え方を整理する契機となるばかりではなく、抵抗の思想を国民のものとするうえで大きな役割をはたすでしょう。

労仂者、都民のみなさん、科学者、学生のみなさん、自分の歴史を書く運動に参加してください。職場の歴史をつくる会はその仕事をすすめるためセンターとして、皆さんのお役にたちたいと考えます。御協力をおねがいします。

特集　たたかいの記録
―自分の歴史の前進のために―

組合旗―六・二八の記録

田畑　健

「本部の指令にはないのだから、支部旗はもっていかなくてもいいよ」と書記長のMさんはいう。

「このまえのときも、本部の旗だけでうちの組合はさびしかったからもっていった方がいいと思うんですけど。自分がもってかえりますから」と私―。

たたかいの歴史のない組合旗。メーデーの時以外はお陽さまの顔をみないで　ほこりにまみれている組合旗。その組合旗を、昨夜残業のあとで　おそくまでかかってつくった三本のプラッカードと共に、手当でかりだされたのではない八人の仲間と「キシヲタオセ」のデモにもっていけるのだ。

四年前の砂川のとき、学生の一人として参加した私は、そのなりばかり大きい組合旗をみてどんなにはらがたったことか。大衆動員もせずに　幹部のうちのわずかばかりしかきていないのに、組合旗ばかりがデカイ面をして。

あれから四年間、私が組合旗をかつがないメーデーはなかった。旗手にまで手当をだしていたのだから……。

警視庁まえで「不当弾圧反対」をさけんで抗議した私たちのデモ隊は、道路いっぱいにひろがる「フランス式デモ」で銀座通りへとすすんでいく。まえは全造船、うしろは電機労連にはさまれた「全国ガス」

の行進はいたっておとなしい。まえの方は全造船のうた声に、うしろの方は電気労連のシプレヒコールにとわけられてしまう。旗をもっているだけの、交通整理をするだけのわたくしたちの幹部。デッカイ面をしている先頭の本部の旗は、四年前の砂川のときの旗。シンガリにいるわたくしたちS支部のやゝちいさな旗は自分たちの組合旗。おとなしい隊列のなかで、わたくしたちの仲間は「アンポ」「ハンタイ」「キシヲ」「タオセ」とさけぶ。きよう、わたくしは組合旗をかつがなかった。ビルの窓から、紙吹雪をまいている「仲間」にたいして、いまA君が組合旗をふってこたえている。これからも、あたらしい仲間がつぎつぎに組合旗をかついですすむことだろう。

このたたかいの一こま一こまのなかで、いつか本部の旗の色にも職場の仲間の血が本当にかよってくるのだろう。

◇

◇

一九六〇年六月一六日

竹村民郎

雨季の東大構内、あつまる広場をもとめて学生、職員の数は時のながれとともにふえていく。

一九六〇年六月一六日、正面の時計台は一時をさしている。雨にぬれるいちよう並木のしたを、ム、J、T、そしてE、M、各科の学生が学友の死に抗議する集会にいそぐ。

学生たちの顔には、人民をつきはなすごうまんさや、石づくりのずっしりとした建物の重圧にかくれて、自らを人民とかくりしようとするような気配はいさゝかも感じることはできない。

六月一六日の東大構内、そこには帝国大学のくらさはぬぐわれ、人民の大学だけがもつことができるきびしさすらよみとることができるのである。

会場の〇番大教室は熱っぽい人いきと、しめった雨具と運動のたゝかいによごれた、はだ着のすえたにおいとでむっとして息ぐるしい。だがだれも動かない。"にくしみのるつぼ"の合唱がおもいバスでわきおこる。

"屈じょくの歴史
その日とずる
最後のたたかいを
たたかいぬかん"

"真紅の旗を見よ
しかばねの
きずき在すとりでに
ひるがえる見よ"

はだか電球がチカチカするうすぐらい石廊下のすみで、わたくしの問いにこたえて学生が言葉をかむようにかたる。

"組長も教官も助手も事務職員も作業員も、この学園のすべての人が一つのひろばをつくって話す日が今日です。しかし　時計台の下の安田講堂は入学式と五月祭のほかはひらかずの講堂です。もちろんわたくしたちは講堂で全学集会をひらくことを訴えました。しかしこのねがいはいれられませんでした。ひらかずの講堂、そして教官の集会と学生大会とがべつにひらかれているのが東大の現実です。"

いちょうなみ木正面の時計台の下は戦前も危難に抗したひろばであり、一九六〇年六月一六日もまた怒りのひろばである。時計台の針が五時をさすころひろばから、き章をつけた赤旗を前に、教授、職員学生が一隊また一隊と列をくんで国会へ出発していった。黒いかさの行進があとからあとからつづく。雨はまだ止みそうにない。

五月二十日未明

清水澄夫

わたくしの働く職場は国会議事堂と隣りあわせている。安保条約改定を阻止するたたかいが全国的なひろがりをみせるにしたがい、統一行動が回をかさねるにしたがい　たたかいの規模は大きくなってきた。それをよく知ることができるのは、国会におしよせる請願をする人の波でよく理解できた。

労働者、学生、そして色とりどりのタスキ、ハチ巻をしめた地方の代表、さらには商店の人、学者研学者、一般市民と、その数は次々にましてきたのである。まさにまわりだした歴史の大きな歯車をいかなる権力をもってよくあっしようとしてもおさえることのできなくなった五月十九日、政府、自民党のとった暴挙に激しい憤りを感じたのであった。

わたくしはその日のメモにこう書きしるした。

「この日、日本の平和と民主々義を守るたたかいに、世界の平和を愛する人民のたたかいに大きな転換をもたらした。」と。

この日、午前十時頃になると雨はポツリ、ポツリとふりだしてきた。職場では、重大な局面にさしかかっている情勢を都民の一人でも多くの人に知って頂くため、独自に駅頭にで、訴えようとその準備をしていた。

その頃、院内に右翼とめぼしきもの、約二百名ほど入っていると誰が知らせるともなく耳に入ってきた。わたくしたちはこのことに、ただむやみに憤りを感ずるのみで、十九日という日が、そして不確定な要素にしろ、右翼が院内に入っている事が、どうした事態を引きおこすものか、正確な情勢分析をもできない状態のなかで駅頭署名に出る準備に忙殺されていたのである。

三時、ラジオのニュースは、会期五十日間延期、安保特別委員会審議打ち切りという自民党のうごきを報じた。朝からの一連の院内の緊迫した情勢をこのときわたくしたちに、その重大性を理解させたのである。

〃駅頭署名を中止し、この重大な情勢に国民会議へ総評からなんらかの指示がくるだろうから、その態勢をとゝのえておくべきだ〃という意見、他方情勢の把握（理解）がたりないためか〃署名も重要だ、いずれ二手にわかれるべきだ〃という意見も出た。いずれにしろ、あとでみる結果をきたすだろうとは誰しも情勢を読んでいなかったのである。

総評より電文の指示が来た。結局、国会に動員することに決める。

五時の退庁ベルが庁舎全体に鳴り響く。一時降りしきる雨の中を、いつもと同じように職場の人は急ぎ足で門を出てゆくのが見えた。

緊急の時態に、雨傘をほとんど持たない二十数名の職場の人が国会動員に組合事務所に集った。

全員が国会にでた後、私ひとり事務所にとりのこされ、二十日の実力行使にそなえるため、その夜の情勢を適確に職場の人に知らせようとニュースを聞きながら早職場の人にくばるビラの作成にとりかかった。

七時・八時、ニュースは国会に労仂者、学生が集る情況を報導する。くらさを増した庁舎内はぶきみなほど静まり、その静寂をぬって、ゴウゴウと国会をとりまいているデモの足音、シプレヒコールがぶきみなほど事務所の窓をゆすった。

十時誰一人と帰ってくる者もなく、国会に労仂者、学生、民主団体等の人々がぞくぞくおしよせているけいせいの中で、私はきわめて情勢が重大なところにきていることを悟った。ビラを作りあげた私は外に出た。

カメラの閃光は、黒々と続くデモの波を一瞬、闇より浮きぼりにする。装甲車、ものものしい武装警官のバリケートが黒いかたまりとなって、国会正門をかためていた。そして、警視庁トラック二十数台は、バリケートを作って国会議事堂をかためている。

国会に集った労仂者、学生、政党、民主団体の人人は、衆議院議員面会所から、参議院議員面会所までいっぱいにうめていた。

十一時五分　院内に警官導入
十一時五〇分　自民単独で会期五十日間延長
零時五分　新安保条約衆議院通過

この一連のできごとは、集った人々が知るまでに多くの時間がかかった。十時五〇分時の経過にはち切れるほど興奮した状態が次第にもりあがってきた。

「安保はもう通っちゃった」そんな学生の声。

社共両党の国会議員の興奮した姿が宣伝カー上より何か叫ぶ。学生の中からバ声が乱れとぶ。

「安保は通チャッた。学友諸君、われわれは警官に社会党議員がゴボウ抜きに合っている時、なにをしたか……。安保は通チャッたのです。われわれがそこでなにをすべきだったでしょうか……」そんな声。

また、労仂者、学生の中から「統一を守ろう」「国民会議の方針をまとろう」「静かに聞こう」そんな声。こう叫ぶ労仂者や学生にくってかかる学生…。

わたくしは、五月十九日の夜のこのこうけいを、この憤りをどう言葉にあらわしてよいかその総べがわからない。

だが五月十九日、二十日未明を期して全国にわきあがった、平和と民主主義を守る斗りと、政府、自民党に対する憤りは決して忘れないであろう。

国民についての対話

高橋秀夫

五月下のこと。新安保条約の批准が強行された直後、私は所用で五日ばかりの旅にでた。

その行きの車中でのことである。

私のむかいに板橋区で三十人ばかりの工場を経営し、印刷用のインキを作っているという、旧高専出の五十前後の年配の人とむかいあってすわった。

どちらから切出すともなく、安保のことが二人の話題になった。

以下はその時の話の一こまである。

（一）

「安保阻止国民会議というのが中心にあるようだが、私にいわせれば、この国民会議という名が気にくわない。

だいたい国論が大きく二つにわかれており、反対するのはその一方の側だ。

それなのに〃国民〃という名称はけしからん話しである。それに近頃は区内でも、何か事があると区民大会といったものを開くようだが、きくところによると、大抵二、三百人位しか集らんで区民大会というのもおかしな話だ。

私は国会には（デモに――高橋註）行ったことはない。ただ家でテレビでニュースを見るだけだがプラカードの中に〃――会有志〃というのがあった。あゝした有志というのが本当ではなかろうか……」

そこで、話は引続いて、国民とはどういったことなのか、また国民ということばから受ける感じといったことをいろいろ二人で話しあった。

戦争中の〃国民総動員〃といった、当時の国民、即ち一億一心といった時代の思い出。

国民の一人として請願運動に参加するといった意味での国民など、二人で〃国民論〃をおこなった。

安保阻止国民会議の〃国民〃ということばに抵抗感

を持つ人のいることを知ることができたのは、私にとってよい勉強になった。

(二)

その時の話しであるが、その人の近所に小さなお店をやっているとのこと。

その店の人は、練馬の方に住居をもっており、ふだんは通ってきて仕事をしているとのはなし。

六月四日の統一行動の日の朝のこと。

いつもより一時間もはやくそこの店が開いたので一寸声をかけてみた。

そうしたら「今日は交通の混雑があると思って去晩は店にとまった」という返事。

「では、安保についてはどうか」と問うたら

「岸さんもあんなひどいやりかたでは、すこしばかりの迷惑は仕方がないでしょう」との返事。

不平の一言も出ようと思っていたのがその返事、すっかりびっくりしたという。

かさねて、「問題のそもそものおこりは、安保条約の改正からみなもとを発しているのだが、それについてはどうか」と問うたところ

「その方のことはよくわからないが……」

「まあそんなもので、国民の盛上りなどといっているようだが、一体どれだけの人が本当に条約のことなど理解して反対しているのかね。私には一種の流行みたいに、わいわい調子にのってさわいでいるように見えて仕方ないんだが……。

何十万のデモといっても、どれだけの人が本当にわかっているんだか……。

もっとも、そんなことを云うと、国会の様子を実際見てきた人からは、テレヴィなんかで見るよりはそれはそれは迫力があって……。

あの空気を実際にふれなければわからないよとも云われましたがね」

「……」

たしかに、安保の問題をよく理解するといったことはむずかしいことです。

しかし、ここで彼が話してくれた小さな自分のお店をもった人といった人たちのような、労働組合などのように組織を持たない人たちに広く訴え、理解してもらうにはどのようなことが必要かといったことも考えさせられることです。

反対せねばという運動がおこってからの呼びかけ運動からだけでは、どうしても一面的になりがちであると思う。

日本の現状では、どうしても、小集団の日常のサークル的機能といったことが現段階ではどうしても必要ではないかと思う。

こうした場合、一般市民や、農民といった場合には、一層の困難さが存在するが、それについてはまだまだ十分なものを持ち得ていないように思う。

安保斗争にさんかして

渡辺 晃

色々感じたことがありますが一つだけ書きたいと思います。

それは居住地域における安保にたいする斗いということです。幸いに僕は合計五、六回居住の人々に接する機会を得ました。

第一回は多分三月頃だったと思います。日曜の午后、四時間位、一軒一軒署名帖をもって歩いたのですが、この時は四時間で四名の署名だけでした。

第二回も、五月初旬でしたがやはり　あまり大きな成果を得られませんでした。

その後、五月十九日以降の居住署名では大部違ってきました。

やはり同じ時間で三〇～四〇名又は六〇名の署名参加を得ました。

安保反対の大衆行動が進むにつれて居住の人々の考えもそれと平行して進んでいるのがよくわかりました。

しかし痛切に感じさせられました、それは、非常に多くの未組織労仂者及び一般都民の要求にどう答えるか、それと同時に組織労仂者の斗い方、又は役割ということ――

労仂者の度重なる実力行使が完全と成功したということを考えるならば、なおさら未組織労仂者、一般都民の問題、組織労仂者のたたかい方は、今后のたたかい方について、充分に考えなければならない点だと思います。

居住には、五月十九日以降においてもまだ一度も安保の話し合いが行われていないところ、又、一枚

（10）

のちらしも入っていないところが大部ありました。

現在、安保阻止共斗会議の下部組織が全国で二千以上作られているとのことですが、これはまだまだ少ないし、又、民族独立を達成するための役割を充分に果しているとは云えないと思います。

今労働者の組織は大弾圧を受けようとしていますが、これをはねのける力も組織労働者と未組織労働者、一般都民の団結がどの程度進むかにかかっていると思います。

歴史的な斗いに参加できるよろこびをもって職場の歴史をつくる会に送りたいと思います。

五月十九日以降考えたこと

岩浪忠夫

五月二十日以降、わたくしはいそがしい仕事におわれながらも、電車のなかや町のかどで、手当り次第の新聞を買いあさって、国会の中の、国会のまわりで起っている事件のニュースを読みふけった。これだけの国民の反対に一層暴力的に対してくる岸内閣と自由民主党に、生れてはじめて――こちようなしに本当に生れてはじめてのいきどうりさを全身に感じていた。生活にしばりつけられ、国会のまわりの怒りの行進に参加することのできない自分にもどかしさを感じながら、せめて夜だけでもと思い会社のひけた九時頃から一人で国会のまわりをうろついたこともあった。

たまたま私たちの工場で一人の従業員が機械の歯ーユに足を引きこまれ指がこなごなになるという事件がおこった。事務所で留守番していた私は、知らせをうけて、あわててほうたいのたばを三つ四つ、つかんで現場にかけつけた。激痛のため半分失神状態の従業員の足をだき、ほうたいを巻いた。かーぜが見る見る赤くなってゆく。三、四人でだきあげて救急車のなかにはこびながら、わたくしは後で重役が報告を聞いて云うだろう言葉を想像した。

――まぬけなやつだ――或いは――のろま――。以前から安全装置をつけてくれという申し出があったのに重役はそれをつけなかったのだ。今まででも彼のいうことはきまっていた。

わたくしはそれまで、職制あるいは重役にたいする恐怖感をどうしてもおさえることができなかった。やること、云うことはみな同じだと思った時、そうした卑屈な心の動きがいつのまにか岸や、自民党にたいするものと同じものに変っていた。――このまま卑屈に一生を終っちゃならない。わたくしはそう思いつづけた。

そんな時にむかえたのが六月四日の統一行動だった。今度はやるだろう。賃上げの時とちがって妥協しないだろう。そう思った。しかしその反面安心して彼らにまかせておけるという信頼を感じた。会社の同僚は明日はタクシーにしようか、バスにしようかと迷っていた。私は、明日は約束の七時にはきっと彼らはピケをとくだろうと思っていた。四日、いつもの時刻にうちを出て駅に行った。わたくしは何の苦労もなく電車に乗った。電車のなかで自分も統一行動に参加したような喜びを感じていた。

樺さんが殺され、アイク訪日が中止になったとき、わたくしは数年前にみた"ひめゆりの塔"という映画を思いうかべた。他人にたいする愛情をつらぬこうとして行動すればかえって自分の死をまねく。"ひめゆり"の少女たちも樺さんもこのようにして死んだ。今は一かけらのセンチメンタルリズムもゆるされない非常の時代だと思った。それにもかかわらずわたくしたちは非情な物質的な力とたたかって人間らしさを保たなければならない。これから日本の国民は一層苦しいたたかいを経験するだろう。しかしそれと同時にアイク訪日中止は、わたくしにも勇気を与えてくれた。これから日本人はまがりなりにも一本立ちになるのだ。わたくしはそう思った。

こうしたなかで、わたくしに一つ気がかりなことがあった。郷里の村の農民や、わたくしの家族たちはこの事態をどう見ているかということだ。おそらく無関心か或いはあらわな反感を都会の労働者や学生にむけているだろうということだ。当時の新聞にも地方の農民の動きはほとんどのらなかったし、吉田元首相は日本の農村があるかぎり保守党は大丈夫だとうそぶいていた。数日後、わたくしの想像が当っていたことを新聞や、会員のたよりで知った。七月六日の朝日新聞夕刊のひととき欄に木村さんという一主婦が書いている。

「茶ノ間や田んぼのあぜ道でも、安保に反対する意見はなぶりものにされがちな事実、テレビにうつる国会周辺の学生たちや、デモ参加者は、ある陣営からたいそうな日当をもらっていると本気で思いこんでいる事実」

わたくしはこうしたことがみな有りうることだと思える。日本がてんで本当に一本立ちになろうとするなら、農村のこうした状態をどうにかして変えていかなければならない。

今、民主主義を守る運動が長期的な見とうしのなかで再編成されようとしているとき、わたくしもまた自分の郷土を変えて行くことをその仕事の一つとして、このたたかいに参加しようと思っている。

農村で感じたこと

山形　岩淵　健

六月一九日、午前零時三十万と称される大デモの行なわれた夜、安保新条約は国会で自然承認され、六月二十三日、極秘の中で批准書の交換が行なわれて、ここに日米安保新条約は発効してしまった。

岸自民党は二千万国民の請願を無視し、警察権力と議会での多数を盾として日本の民主主義をふみにじりファシズムへの道へ大きく前進した。われわれ国民の反対も、五月十九日の議会での単独採決以来の相つぐ抗議も、デモも、そして一人の学生の死に数百名の負傷者の血にも、岸自民党は一顧さえも与えていない。岸自民党はそのむき出しのファシズムの正体を国民の前にさらけ出したまま既成事実のつみあげにやっきになっているようである。今、七月九日、この筆をとっているとき、ラジオのニュースは後継首班をめぐる自民党内の争いをトップに報道している。それは国民にとって、なんと空々しいひびきをもったニュースだろう。岸氏は遂に引退することになった。けれども一人の岸の引退は自民党の崩壊を意味しない。いな、それよりも一層強固な反動勢力の再編成を意味していよう。

六月十五日の事件は日本国民全体にさまざまの反響をよびおこした。けれども岸自民党は時間の経過を共にそうした事件の記憶が国民に忘れさられるであろう。という期待をもっているに違いない。しかし僕等は忘れないであろう。昭和三十五年六月十五日を、そして六月十九日、六月二十三日のことを。

僕は六月十五日、六月十八日、六月二十二日等々の統一行動には参加していない。僕の具体的行動記録は何も残されていない。また僕の見た範囲も限られている。そうした報告は東京から見たら何という悠長なと思われるものなのかも知れない。けれども僕はやはり筆を取った。それは日本の東北農村及び小都市における安保問題の受け取られ方の一端の記録という意味である。

僕の接触し得る範囲は庄内農村の一部の人々及び市の商店員、それに公衆の集る場所での人々（会話として）である。一言でいえば　これら僕の周囲の人々は、安保も岸も全て肯定している。あの連日デモの行なわれていた六月十五日以後六月十九日迄の間に僕はある農民のこういう意見を耳にした。

「全学連の連中は日当をもらってデモに行っているそうじゃないか。金だよ。金の力がなくてどうしてあんな騒ぎが出来よう」、この人よりはより知識のあると思われるもう一人はこう云っていた。「彼等（全学連）の中の半数位は確かに日当をもらってるんだ。けれども、あとの半数位は真面目な学生なのに違いない。そういう学生がデモに参加しているということはやはり意味のあることだろう。岸さんはこうなる前に解散すべきだった。（つまり六、一五の流血のこと）解散しても自民党が一党になることは　はっきりしてるんだからね」

一般に、農村における政治的問題の知識の源泉はたいていが新聞、ラジオであるがその根底には、年数回開かれる地元出身代議士（自民党が圧倒的に多い）の時局講演会の話が生きている。「日本が非武装の国になれば、中ソは日本を赤化する。我々は中ソを攻撃しようとは思わないが、中ソが日本を侵略しようとしたら、日米共同でこれにあたるのだという態度を明確にすることこそ、日本の赤化をふせぐ唯一の方法なのだ。安保新条約はそういう意味で絶対必要である。中ソが日本の工業力を欲していることは明らかなのだ」こういう論理が多くの農村中堅層の人々にしみついている。自民党代議士の言葉をそのまま信じているのである。

六月十五日以前から続けられているデモには多くの農民の口から「東京では毎日騒ぎがあるそうだ」「岸さんも大変だ」ということが云われていた。けれども、六月十五日の事件はそれが積極的に岸自民民党の悪政の象徴としてうけとられはしなかったとしても、今まで岸を擁護していた人々を沈黙させたことは確かである。自民党を公然と支持する人々は声をひそめた。婦人層は事の善悪よりも、女子学生が殺されたということで学生に同情している。特に新聞で大きく書きたて週刊誌でも一斉にとりあげたのでこの女子学生の死ということは大きくひびいた。ただその同情がそのまま反安保の声ではないということである。

十六日、鶴岡市内に山形大学の学生の岸内閣退陣学生救援カンパ、安保反対と叫ぶ募金の姿が見られた。社会党の宣伝カーが街を走るのも聞かれた。

十八日には、市内で共産党の街頭演説が行なわれていた。足をとめて聞く人は一人もなかった。先のカンパにも応えている人は五分間位見ていたが一人しかなかった。

僕自身のことになるが、僕は十五日は勤務満了の日に当っていた。そして学校では運動会が開かれていた。翌十六日から十九日まで僕はフリーな立場の人間になっていた。

十六日、朝七時のニュースでデモ隊が国会周辺で警官と乱斗し、死者一、重傷五百名とつたえるのを聞いて僕はがく然とした。警官の暴力に見舞われたことはないがその記録はたいてい知っているので、そうした僕の知っている暴虐の記録に更に輪をかけたような事件の発生に僕はりつ然としたのである。アイク訪日中止は夕刻のラジオで知った。

「アイク訪日がなければ岸内閣は崩壊する」山形新聞に大きくかかれたのはつい十日頃のことであった。そのアイク訪日が中止になった。その日鶴岡市議会は「安保促進、アイク訪日歓迎」の決議を可決した。社会党員がアイク訪日延期の現在、この決議は無意味と主張したが、市議会、自民党は延期は中止でないからという理由で通過させた。

十八日、山大農学部教授代表は市議会に公開質問状をおくり、「安保成立後中小都市が安全であるという保障があるかどうか」とただした。市議会の回答は発表されていない。

現在、僕はまた当分の間、中学の講師として勤務している。僕一流のロマンチズムなのかも知れないが、僕は限られた時間に僕の接しうる生徒達が考えるように話している。それが彼にできる唯一の行動である。具体的な行動ができないが、正しい思考形式をとり、考える態度が確立すれば、そうしてそういう人々が多くなれば日本はいつの日か平和と民主主義の国になるに違いないと思いながら、綜合雑誌等には「安保阻止のデモは、日本民主主義の新たな出発点であり　民主主義が遂に国民のものになった意味で、安保が発効したこと以上に大きな意味がある。絶望してはいけない」という意味のことが記されてあった。けれどもそうした見方とは別にアイク訪日ということを除けば　全ては岸自民党の筋書き通りに運んでいる事実をどうするのだ。これは岸の勝利でなくてなんだろう。われわれは遂に安保の成立を阻止出来なかったのだ。国民運動は強大な権力の前には遂に無力なのか。

彼は現在こうした大きな疑問をいだいている。

デパートと安保反対

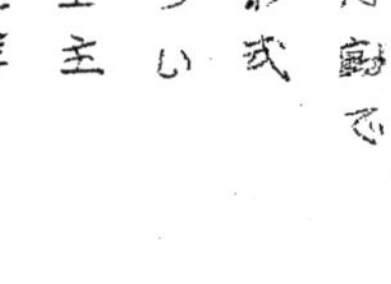

飯塚節子

私はあるデパートの従業員です。五月二十日未明に、新安保条約が国会で採決されて以来、デモにつぐデモがふくれあがったあの大斗争の中でわたしたちデパートの従業員はどんな状態であったか、しるしてみたいと思います。

わたしがデモに参加したのは六月十五日を中心に前後四回程でしたが、特に十五日夜の市街戦さながらの国会周辺を思い出す時、それにひきかえ、あまりにもかけ離れたわたしたちの職場を考え直さずにはいられません。

一千人からなる従業員の中でデモに参加したのは十人たらずの人数でした。パーセントにして、一分に満たぬ数なのです。そして参加する人はほとんどきまった顔ぶれでした。勿論、デモに参加した人数が多ければ多い程、それがそのまま、勝利になるとは考えられません。

しかし、わたしたちの組合はデモンストレーションへの参加は、いざ知らず、安保条約の説明会、講演会すら開いたこともありません。せめて解りやすいパンフレットでもあったらと思っていたのですが、それすら、わたしたちの手許に廻って来ませんでした。

そして組合幹部は、デモ参加に集った人に対して、「危いから無理しなくても……」と暗に行くことを止めようとする口調でした。

各々の売場では皆 この安保条約のことをどう考えているのか、又、全学連をどう見ているのか、話し合いたいと思っても、わたしたちには機会がありません。大勢で話し合う場所がないのです。お昼休みや、休けい時間はお客相手のために全部交代制で行なわれています。食事の後、三十分程度の時間はアッという間に過ぎてしまいます。ケースをはさんでおしゃべりをする時も、いつでも、上司とお客様の目を気にしながら落つかない時間が過ぎてしまいます。

わたしたちの中には小さな勉強会が一つあります。勿論、会社には秘密、組合にも内緒の集りです。しかし今度の安保斗争と、この会を並べて考える時、このような秘密なやり方では、もう限りがあるのだと云うことを、強く感じました。特定の人達のみでは発展性がありません。私たちは一体、何から始めたらよいでしょうか。

安保批准に思う

伊東岳美子

安保条約批准に対する意見として質問されると、率直に云って"わからない"と答えるのが一番正確に自分の態度をあらわしているように思います。所謂、文化人（石川達三、亀井勝一郎、田中寿美子女子等々）の安保改定批判の声、も聞きましたし、其の他新聞や雑誌などで否応、それぞれの意見なども読みましたが結局、私を満足させるような正確さをもつと思われる説明は見つけることができませんでした。しかし、再三、反対のデモが行われ、曽て、わたしたちの友達として話し合ったことのある人達が、たい捕され、あるいは、怪我をしたという具体体的な事実として知らされると、政治的な解釈としてより、人間を通しての困惑と憤りを感じないわけにはいきません。

それにしても、ここまで事件を大きくしたことに対しては、何と云っても政府側に多くの責任があると考えずにはいられません。

何故ならば思想の相違、見解の相違はともかくとしても、政府は自ら、最善と判断する方向に進めたものと解釈して、烈しい批判に対しては、微弱なりに自信をもっていた筈だと思いますし。又それならばそれを明らかにすべきだったと思うからです。

この様な政府の態度では、安保改定の意味を詳しく識らない人でも疑わざるを得ないでしょう。

職場の胎動

秋山マリ

わたしの勤務先では、今迄政治的なデモにも参加した事がなく、メーデーにも個人的に見物にゆく程度のや、政治不感症の職場だったのですが、今回の安保斗争には、社はじまって以来、数人の人々が何か矢もたてもたまらずデモの一人として、その声を何か行動に現わしたいとデモに参加するといったことがおこりました。

これは毎日の新聞やラジオで知る非常な非民主的な議会政治、岸政权に対する反発、不当な弾圧に対する素朴ないかりの何ものでもなかったのですが、（本当にその他の何ものもなかったと思います。保守的なものに対する進歩的な物の考え方でもない、又、反米といった思想でもない）不当なものに対するレジスタンスなのでしょう。しかしこれは毎日の報道や高まってきた一般団体の活躍ーーーー朝夕の駅頭のビラを、皆集めて会社で読み議論していましたーーー。おおいに影響されたのは否定できません。

まず社長が、社用で外出した帰り、国会周辺へわざわざ車を飛ばし、請願受付け附近を見て、帰社しての一言は「どうして〳〵最近の若者達はしっかりしたものです。マージャン、パチンコ、ロカビリーのだらしのないのが今の若いもんかと思ったら、あれほど政治に対してマジメに熱心に、大人の先頭にたってやっているんですからＹさんこれからの日本

(18)

もあまり心配した事もないですね」

附近にいた若い社員の人々は、若いものがほめられて何となく気を良くしていました。

又社のＳ子さんのお義父さんがデモに参加したと云うこと、「昨日、家へ帰ったらお姑さんが、とうさんが午後からどこかへいってしまって心配だ。といっていたらお義父さがおそくなって帰ってきて、皆からどこへ行ってきたの？と問われて『腹が立って仕方がないからデモへ行ってきたのさ』ですって、家の皆から『いゝ年寄が物好きな』と笑われていたけど……顔を高潮させてだまっていたけど、皆から笑われて可愛そうだったわ」

年とった老人で今は半分隠居のこの人達が、結果としてはデモを見に行った事になっても、いかりにもえて国会周辺へと家を出た事も立派な行動なのでしょうに。

プラカードをもったデモの人達が車内に二、三人乗ってきても、これほど身近かに好意的に、声援をおくる気持で眺めたことがないと云う人もいました。

しかし、六月十八日、自然承認される数時間前迄国会周辺へ五名ばかりでデモに参加したＳさんが出社としてこのようにいっていました。

「非常に緊張した気分で静まりかえった国会建物をあとにして帰ってきた時、一言に云って非常に虚しい気持だった。どんなに反対してデモってて、ある時間にくると成立してしまう。という事態を前にして自分のことのような行動がとてもむなしく感じて暗い気持だった」といって、それからは、あまりデモには参加しなかったようです（勿論、その後はあまりデモはなかったのですが……）

安保斗争
―農村の場合―

青山　崇（山形県鶴岡市）

はじめて政治が具体的な問題として入ってきたという感じで、今まで計画的な政治運動は殆んどなく今始まったという所ですが、ほんの芽を、あるがままに記したいと思う。
わたくしの学校のある藤島町は二里ほど離れてい当地方の中心都市鶴岡市（旧鶴岡市人口約五万）をを除いて、第二番目の大きさの純農村的町です。

（旧藤寿町と近郷の四ケ村が一九五〇年合併して、新藤寿町生まる。人口約一万七千人中農業人口約一万三千、世帯総数約二千七百戸中農家戸数約一千八百戸、商店数約二百二十戸、稲作単作地帯で米収穫高約十二万石、農家一戸当り耕地面積二町一反、町予算約九千万円、一九五〇年統計）以下この町での安保阻止の運動を年代的に記録します。

①. 六、四　町職員組合（組合員一三〇名）が当町では最大の組合）の呼びかけで前日、県教組（小中一〇校で約二〇〇名）全食糧（一五名）全日通（二〇）全逓（約五〇名）県職員組合（約五〇名）高教組一分会六〇名）の七組合で準備会がつくられ約一五〇名参加して町役場で抗議集会、これは当地方のこれまでの抗議集会は鶴岡市のみで開かれていたので全員参加といっても時間の関係でなかなか参加できないこと。七組合の共斗関係を進めるということから開催された。議長は町職員組合と高教組から選りだされ、社会党県議、共産党町議の挨拶、安保阻止、岸退陣、国会解散、六組合による安保共斗会議を結成を決議。雨天のため行進中止。

㊟　当面はこの両組合（町職員組合と高教組）が中心になってこの町の政治運動が進めて行くだろう。いずれも農民の側からみれば〃お上り〃の組合である。高教組の代りに県教組がという所かもしれないが、県下でも最も弱いとされている支部であるわたくしの分会では全く遅れた話だが、今年から分会執行部がつくられ定期的に会合を持ち指令にもとずく義務的な組合活動から職場の問題等をとりあげ自主的に進める体制ができたので共斗にも積極的に参加できた。

② 六、一一　共斗会議の主催で約七〇名町内行進歌もなくゾロゾロ歩いたという状態。

③ 六、一五.　共斗会議の名で町民に訴えるビラを街頭で配る。

午後町職と高教組より自動車を出し町内宣伝、農民は草取りの手を休めて眺めるという状態、中には手を振っている者もたまにある。

又、この日、高教組では始業時より一時間の授業カットの指令あり、分会では前日四時間ほどこれをめぐって討論。中途で遅くなるのを心配していつの間にや、帰宅する者があって議決に入ろうとした時には定足数を割り（出席二五名）協議会にに切り替え、情勢を見るため指令の賛否を問うたが賛成一一名、反対一二名で指令支持少く、しかし何らの形で統一行動に参加しようということで一校時授業に出るものは一時間生徒に今の政治について話すこと、残りの者は今夕の鶴岡市の集会用の安保のチラシを作ることを決定。

討議中に出された指令反対の主な意見は、

イ、教員のストは禁止されているのだから　われわれが非合法なことをやったら生徒も学校の秩序を乱すようになる。

ロ　ストよりも生徒に話した方がより効果的である。

ハ、ストの処分者がでるのではないか。

これに対して、指令賛成論を唱えるものは執行部を除いてなし。

④

町での集会開かず、鶴岡市の集会に参加、市集会全体の参加人員約一三〇〇名、鶴岡市では全国の統一行動と共にずうっと集会とデモは続けられてきたが、この人数はほとんど増減なし、メーデーの動員数はほぼ同じである。この日の集会で特に目だったことは、山大農学部の教授と学生（一全体で二〇〇名ほどいるが、今までこの種の集会に参加したことはない）の参加と"声なき声の集り"と一般市民が参加したことである。

最後にこの町の運動のまとめをすると

◎前進した面、　ほんの少しだが、

１　町の各単組が（全単組ではないが）共斗会議を組織し、集会を開き、宣伝カーをくりだしたことは戦后始めてである。

２　中央指令にもとずいて今までは何もしなかった県職員組合などが動きだしたこと。

３　これを機会に、町に"平和と民主々義をつくる会"（仮称）をつくろうとしていること。

◎残されている問題、

１　農民は組織的には全然動いていない、日農支部もあるのだが参加していない。

２　農協の組合とか国鉄（一〇名ほど）とかまだ共斗に参加していない。

３　地域団体も全然参加していない　青年団婦人会等、

４　政治、組合指導の不足、したがって展望をも

（頁下段に続く）

六・一九の日に表われた分裂

—全金オリジン電気支部の場合—

早稲田大学の近くの面影橋という都電の駅のほとりに神田川が流れ、そこにオリジン電気という整流器などを製作している工場がある。神田川に沿った工場地帯は、大正製薬、中外製薬などの大工場から町工場、染物、製線工場などがあり、高田工業地帯とよばれている。

最近のブームにのり古い木造の建物は三階立の鉄筋にかわり、資本金は二倍の一億二千六百万円とかわってきた。

組合はストもできないような弱い組合であったが、警職法、五九年春斗、安保の斗いは、古いカラの内にも波動を与え、青年部を中心とした新しい勢力が徐々に抬頭しつつあった。

しかし、執行委員会の内部は五九年春に採用した立候補制によって「企業内組合運動推進、生産性向上して生活を向上させる」という派と、「組合民主主義の確立」という派との対立が要求が最終段階にくるとつねに重なってきた。

六〇年定期大会の改選方法について執行部ではそのため結論が出なかった。片方が立候補制によって青年が役員に出るのをおそれたため強硬に人気投票(うまくいえば自由選挙)を主張したためである。六月一八日(土曜)の大会においては改選方法が検討され、職場討議に付される事になった。日曜には異例の人達が出勤したが、月曜には二〇名の中八名の執行委員の声明がタイムレコーダーの上にはなばなしく貼られていた。多くの組合員には寝耳に水のできごとであった。(一八日の夜活動家は国会へ行

(　頁より続く)

って計画的に運動を進めることが困難で、共斗会議といってもいろいろ町の会会役員は大半輪番制で選ばれるので不充分ながらも運動を指導する力をもたない者が会議の委員になっているので、非常に弱体である。

以上

(22)

っていた。」

二二日には二四名の代表委員と新労組準備委員長の声明書がだされた。

その声明書の内容は、

「私達二五名は、民主々義の美名の下に企業の破かい、ひいては社会の暴力革命を真の意図とする共産主義信奉者の赤い手から、私達の生活の場である企業を守り、真の労働運動を推進して……」に始っており、

当面の活動方針としては、

一、組合員の生活と权利の向上を図る。

一、組合運動において共産主義と一線を画す。

一、労働者の犠牲を伴わない生産性向上運動を推進して行く。

というスローガンが方針ということである。

二三日には結成大会が行われたが、既に婦人部員の大割が脱退届を出しており、第二組合は一五〇名となり、第一組合は約三〇〇名となった。

新労組の委員長は歴代の委員長をつとめた人物であり、副委員長のその兄は、某会社の労務課長をしており、その経歴は大川周明の流れの右翼からクリスチャンに転向して賀川豊彦の紹介でオリジンというクリスチャン会社に入社、第二組合結成を二九年に計画して失敗、組合員に罪亡ぼしをするといいつつ以前には新産別の幹部もやったことから、産別金属東京支部書記長、を経て当時全金東京地本執行委員であった。（六、四には東十条駅で指揮をとっていた）しかし共にその肩書の下で商田工業地帯の組合つぶしにも一役を演じた（太洋工業、斉藤鉄工）

分裂の背景は、全労のテコ入れだけでなく、生産性向上運動のモデル工場とし、日経連は見ていたし極東事情研究所（所長藤原一郎）という公安調査庁とつながりをもつ団体と会社との関係には深いものがあるようである。

社長はＹＭＣＡの理事をしており、賀川豊彦の弟子と称し、社員にはクリスチャンも多く、商業新聞には温情主義の会社と盛んにＰＲをしている。アメリカに本部をもつＤＩＡ協会（ここでは安保賛成のパンフを日本全国に流している）や国際連邦などの国際的背景をもっている。

安保通過以後、資本の攻撃は、総評の左翼と（全金へはげしい）、分裂政策をとって、各所に現れているが、その国内、

国際的背景も時間の流れとともにあきらかにされていくだろう。

（複雑な問題への調査と、われわれの組合へ協力して頂ける方は御一報下さい。）

連絡場所、豊島区高田南町一ノ一九五

全金オリジン電気支部宛

現代史の方法

討論のひろば

現代史の方法に発表された竹村氏論文「国民と正史」について、わたくしなりの若干の感想を書きたいと思います。

わたくしはこの論文を数度にわたって読んだのでありますが、読むたびごとに論文の深さ、規模の膨大さにとまどい、一層わたくしの理解する正史運動に混迷を感じたのであります。とくに章の末尾にあげられてある膨大な資料（注）に、普段なれていないわたくしに大きなとまどいを与えました。

こうした充分の理解ができない原因は、明確な原則をふんまえていないということを去る五月二九日の初夏研究会で指摘されましたことによって、わたくしの理解できずにいたかべの一点をつきやぶることができた思いでした。

その研究会において、論文における一章、二章の問題が討論され、そこで〃会の成立期の意義を明確にする〃という職場の正史をつくる運動の基本、原則を討論したのでした。

研究会は この〃会の成立期〃についての土台が会員一致し、論文によって曲りなりにも運動に参加してきたわたくしに一歩前進する場が開けたと考えております。

会の成立期という情勢をはっきりと理解するために第一章および第二章は非常に重要と考えますが、前述にあげた経過もありますので、とくに第三章について感想を述べたいと考えます。三章は正史運動の指針、もしくは展望ともいうべき章だと理解しております。

　六二頁において「本来労仂者階級の正実意識は、運動にたいする反省と自覚とがあり、ブルジョアのそれのように過去の栄光による装飾を必要としないことがその特徴」として原則がうちだされ、尼鋼、三鉱連、日鋼室蘭の労資の対立を例として具体的にのべられております。

　わたくしがここで感じましたことは、現在の情勢の中でこの原則が国民から強く要請されているものと感じます。五月一九日、二〇日の政府の暴挙以来安保斗争は非常ないきおいで発展しました。だが現在、引退を声明した岸首相がまだ政権の座にいすわり、後継首班争いが安保斗争にかわって新聞（マスコミ）にクローズアップされてきております。こうした情勢に職場の人々はしゅんとしてしまっているのではないかの声があります。又幹部のなかに選挙活動に……という声がかかっております。職場をみるときに、平常職場は緊張した空気もなく普段とかわらない状態にあります。この現象のみをみて〃職場はしゅんとしてしまった〃と断定するのは誤りだと思います。

職場の人々は一つひとつの安保斗争の偉大な点の過程から、〃つぎの斗争への飛躍発展させるにはどうすべきか〃という指針、展望を強く国民会議なりその上部に要請しているものと見ることが、大衆観点にたった大衆路線ではないかと考えます。

　その強い要請にこたえることは、原則にかえり、「運動にたいする反省と自覚」即ち運動の総括を緊急におこない、その成果と欠陥を大衆にかえしてゆくことが運動を発展させるものだと考えます。

　だがそこで論文は、従来斗いの総括において、評価が大きく前面にだされ、反省点がきわめてすみにおいやられている点を指摘し、とくに強く自からの陣営の〃弱点を大胆にえぐり〃だすことを指摘している点は非常に運動を飛躍、発展させる上で重要だと考えます。

　論文の後段に入り、〃典型《モデル》の研究〃の提案から、その具体的研究の問題点までについて述べたいと思います。

　〃部落型職場〃の研究提案は、きわめてわたくしたち労仂者に（とくにこう表現します）実感として強くひびくものがありました。この〃部落型職場〃は一般的にいって〃独占資本が支配するかぎり〃どこにも存在しているものだと考えます。友人との会話の中で〃会社をやめたいと思う〃ということがよくでてきます。それをつきつめていきますと、差別や、合理化というものにぶつかります。こうした観点から自分の職場の〃最深部から全構造的に把握していく〃ことが、自分が労働者という意識を成長させ、将来への展望を開くものだと理解しています。そのために職場の歴史をつくる運動は科学を追求するきわめて重要な運動であることをあらためて再認識したのであります。

（清水登夫）

「国民と歴史」を読んで

高橋秀夫

1　本書成立の意義について

第二次大戦後、二十世紀中期から後期にかけてこの十有余年の最も大きな世界史における特長は、なんといっても世界の民衆の声が、大きなおもみをもって、現実の政治にその影をおとしはじめてきたということであろう。

日本は、敗戦による占領といったなかで、新日本の建設を指向する新憲法を制定した。

それから今日までの日本民衆の動きがどのようなものであったかは、ここでくどくのべるまでもなかろう。

敗戦までは〃国史〃と一般に称され、その教科書はどれもトップに神話をかかげていた、バカバカシいほど神がかりで、まったく科学的でなく、国家権力の支配下にあった日本史学も大きな転換にせまられた。

古いことばに、十年一昔というのがあるが、それにしたがえば、今日まですでに一昔半がすぎた。その間、国民と歴史のかけはしを作るべく多くの努力がなされてきた。

職場の歴史をつくる会も、大きくみれば、そうしたなかに位置づけられよう。

だが、これまでのそうした運動の反省が十分なされているかどうかといったことを考えてみた場合にそこには、貴重な経験があったにもかかわらず、それはかならずしも十分であったとは認めることがで

*ページの数字は原本において重複となっています（六花出版編集部）

ないように考える。

それにはそれなりの理由もあろうが、かかる現状をみた場合、竹村氏によって、このような総括がなされたことは全体を展望できるいわば一つの礎石をもったといってもよいであろう。

そうした意味で、この内容を手がかりにこれから多くの人が〃広場〃を作っていくことが、なによりものぞましいと考える。

Ⅱ 内容の検討

以上述べたように、きわめて特長ある論稿なのでその個個の全般にわたってのべることは、とても私には出来ないので、関心をひいた若干のことに限定してのべてみたいと思う。

村の厂史、工場の厂史をつくることが、戦後石母田氏等によって提唱されたことは、若い私達によく知られていることである。

しかし、戦前に羽仁氏によって、ほぼ同じ観点から、云われていたことを竹村氏は明らかにしているが、この点は、はじめて私は教えられた。

昭和七、八年頃から、農村の不況と関連して、政府が官製の郷土教育を上からやってゆこうとした動きは知っていたが、羽仁氏のかかる仕事については、不勉強な私には知らないことであった。

このような羽仁提案から、戦後の村の厂史といったことに一本の糸でつらぬかれているということを明らかにしたのは、おそらく、この論文がはじめてではなかろうか。

そして、柳田史学の持った意味といったことにも新らしい角度から見直すべきであるといった提案をしている（25頁 注16）

紙面の限られているためもあってか、右に述べた文部省の〃郷土教育〃が何でおこってきたのか、また、その結果はといったことについては、竹村氏はなにも云われておらないが、日本の民俗学の持つ意味といったこともあわせて、著者の見解があらためて発表される日を期待したい。

こうしたことを見るにつけ、著者も、日本の現代史のこれまでの貧弱さ—それはそれなりの理由があるであろうが、—を文中各所で指摘しているように見うけられるが、そうした現状を打破っていくためにも、日本の史学のこれまでたどった道—史学史—がもっと研究されねばならないといったことを痛感する。

戦後の厂史運動の展開の整理は、会にとっても深い関係を持っており、ここにみられる教訓は、十分に消化吸収しなければならないものを持っているように思う。

くわしいことを知らない私には、この二九頁以下の台の項は、もっとくわしく書いて欲しかったような気持をもつ。

こうした内容をふまえて、全体的な展望を持って会の中では、これまでかならずしも十分だとは云えなかった会自体の運動の厂史をまとめていくこともこれからやらねばならない大きな仕事の一つであろう。

それと同時に、これが出たのを契機として、ここに書かれた時期に、実際運動に参加した人たちの積極的な発言が欲しいと思う。

激しかった安保斗争が批准を終えて新局面を迎えた今日、学生・文化人の帰郷運動といったことが活発におこなわれようとしている時でもあり、この点からみても、その意味は大きいと思う。

竹村氏は、(二)に述べられた内容の反省のなかからどのような問題が提起され、そうしたものは、今後どのような方向でとりくまなければならないかを示している。その一つの例として、口鉄における部落型職場の問題を提示している。そして今後〝現代史の方法〟をめぐる、多くの人が発言することを希望している。

ここに出された〝部落型職場〟の問題は、きわめて重要な指摘であると思うが、こうした問題が、具体的に解明されるためにも、職場の歴史を作る会が今後、どんな組織でその仕事をすすめていったらよいかということも、真剣に検討されねばならないの

父の歴史を語る会に参加しよう

八月十五日　会事務所

職場の歴史をつくる会は来る八月十五日に「父の歴史を語る会を行う。この会も第四回を迎え、敗戦を記念する中で過去きわめて大きな成果をおさめてきた。今回、安保斗争という偉大な経験をもちよって〝父の歴史〟を語り合うことはきわめて意義ある、会員全員の参加そう

---

(27)

ではないだろうか。

研究の現状では、現在の独占資本の構造といった問題は、その解明の方法に素朴ながら、尚多くの未解決の問題があるような気がする。"帝国主義"の理解が、古典的理論を大きく脱皮しようとしている現状では、そのことは、あるいは当然のことといってもよいであろう。

それだけに、文字通り、"現代史の方法"はいろいろな分野からの多様な発言が要請もされてくるのではなかろうか。

職場の歴史を作るといった仕事も、そうしたなかにあって、今後その成果を問うことによって、その評価がなされていくであろう。

"大衆こそ歴史の主人公" この思想を深めていこう

山形　青山　崇

昨年暮につくった"出羽路会"の青年教師が呼びかけて、ばらばらにされている意識的な青年教師をまず結集するため、県下四地区に"青年教師の会"準備会を結成し、安保体制から出てくる教育政策にたいして、われわれの教育実践で対抗していくため実践を記録し合い、共に進んでいこうとしています。高校のこのような動きは県下で最初といっていい。小中学校では比較的進んでいるのだが……

このような時、今までの科学運動を整理された竹村氏の好論文に接したことはありがたかった。以下わたくしの感想を述べたいと思う。
(一)に於て、戦前の歴史学のあり方に対する反省の上にたって、その遺産を継承し(野呂栄太郎・羽仁五郎等)国民の要求を基礎として、国民のための、国民の手になる(国民が主体的に参加する)歴史を打建てようとして、"村の歴史" "工場の歴史"が提唱された歴史的必然性と戦後の政治、思想状況からの必然性をのべられ、(二)で"村の歴史" "工場の歴史"らの国民のための歴史運動の具体的展開を四期にわけ、成果と欠陥を明らかにし、これを踏まえて(三)に於て国民の中核である"生産点の職場における労仂者の歴史意識の形成の進め方"について、一つの典型として、"部落型職場"の問題の研究を提案している。そこに"職場の変化"と"意識の変化"

の関連を勤労大衆と歴史家が共に追求して、日本現代史の核心に接近していこうとした職場の歴史を作る会の構想が全労働者のものとなり、労働運動とともどもに、"歴史の職場"と"職場の歴史"が提携して進んで行く姿が打出されている。このことは職場の歴史をつくる会の大きな成果といっても過言ではないと思う。

つぎに、(二)で展開された運動に現れた問題点とそれに対するわたくしの感想、疑問点をのべたいと思う。

① 民科歴史部会が、"科学者の組織であると同時に勤労大衆の歴史に対する要求の結集点でもあるという組織上の矛盾"についての検討がなされなかったこと。これに関連して、戦後の歴史運動は科学者の側から起されたのに対して、勤労大衆の側からも、積極的に要求がだされている現時点において歴史家と勤労大衆の協力関係を組織的に具体的にどう進めていくか。この中で職場の歴史を作る会の任務は何か?

② セツカチな政治主義について……"政治的な要請"が直線的に学問的活動の面に入りこんだこと。

したがって農村に入った場合も村人達に対して"これから村がどうなっていくのか、どうして生活を切りひらいていくのか、ということについての科学的な答"ではなく、"理窟でわりきってくる"という印象を与えるアジ・プロ的なパンフレットに止まる傾向が作品にあったこと。

この点はゼネストまではいかないにしろあの六・四行動に示された一事をもってしても労働者の国民運動の中に占める位置が、以前と比較にならないほど向上し、政治斗争の中でも、この指導力が強まっている今日、この勢力に依拠していく限り克服されていくであろう。トロツキストに対する斗争はこの種の誤りを再度おこさない点からも大事であるが……

③ 前衛的な専門的歴史家が、具体的な仕事の場において、実践し指導する体制がとれなかったこと。

この点は十分に克服される必要があると思う。専門家が学生を通じて間接的に国民の要求をまくのではダメだ。直接的に生産点の労働者と具体的な接触が必要と思う。

「今度も、何も役にたたないままに、とにかく政科の方針が正しくないという判断の表明をすれば、それ以上のことはしなくてもよいように思えた。私としては自分の持場で、自分ができることをやっていればよい。さしあたってこの数年力をいれてきたのは、転向の共同研究なので、その下巻の完成に集中しようと思う方針に、新安保の強行採決は何の影響もあたえなかった」(世界八月号、鶴見俊輔)このような非実践的態度は克服する必要がある。(世界八月号に関連して一言、――　今度の斗争の記録運動はあらゆるところで行われるだろうが、世界は六、一五にスポットをあて学生、学者の動きを中心としているが、われわれとしては〃労働者の記録〃を作っていくべきだ。しかも職場での斗争を中心に。この点職場の正史をつくる会は確認し実践に入っているが……)

④　③と関連して新しい方法と叙述の典型がつくりだされなかったこと。

⑤　④の欠陥がうまれたのも〃なぜ労働者階級から偉大な創意が生まれてくるのかの解明〃がほとんどなされなかったことが大きな原因であったと思う。

この解明を進めていく糸口が〃月の輪運動〃にあったのだから……しかし解明がなされなかった結果―労働者の発掘方針に耳をかたむけることができなかった(頁四五)

われわれは今後も〃大衆が正史の主人公である〃という思想をあらゆる機会に深めて行く必要があろう。そして労働者の創意を生かそう。

⑥　そして最後に「……郷土のこの大事業……常に前進する社会を築き上げて行かねばならない」(頁四七)の経験を生かし〃職場の正史をかく〃→〃職場の斗いの発展〃→〃職場の正史をかく〃という運動を進めていこうと思う。

〃友への手紙〃

(「現代史の方法」書評にかえて)

田畑健

忙しいことを理由に、ごぶさたしていましたが、「第二メーデー」のとき、日比谷公園で元気な君の顔をみることができて、何かほっとした気持でした。「どんな勉強をしてよいか此頃わからなくなってきた」ともらしていた君が、意外に元気だったので。

そのような問題で、自分の考えをまとめてみたいと思っていたのですが、この六月毎日八時過ぎまで残業が続き、その間統一行動のデモに参加するという状態だったので、ついペンをとるのがおくれてしまったわけです。前置はその位にして……。

高校の卒業文集「赤蘭」に、「働く者となり、微力ながらこの日本の貧弱さの改善に協力したいと思います。」とかいた自分ですが、卒業した頃は誰れでも考えるように、大学を出てきれいな暮しをしたいというように考えていました。だから、現在の会社に入ったときは「この仕事はアルバイトだ」と考え何とかして大学へ行きたいと思っていました。しかし、そんな甘ちょろい考えは、自分の生活には経済的に大学に行く力がないこと、毎日の汗を流しての肉体労働、そしてもう自分は親には頼れない一人前の人間になったのだという自覚……ということから、続けていた受験勉強はいつの間にかやめて、社会科学の基礎的な本を独習するようになっていました。この頃読んだ本には、共産党宣言、賃労働と資本、中国現代史、歴史と民族の発見等があります。

このような読書を通して、高校の頃の素朴なヒューマニズムは、「労働者階級の解放」という明確な思想となって自分の中に根をおろしました。それと同時に、自分たちの労働組合に対する関心をたかめ、その活動に近づいていきました。

自分が、客観的にも、主観的にも労働者階級の一員となってから一年目、自分は組合で職場委員になりました。なるとすぐ、職制の組合役員選挙に対する干渉、作業手当の増額要求と、職場の問題をとらえて斗争をはじめました。が、すぐに二つの壁にぶつかってしまったのです。

それは、組合幹部の日和見（というよりは自分たちの要求を押えつけるやり方）と仲間の中の団結がうまくいかないということです。当時の自分としては、この当然のことが、とても理解できなかったのです。そのようなことから、勉強しなくてはいけないということで、日本のうたごえのときビラで知った中央労働学院に通うようになりました。

職場委員としての活動をやりながら、自分は、さっきいったような壁にいつもぶつかってきました。

一方、学院の勉強は、新しい知識を吸収するという新鮮さで自分をひきつけましたが、一年近くなると、

(31)

勉強したことが職場ですぐ役に立たないということに気がつきはじめました。理論をナマのまま、職場の人にぶつけても、「何んだまた説教をしている」としか受けとってもらえなかったからです。そして機関の上だけの活動ではダメだと思うようになりました。仲間の意識を変えていくといったものはないものかと、漠然と思うようになりました。そういう勉強は文学でやるのかと考え、学院の文芸科で文学を学ぶようになったのです。でも、そこでも自分の求めていたものは得られませんでした。丁度、生活記録サークルに入っていたので、何かこういう方法が良いのかと考え、職場でサークルをつくりましたが、それも、職場の「文学青年」によって「文学雑誌」とされてしまい、一年近くでダメになってしまいました。その頃、自分の入っていた歴史サークルのチューターであるKさんの紹介で、職場の歴史をつくる会を知り「職場の歴史」を読み、このようなものが自分の求めていたものだと信じて職場の歴史をつくる会の会員となりました。歴史は高校の頃から好きな学科であったし、歴史と民族の発見を読んだとき、石母田さんの提唱した「村の歴史、工場の歴史」にも自分なりの関心を示していたので、何故職歴をもっと早く知らなかったのかと思いました。

昨年の春、「戦後労働運動と私の歩み」というテーマで、個人の歴史を研究したのですが、自分自身がどう生きるかということも、このように広い視野に立ってみたとき、はじめてわかってくるのだと思いました。どのような勉強をしたらよいかということも自分としては、どう生きるかということと切離しては考えられないし、従って、自分の毎日の生活や斗いの中で、何にを勉強したらよいかわかると、基本的にはいえると思うのです。

自分が「労働者階級の解放」という思想に確信を持ったのは、斗争の中で自体からの体験として身につけたというよりは、書物からという傾向があると思います。でもその底には、中学三年以来やってきた、新聞配達とか、デッチ小僧、臨時郵便配達夫といった労働が、その書物からの思想を確信あるものにさせていったと思います。そういうことを含めてこれからどう生きていったらよいのか、その思想を実現させていくには何を勉強したらよいかということとは、個人の歴史をかくことによって明らかにされると思います。

「日本の労働者階級の歴史意識が真に形成されるためには、階級斗争の矛盾点に浮きぼりとなってあらわれるさまざまな弱点を自覚し、これとてってい的に解決すること以外になりであろう。」（竹村民郎、国民と歴史、六五頁）このことは、個人の歴史、とくに労働者の歴史――その人が組織の中でどう斗い思想をかえていったかという観点で――についてもいえることだと思います。

君にも是非「個人の歴史」をかくことをおすすめします。

最後に、その理論的な裏付けとなるものを、今まで自分が述べてきたことをより深く、学問的に、体系化したものを「現代史の方法」（三一新書一五〇円）の中で職場の歴史をつくる会竹村さんが「国民と歴史」で述べていますから是非読んで下さい。

「樺さんを殺したのは、自分である」という思想でこれから色濃くなってくるファシズムと自分たちは斗っていかなくてはならないと思います。そういうことでは非常に自分として恥しいのですが、これからも共に頑張っていきましょう。

私の歴史意識の確立

竹村民郎「国民と歴史」をよんで

岩浪忠夫

わたくしは「現代史の方法」の竹村氏の論文を三回ほど読みかえした。一度はいそがしい毎日の仕事のあいまに、電車の中や喫茶店の中で、ときれとぎれに読んだ。最初の段階ではテーマのつながりがはっきりつかめず、率直にいってよくわからなかった。二度目には夜帰宅してから、赤鉛筆を手にくりかえしながら読みおえた。そして三度目にもう一度電車の中でよみかえし、ようやく大体の筋道をたどることができた。

わたくしがこのように何度か読みかえしてはじめて解決の方向を見いだして行ったということは、この論文がむずかしいからだということを決して意味しない。むしろ原因はほとんどわたくしの方にあると考える。一つは、わたくしの読んでいる時の環境がある、しかしそれは決定的なものではない。

なぜわたくしにこの論文が最初よく理解できなか

つたのか、そうした反省をもとにしてこの論文から学んだことをこれからしるして見ようと思う。

わたくしは職場の歴史をつくる会の運動に途中から参加した。会設立の歴史を私は自分の体験によっては知っていなかった。それまでのわたくしは何をしていたか。この論文の時期区分にしたがっていえば、(3)国民のための歴史学運動の最盛期のころ一九五四年のビキニ環礁における水素爆弾実験がもたらした"死の灰事件"を契機として、わたくしは突然それまでのわたくしとは別の人間に変っていた。大学の寮制度改革をこころざし、しかもみづから之がいた敗北の予感におびえて寮をとびだしたわたくしは、その敗北感と、教会の権威を第一義とする大学の極端に観念的な学風とに対する抵抗と、寮規則から解放された自由さとによって、社会的な行動こそあらゆる学問の基礎であり、大学の講義などはくそくらえだという考えにすっかりまいってしまっていた。そこに原水爆反対をとなえながら、セツルメント活動をしている学生の一団があらわれた。わたくしは何のためらいもなくその中に身を投じた。日鋼室蘭・近江絹糸などの労働者の斗いがあいついでおこり、セツルメントの活動も一時期には大きな盛りあがりをみた。しかしその盛りあがりを指導した、運動の経験の深い学生達はその能力を買われてか、次々に別方面の仕事に引きぬかれ、あとには不慣れなわたくしたちが残された。いきおいわたくしたちは自分の学生としての生活をギセイにして一向にへらない仕事を処理し、組織の指導をして行かなければならなかった。経験のないわたくしたちにできたことは、指導と言っても結局は教条的な言葉のおしつけしかなかった。組織はしだいに分解し、五五年九月には完全につぶれてしまった。一年あまりのあいだ、わたくしのやったことは決して創造的なものではなく、むしろ崩れようとする防波堤をどうにかして修理しようとする人夫のような仕事であった。それはそれで貴重な経験を与えてくれたとわたくしは思っているが、また一面、組織というものにゆがんだ認識を与える契機にもなったのではないかと思われる。

(一)には、組織というものは元来弱い者同志が集ってくさいものにはふたというやりかたでその場をつくろうだけでやって行けるんじゃないかということ。

(34)

(二)重い責任をおわされそうになったらその組織から逃げだした者が勝ちだということ。(三)それにもかかわらず組織というものは重荷で真面目にやったら損じゃないかということ。(四)指導者に対する不信、同時にそれのうらがえしの指導者に全ての責任を転嫁すれば自分の正当さを保証できるんじゃないかということ。

とにかくわたくしはこうしたあやまった一面性を身体一ぱいにつけて大学にもどってきた。そしてその年の十月にわたくしは職場の歴史の運動に加わることになった。

わたくしは苦労して組織の勉強をしてきたけれども、前にものべたような一面性を身につけたほか一番大切なことは身につけてこなかった。すなわち、はっきりとした目標を定め、その目標の性格をはっきりとつかみ、どのような手段と方法でその目標に近づくかという積極的な創造的な組織能力である。それは必然的にわたくしの視野をせまくし、職場の歴史の運動に入ってからも、いつももれて来る水を両手で一生懸命おさえるような仕事ばかりし、またそれに自己満足してきた。それは今もって克服されていない。

―書評―

「炭鉱に生きる」を読んで

伊東　喜美子

炭鉱の生活史が、きわめてくわしく書かれている点で、興味深く読みました。今迄漠然としか識らなかった炭鉱というものが現実的な実感として理解出来たような気がします。

とくに、炭鉱労働者のぎりぎりの生活の中から生きて行かなければならない強い斗いとして、思想が生れ、それがしっかり地についているといった何か強いものを感じさせます。

苦しい生活の中から自然に培われてきたものは、他のそれに比べてこんなにも根強く、ゆるぎ難いものに発展して行くものかと思います。現在の常識から見れば明らかに犯罪と断言出来るような大正時代の飯場制度とか、程度を超えた労働強化の中にあって、家族共々一貫した斗いの思想が生れ、それが必要以上に一方的になったとしても当然のことと考えられるでしょう。敗戦後の組合結成から人民裁判事件、更に生活改善と、たくましい労働者の発展が書かれています。がその中で一つ意外に思ったことは、やはりこれも具体的には、はじめて識ったことですが、朝鮮人、中国人が一般労働者より更に不平等な立場で酷使され、封建的奴隷労働さながらの生活を忍ばなければならなかった状態に対して、一般労働者が何故結果的には默認の態度しかとれなかったのかと云うことです。朝鮮人同胞は少なくとも戦争中、或はそれ以前からくすぶっていたにもかかわらず最も身近にあった炭鉱労働者がこの問題にぶつかって行けなかったのは、単に彼等自身の生活に他を考える余裕が無かったためだけなのでしょうか。

しかし、何といっても“飲んで食ってちょん”の時代から立ち上り、テレビ所有が半数をしめる最近の文化生活まで発展させた、三菱美唄炭鉱組合の前進は意味深いものがあると思います。

たたかいの記録を
原稿募集《かこう》。
炭鉱の出来事、書評、炭鉱の歴史歓迎!!

安保闘争小史

六月一日――六月三〇日

一日　社会党総辞職を声明、日教組全組織で安保阻止（二二回大会宣言）

二日　国鉄乗務員奪い合い始まる。民主主義を守る全国学者研究者の会開催、

三日　岸内閣支持は国民の十二パーセント　朝日新聞世論調査発表、

四日　六・四統一行動に突入、国電始発から運休、旅客列車六〇本、五六〇万人参加、

五日　三池斗争激化す。会社側は花労所に対してロックアウトを実施したがピケ隊は堅いピケをくんで動かない。

六日　社党臨時大会、大衆斗争で制圧　共産党議員総辞職に反対、

七日　アイク訪日慎重論高まる、米政府日米親善を必要、

八日　アイク訪日反対　総評大会満場一致で決議

九日　米国務省、ソ連の日本政府には安保五条を適用し、攻撃の範囲についての岸首相の定義も賛成と声明発表、

一〇日　米大統領新聞係秘書ハガチー氏来日、羽田抗議デモ　国民会議ハガチー氏にアイク来日中止を要請、羽田抗議は当然と声明、日本ＹＭＣＡ全国主事会でアイク訪日延期を要望、

一一日　第十八次統一行動、全国三五カ所、二〇〇万人（東京二三万五千人）が参加　ハガチー氏ひそかに離日

一二日　アイク、ワシントン空軍基地から出発、米大使、アイク訪日で声明、

一三日　岸・西尾会談、民社アイク歓迎に転換、〃議決休会案論議になる、炭労臨時大会アイク訪日反対を決議

　東京教育大、法政大自治会、日本鋼管川崎労組ハガチー事件で警察の手入れ

一四日　米上院外交委員会、安保条約を承認、民社党、全労会議、国民大集会開く、全国で一〇〇万（東京一万七千名）参加、総評、太田議長、岩井事務局長ら有田岩道デモ中止を社共両党に申し入れ

一五日　第十八次統一行動六・一五スト、総評・中立系労組中心に一一二組合五八〇万が参加、流血をみる。樺美智子さん殺される。

一六日　政府緊急臨時閣議でアイク訪日延期を要請、アイク反乱、朝毎読など七紙　暴力を排し議会主義を守れと共同宣言を発表、六・一五弾圧抗議デモ一〇万人参加、総評〃安保破棄まで斗う　十八日全単産の時限ストと決定　国民会議十八日に三〇万人の大集会などを決定　東大、法大、東京女大、東海大、立大、学習院大、東京芸大の各大学集会や決議　茅誠司東大学長　全学教官集会の席上で民主主義回復を要求する公式声明　万場一致でむかえる。総評弁護団小倉警視総監、六・一五関係の警官全員を殺人罪で告発、茅東大学長「このような事態の続くかぎり大学は学生教育の任務を果すことが不可能」と公式声明

一七日　河上丈太郎社党顧問、国会請願受付所で刺さる、自

民党議員総会で松田文相、茅声明を非難・民社党新聞「七社宣言」に賛成　国立大学協会総会　学生運動の行過ぎを警告

一八日　三三万人のデモが国会を囲み、座り込む、参院自民党、議決承認取り止めを決定、文相・文部省主催の全国国立大学長会議で学長、教授たちの行動を非難　東京地検、流血デモ事件で一〇一人の拘置請求、樺美智子さんの東大合同慰霊祭おこなわる。

一九日　午前零時、新安保条約自然成立、社党、不承認を宣言、国民会議　衝者　批准阻止の大会宣言を発表　アイク沖縄訪問、デモ隊の抗議にあう

二〇日　参院自民党、安保関係法案を抜きうち可決　参院三派社会党、政府の非民主的行為を非難　談話　平和と民主主義を守るため、より民主的な政府の樹立を要求。

二一日　新安保認証をおわる　法務省樺さんの死は警官の暴力によるものでないと発表、社会党参院議員坂本昭氏（医博）ら樺さんの死因は「首を両手で絞めた疑い」があると所見発表。

二二日　国鉄中心にゼネスト　米上院安保を承認　安保阻止国民会議あくまで斗うと声明

二三日　日米安保条約批准書交換、岸首相退陣の決意を表明

二四日　吉田、石井会談で吉田元首相〃池田支持〃を示唆、総評〃条約破棄への長期斗争〃今後の安保斗争の方針決定、

二五日　大阪の安保不承認大会で二四九人が重軽傷　デモ隊警官と衝突　政府、安保阻止スト既定方針通り処分すると発表

二六日　米上院外交委は〃理機で結論〃急ぐべきでなかった〃

二七日　社会党早期政権獲得めざす二〇〇人以上立候補方針。

二八日　十カ国軍縮委決裂、ソ連打ち切り声明〃国連持込み〃を提案、ア大統領極東旅行を報告し〃新安保自由陣営の勝利〃という

二九日　ソ連またロケット実験を行うと発表（七月五〜三一日中部太平洋水域へ）自民党の首班争い　ジロジロと池田首班え、岸佐藤両派の工作

三〇日、総評運動方針草案を決定　産業別組織に再編、

編集後記

偉大な安保斗争のなかで、きわめて機関誌「広場の歴史」の発行が労働者及び学生から要請されていたにもかかわらず、機関誌係の十分なとりくみが出来ずここにおくれたことをお詫します。

現在各方面で安保斗争の記録が出ておりますが　先頭に立って斗った労働者の記録が出ていないなかで広正の会が労働者の記録を出すことが出来ましたのは機関誌係一同誇りとしています、ただまだ多くの経験が集らなかったことは今後の運動の面で克服していかねばならないと思います。

(38)

職場の歴史

特集　三河島以後

―田町電車区ハダカ事件―

20

編集　職場の歴史をつくる会

もくじ

三河島以後＝田町電車区はだか事件にふれて＝

勝浦純

現地調査報告

東山十三

概説　田町ハダカ事件

年表

工
NRU

概説　田町ハダカ事件

▽一九六三年七月二日午后四時七分ごろ、国鉄品川駅構内にある田町電車区付属浴場前で、入浴しようとした同区労仂者が、これを制止した東京鉄道公安室員に乱暴したという理由でハダカのまゝ検挙された。

▽さらに、パンツ一枚で手錠をかけられたことに抗ぎし、連行を阻止しようとした労仂者のうち四名が検挙された（そのうち一名は途中で釈放になった）。ハダカのまゝ検挙された労仂者ら都合四名は、約百五十メートル離れた同駅五番ホームの東鉄公安室品川派出所に連行され、いずれも公務執行妨害と傷害の疑いで現行犯逮捕、高輪署に留置された。

▽田町電車区では日勤者の勤務時間は午前八時半から午后五時となっているが、これまでの慣行として午后四時を過ぎると入浴する場合が多かった。六月二十八日、東鉄運転部長名で品川・田町電車区・東京機関区に対し、「入浴は午后四時半にせよ」との通達が出された。

▽しかし組合側は、当局が長年の慣行を一片の通達で打切ったことに憤激し、従来のまゝ入浴を続けた。一方当局は、この日公安室員約四十名を動員して実力阻止に出たゝめ、このような事件が起った。

▽四日、衆院運輸委員会で加藤勘十（社）久保三郎（社）両氏が、人権無視の行為として、公安室員のやり方を国鉄側にたゞした。これを契機に、東京法務局でも人権侵害の疑いがあるとし検証にのり出した。

▽ところが、十六日、国鉄は検挙された労仂者四人に、「国鉄法三十一条にもとずき懲戒免職の処分にした」と発表した。

> 国鉄法第三十一条　職員が左の各号に該当する場合においては、総裁はこれに対し懲戒処分として免職、停職、減給、または戒告の処分をすることができる。
>
> 1　この法律または日本国有鉄道の定める業ム上の規程に違反した場合
>
> 2　職ム上の義ムに違反し、または職ムを怠った場合

▽現在四名の労仂者は、法廷斗争にもち込まれている。

以上

2

三河島以後
—"田町電車区はだか事件"にふれて—

勝浦純（大学講師）

一

ちかごろ、国鉄内部では、当局も労働者の側も「三河島以后」という言バをさかんに使っています。たとえば石田総裁は『さらに三河島事故にかんがみ、輸送の安全を確保するためには相当思い切った設備の強化をしなければならなくなりました』『これら一連の悪質事故を考え合わせると、究極においては管理体制のあり方や設備に問題があるといえます』（石田礼助『私は国鉄をこう見る　五～六頁）という具合に使っています。

労働者の側でも、会ぎのときなどに『今や当局の合理化攻セイは三河島以降云々』という形でいわれているようです。

これは私の小さな経験ですが、「三河島以后」の言バについての次のような話があります。最近某駅で鉄道電話を借りようとしたとき、駅員に『三河以后、当局は私用電話は断わるように指導しているので、使ってもらいたくない』といわれました。

国鉄の内外で使われている「三河島以后」という言バのもつ響きには、当局にしてみると石田総裁がいうように、管理体制をしめ直そうということがふくまれているようであり、労働者側にすれば、それは責任の下への転化の状況をふくんでいるように思われます。

「三河島以后」をめぐるこうした労資の対立を実に鮮明に示したのは、七月二日のいわゆる田町電車区"ハダカ事件"でした。

二

事件の詳しい経過は承知のことなので省略しますがこの事件について朝日新聞の「今日の問題」は、『入浴一つがこれほど"緊張"の種になるような職場の規律、空気が、国民の目には、まず異常に映る』（七月二十二日）といっています。たしかに「三河島以后」の国鉄内部の緊張を知らぬ一般の人々にとっては、田町ハダカ事件は異常な事件として受けとられているようです。

たとえば、次の投書はそうした異常さに反撥する人によって書かれたものです。すなわち『勤ム時間内に入浴することが慣習化された既得权だという労組側の言分に疑問』がもたれ・『親方〃日の丸〃意識の現れ』として労働者が批難されています。（朝日新聞、七月九日、声・横浜市、木村謙二〃42）

だが、「三河島以后」の国鉄内部の状態を知っているものなら、この事件は突然おこった奇怪な〃入浴事件〃ではなかったはずです。

事件の直后、全国の国鉄労働者からおどろくべき速さで、田町国労分会宛に激励文や赤ハタに書いたよせ書きが大量に送られてきました。

この事実は、国鉄の末端の職場で働く労働者が、意外な形をとっておきた事件の背后にしっかりとその必然性をみていたからだと思います。

三

「三河島以后」国鉄の経営の実体は、世論の論ギの的となりました。

国鉄経営の実体の暴露がすゝむ過程で、国民をおどろかせたことは、相変らず国鉄は自主性のない公共企業体である、という事実でした。以前大野バンボクが政治力を使って、岐阜県の田舎町に新幹線の特急の停車駅を作らせたことがありました。このニュースは、国鉄が自主性のない企業体であることを暴露したものとして当時国民の憤激をかったものでした。あの当時と今日とでも事情はなんら変りません。国鉄は依然として政府または国会から多くの拘束をうけており、鉄道問題は保守政治家の腕と肚の見せどころとなり、全国に赤字路線がつくられていきます。

最近、自主性のない国鉄を一番よく示したものは、いわゆる国鉄の五ヶ年計画が満二ヶ年を経ずしてたちまち変更を余ぎなくされたという事実です。五ヶ年計画は、物価上昇と三河島事故の教訓によって大きく予定を変更し、当初資金総額九千七百五十億から一兆二千四百四十一億円予算へと増額になりました。東海道新幹線も本年四月エカフェ（国連アジア・極東経済委員会）の調査団に大いに賞讃された直后頃から、予算不足が表面化してきました。政府、国会でも問題になり、ついに吾孫子副総裁と工事最高責任者である大石新幹線総局長は責任をとって辞職するということにまでなったことは承知のことです。吾孫子前副総裁の不足分の真相調査によれば、八百七十四億円が不足すると云われています。これほど巨額の見込みはずれをしていたにもかゝわらず、十河前総裁は事実を全く知らず、彼の見通しではせいぜい二、三百億円程度の予算不足だろうと思っていたのです。（朝日新聞・38・6・9夕刊・国鉄「きょうとあす」参照）

一体、国鉄経営陣は何をしているのでしょうか。国鉄の首脳は、自主性回復をどう考えているのでしょうか。

これについては、次のようなおどろくべき話があります。十河前総裁と石田現総裁も共に、自主性回復と経営近代化の第一歩として、部下に「大きな権限を与えるべきだという持論」を主張しています。

十河前総裁は、新幹線総局に国鉄部内では前例のないような大きな権限を与えていました。

新幹線総局は何百億という[illegible]総工事予算が決定すると、総局の判断で、東京・静岡・名古屋・大阪の四つの幹線工事局に配分することになります。幹線工事

4

局は一回五千万円までは局長の裁量で他の工事費を流用することができたのです。こうした内部の仕組から、突貫工事に必要という大義名分をあるだけに、金が派手に使われた事実が各地に起りました。その一つに、国会でも話題となった「景色補償」があります。新幹線の土盛式路盤で、新幹線に並行する近江鉄道が視界がきかなくなるという理由で、国鉄は近江鉄道へ踏切警報装置をつけるなど様々な名儀で二億五千万円が支出されたのであります。

新幹線総局、その代表である総局長に集中する過大な権限は、当然に汚職の発生を予想させます。果して、田町八分力事件と同じ頃東海道新幹線三幕目の汚職摘発は最高責任者大石重成前総局長（56）の取調べとなって爆発したのです。（朝日新聞39・7・4参照） 大石の収賄容疑は三五年夏から三六年夏にかけての名古屋幹線工事局の、二川地区の路盤工事等にまつわるものです。この工事で、既に逮捕された鹿島建設鉄道部次長（当時日本国土開発会社営業部長）の安部方一（60）と日本国土開発会社主任（[illegible]）から数回にわたり、毎回数十万円づつを大石が受領したというものです。

石田総裁は七月三日の記者会見で、「新幹線に甚大な権限だけ与え、チェックが足りなかったことが汚職の遠因は国鉄の人が従来自主性を持たされていなかったので、急に権限を与えられる結果でもあると述べました。超特急のもつ明るいイメージの影に、驚くべき経営首脳部のタイハイが交錯しているのです。

まことに自主性のないマンモス公共企業体の実状は頼りない、否、恐るべきものです。「三河島以后も・

国鉄の当面すべき最大の課題は、真の自主性を自らの手にとりもどすことにあるといっても過言ではないでしょう。

国鉄が自主性をとりもどす道は、なによりもその創意性を国鉄一家の官僚主義でがんじがらめに押えられ、たえまない神経の緊張と、増大する労働量にたえて、鉄路を守っている国鉄労働者にこそ前例のないような大きな権利を移行し、労働者の地位の向上を実現させることにあります。これに対して、従来の国鉄労働者の生活と権利の低さをそのままにしておいて、上からの管理体制の強化、人事行政の強化へ石田総裁は昔の官吏制度を改正し能力主義の人事を実施するといっていますが、その方法は、私大出の高い学力の低い者から優秀な者を、毎年二、三人採ってきて指導者層にくみこむことであるというだけです。（「石田総裁語録」21〜22頁）によって解決を求めようとする道があります。この二つの道、それは真の自主性獲得のコースか、あるいは第二、第三の三河島を再び生むコースかと云う重大な選択を意味しています。もとより、われわれ国民は、第二、第三の三河島を生む道に反対し、どこまでも国鉄労働者・国鉄労働組合による真の自主性獲得のための斗いを支持するものであります。

四

国鉄八分力事件は、まさに第一の道と第二の道の交錯の中でおこった事件であります。

事態の重大さを意識した第二の道をとろうとする国鉄当局の対応は実に速度をもったものでありました。

下着だけで運行された労働者ら四人が「国鉄法三十一条」にもとずき、七月十六日付で懲戒免職の処分となったこと、さらに又公安職員が労働管理の前面に現われたことがはっきり示すように国鉄当局の姿勢はこれまでとはきわだったものがありました。これに対し、政新政党、労働組合側の対応も出足は急でした。国会最終日の七月六日、参議院法ム委員会で社共両党の議員がタイムリーにこの問題をとりあげて、河村労ム担当常ム理事、井本公安本部次長に鋭く迫ったのは適切な処置だったと考えます。この事態を契機に田町ハダカ事件はテレビの電波にのってたちまち全国に拡がりましたし、一方全国の国鉄労働者は自らの問題として緊張してこの成行きを見守っていました。日本の労働者階級の間にも、政府がＩＬＯ条約批准にともなう国内法の改悪を策動しようとしている時期だけに、この田町ハダカ事件は大きな波紋をよびました。

　しかし、その后、七月六日から処分の出た十六日迄、国労東京地本新橋支部の支援もあり田町分会も実力での入浴実施、名札をうらがえすことを拒否する斗いなど、職場の大衆と結びついて斗いましたが、大局的には当局の先手、先手と打ってくる攻勢のまえにさらされていたのが実状だったようです。

　十六日、処分通告后、山田国労書記長は、「公安職員が当局の労働管理の前面に出てきたこんどの事件は前例のないことだ。従来の行政処分は裁判の結果をみてから行われるのが普通だった。今回の急な処分は人権を無視した処分権の乱用である。ただちに中央執行部の指令で、①職場の順法斗争 ②国会、人権擁護委員会への問題提起 ③身分存続の訴訟手続き、などを

年表　一九六三

月日	田町電車区	国鉄	国内	国際
1　1			池田首相「人づくり」を強調	エカフェ会ぎ
2　8				イラクで革命起る
28			「昭和のガンクツ王」吉田石松無罪	
3　8				シリアで軍のクーデター起る
28			吉展ちゃん誘かいさる	
4　4		公安本部、車内暴力退治のため警乗強化		
10				米スレッシャー号沈没
17			地方選挙	
5　1		東海道新幹線工事費予算超過 八百億円		
3				米、黒人デモ
6　16				ソ、女性宇宙飛行士の成功
20				ワシントン－モスクワ直接通信線設置の協定調印
23			米原潜寄港反	

6

進める。また十六日、事件の全過を説明したビラ五十万枚ぐらいを国電乗客に配る」(朝日新聞、7・16)と語っています。

山田国労書記長が、田町ハダカ事件を突然的なもの、新らしい変化をもったものと評価して斗いを組もうとしていることは、有効な見解だと考えます。しかし、七月二日から十六日迄の間に、右のような中執の指令が出され、国労が斗う田町分会を包んで斗ったら、事態はもう少し変更したのではなかったでしょうか。この点を検討することは、労働運動にとっても貴重なデータを提起することともなるでしょうから、この時期実際に斗いに何らかの形で参加した人たちにぜひ教えて頂きたいものです。ともあれ、「田町ハダカ事件」は裁判という形で今後も続くことになったのですから、職員四人の懲戒免職撤回の斗いに全力をあげなければならないことはいうまでもないことです。それと共に、従来、慣行の形であれ当局は勤務時間内に労働条件と労働の性質上、風呂に入ることを許可していたのですから、これを正式の交渉によって合法的なものにする斗いも忘れてはならないでしょう。また、我国労働運動の太い支柱の一つである国労が、労働時間の問題その他のあいまいな形の慣行を正式の合法的なものにしていく地道な斗いを組織全体のものとしていくことは、ILOの労働時間短縮の勧告をめぐって政府・労資相方でさかんに論ぎされているときだけに、重要な意味をもつと考えます。

五

24	27	28	30	7 1	2	3	4
東鉄、入浴時間変更の申入れ	電労全国大会(28迄) 動力車労組全国大会	東鉄、入浴時間変更の通達			ハダカ事件起る 緊急執行委開かる	職場集会開かる 品川電車区抗ギ集会 東京機関区ハダカデモ 松戸電車区抗ギ集会 国労中央執行委、団体交渉	高輪署、四人を送検、日本医労協、全港湾、全電波激励と抗ギ電 松戸電・全日自労・国民救援会現地見舞
	東鉄、総合点検運動期間(7月迄)				石田総裁、新宿駅を視察 新幹線特別監査報告提出	新幹線前総局長大石取調べ	
対横須賀集会		横浜地裁、労組側ピケ無罪	旧金シ勲章年金受給者に関する特法可決	失対法改正		新道路五ヶ年計画成る	安保反対第11次統一行動
						ケ大統領訪欧終り帰国	米、独立記念日 ア首相東独訪問終り帰国

「三河島以后」の言ばのもつ意味を、真剣に考えること、たとえば現在進行している国府八ッ力事件の裁判に対して注目し、広津和郎氏らが松川事件の際に見事に示したような国民と裁判との正しい関係を確立する斗いをつみかさねていくことは、国鉄労働者のみではなく、ひろく一般国民大衆が国鉄問題を考えるための現実的な地盤をつくることとなるでしょう。

（一九六三・九・二七）

7				
4	衆、法公委現地調査			
5	〃、運輸委質疑行う	西荻窪駅助役表彰さる		ド大統領西独訪問終り帰国
6	国労全国大会代ぎ員選挙告示		第19通常国会閉幕	中ソ会談
	参、法公委、国鉄当局追及			
8	浅野彦氏釈放	常任理事会（第一回）	新型ミサイル試射	
9		〃（第二回） 国鉄、通勤ラッシュ解決第一次案作成着手		
10	全林野激励と抗ぎ電 新橋支部品川地区共斗会ぎ抗ぎ総決起集会			
11			教課審「新道徳読本の手引」を文部省に答申	
12			生存叙勲復活を閣ぎ決定	
14			トップレベルのマネジメントセミナー（19迄）	フランス革命記念日
15			名神高速道路一部開通 浅野総裁わびる	三国核停会談はじまる
16	処分発表さる	総裁、赤羽、上野駅視察 西荻窪駅助役に紅綬ホー章を決定	白鳥事件上告審	
18	国労全国大会代ぎ員選挙投票日	綾部運輸相、石田総裁に新幹線改善工事を急ぐよう指示	池田新改造内閣発足	
19			株価ボー落	
20				中ソ会談終る
25				三国核停仮調印
31			政府核停条約に参加を決定	中共核停反対声明

現地調査報告

東山十三（トレース）

とき　7月20日（土）
P.M. 1・30〜3

ところ　国労新橋支部田町電車区分会。

方法　分会役員A氏の案内で浴場を見せてもらい、そこでの聞き取りによる。

目的　わたしは新聞でしか知らない。それもほんの一部であり、しかも現在は書かれていないので、その后どうなっているのかわからない。

ここに朝日新聞7月3日付朝刊（東京12版）をもって来たが、事実はこの通りに間違いないか。

問題の風呂場もみたい。

報告　順序や項目はあとで整理してある。実際は、歩きながらあるいは立ち話のなかで思いつくまゝ語り合ったのである。

◇　◇　◇

1　入浴場について

○第2図を参照のこと。浴そうのメートルは目測である。

○この浴場を約400人が使用する（※1）。1回にせいぜい50人入ればよい方だ。1人15分としても2時間かかる。4時から入っても5時には帰れないものがでることは数字の上から明らかである。

しかも、電車の運行ダイヤとつながる職場の特殊性から、全員が一度に先を争って入浴できるわけではない（※2）ようだ。

○板の間や棚は古びており、全体に暗く、衛生的とはいえない。

※1　田町電車区には、680人の組合員がおり、そのうち約300人が乗務員で、のこりの約400人が検査修繕員である。この検修員が入浴する。

※2　アカハタ7月5日付の事件解説より。

2　上記新聞記事について

○朝日は取材に来ていない（！）——念を押して確かめたが、A氏は断言した。

その日（7月2日）来たのは、読売とサンケイであった、という。

○記事の内容については、以下のようである。

9

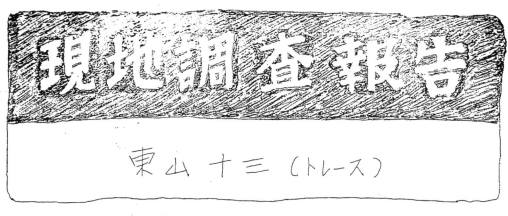

『組合員二十人ばかりが、裸の男の"奪還"にきて足や手を引っぱりだしたので、云々』……

強く、怒りをこめて否定した。

"いくらおれたちだって、触れば公ム執行妨害とかなんとかいって扣まること位知ってる"とA氏。

組合員はもっぱら口頭で抗ギしたのである。

（但し、この記事は巧妙に書かれてある。断定的な表現をしていないばかりか、引っぱりだしたのは、誰で、手や足は誰のものか、曖昧であることだ。

A氏のいうのは、裸の仲間にも公安員にも手を出さなかった、という意味である）

『組合側は数十人がフロ場になだれこみ、ガラスを割るなどして騒いだ』

A氏は、もうまともに答えたくない、といった様子だった。

フロ場になだれこんだのは、公安員である。組合は第1図A点で抗ギしていたのである。

その上、公安員はカメラをとっていた。組合は当然それらをソ止しようとした。その際、助役のヒジが窓ガラスにあたり割れたのである。

『数度にわたりっわれわれは公安員だしと身分をあかしたがさらになぐられた』

デタラメもはなはだしい。身分をあかすどころか、なぐられたのは組合員の方だ。

検挙された二人、執行部の小泉氏の話（A氏と立話をしていたところへ来られた）――。

事件を聞いて現場にかけつけたところ、ある公安員が"小泉がいた！"と叫ぶやいなや手に手錠を

【第1図】

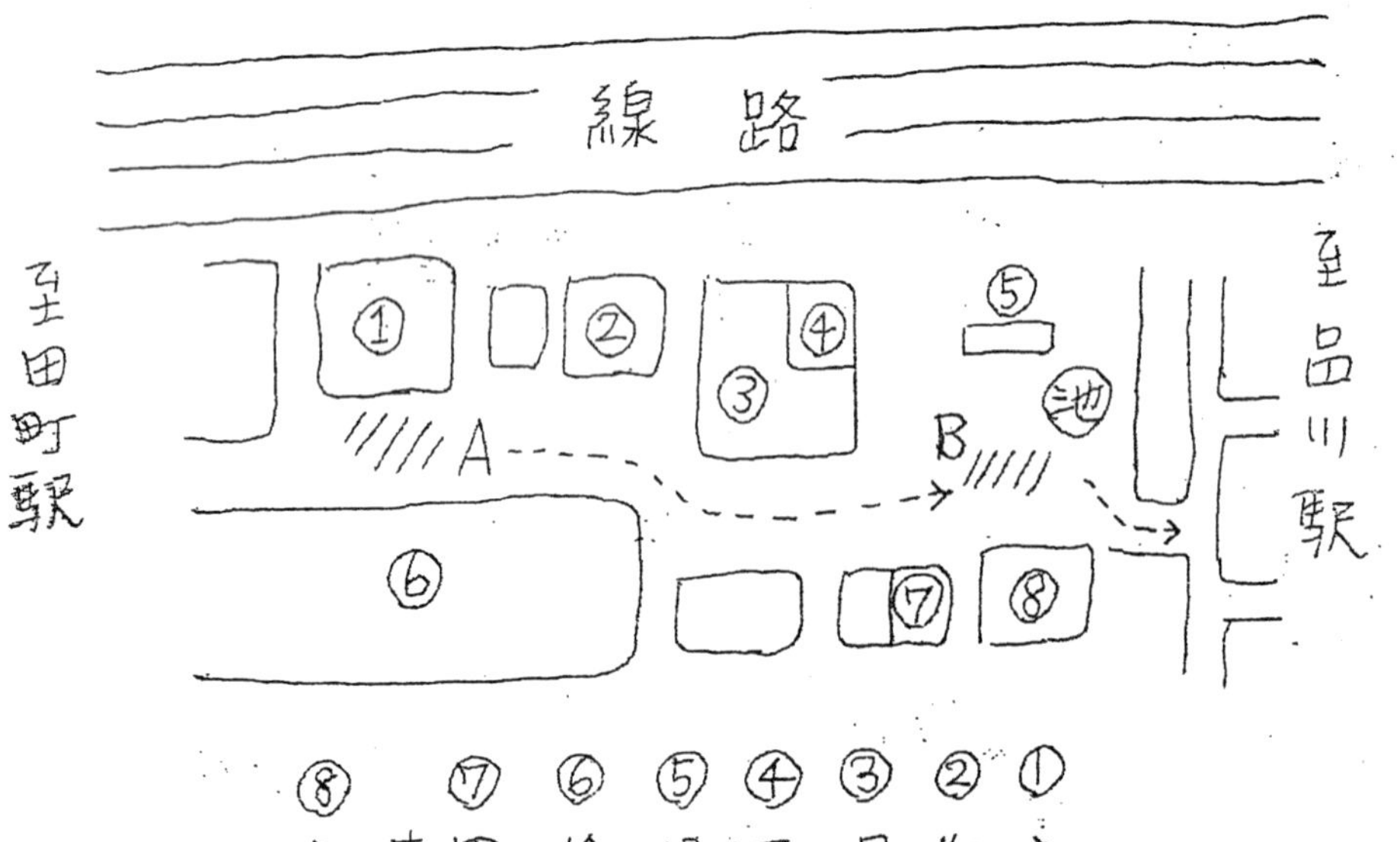

① 入浴場
② 作業控室
③ 運転技術室
④ 区長室
⑤ 掲示板
⑥ 検修験
⑦ 田町電車区分会事務所
⑧ 乗務員宿舎

たたきつけた（その時できたキズは三週間ちかくたった現在もまだハッキリ左手の甲に残っていた）手だけでなく頭も手錠でなぐられコブができた。その公安員は、自称小泉氏の高校の先輩だ、といっているそうである。

なお、最初五人検挙された（第1図A点）。そのうち一人はB点で釈放された。その時〃関係がない〃と公安員がいったそうである。

『このため国労新橋支部田町電車区分会は、……この事件を〃人権侵害〃として云々』

組合は、単に〃人权〃問題としてだけとらえていない。ハダカという点だけなら、服を着せて検挙すればよい、ということになる。仕事の点をぬきにしてはだめだ。三河島事故や新幹線の失敗で当局は非常なあせりと、同時に大変高圧的な態度を示してきている。そうしたあらわれの一つと考えられる。

3　時間変更について事前に予告はなかったか？

○六月二四日、当局より「四時半より入浴、実施は二八日頃」と申入れがある。これに対し組合は、要求の全日大会后に話合いたい旨返答。

○二八日、当局は一方的に通告してくる。

○七月二十日現在の職場交渉の際、この問題について当局は「止むを得なかったし」と語っているそうである。

4　公安員について

○志願制で、志願するのは、若年尺に多く、考え方は、例えば、手錠をカチ

【第2図】

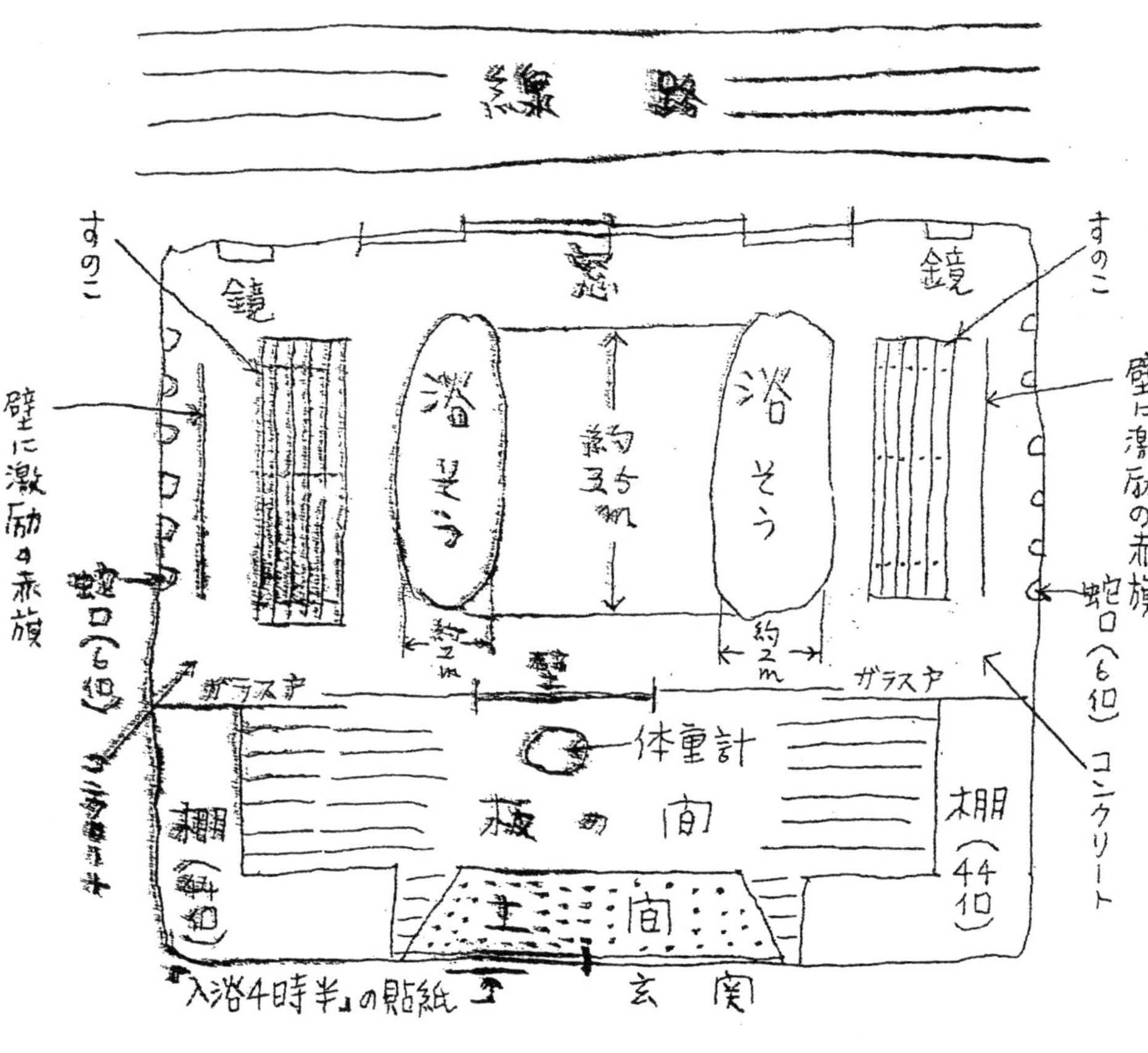

11

ヤカチャならしたり、ピストルをみせびらかしたり、まるでオモチャをもらった子供のようだ。

。採用は、武道（剣道・柔道・空手など）優先である。

。教育期間は三ケ月位あるらしい。

しかし、当日の公安員は手錠の扱い方もろくに知らなかったようだ。A氏が高輪署へ差入れにいった際、本庁の刑事があきれていたそうである。

。公安員の待遇はどの位かわからないが、区長や助役といった連中とのつき合いは深くなることは考えられる。

。当日の公安員約二十名（三ケ所で四〇名位）のなかには、見なれぬ私服もいたように思う。

。その時の公安員の中には、いま顔を合わすといやな顔をするものもいるが、謝罪するものなんか一人もいない。

5 現在入浴は何時からしているか？

。四時からいまゝで通りしている。妨害はその后ない。

。中にはわざわざ四時半から入るものもいる。その人たちは、何事にもそんな態度をとる。

6 慣例について

。入浴時間の外には、作業を示す札かえしなどもある。いま年配層にこの札かえしのサボタージュの斗いが行われている。無意味にされた慣例に対する抵抗の一つと考えてよい。

。明文化されていないように思う。口から口に伝えられてやって来た。

7 首切りは予想できたか？

。最初はできなかった。

。そのうちだんだん感じるようになってきた。

8 あなた方が斗っている存在を外部に示す何か方法はないか？ 例えば電車を止めるとか、

。だまってうなずいていた。

◇ ◇ ◇

課題

事件に対するジャーナリズムの関心。朝日の取材に来なかった点。各紙、誌のスクラップ整理。

感想

駐区の会の才一条は、まず駐場（現場）にいってみること。

終りに

A氏及び小泉氏、それに分会の方々にお礼をのべ、合せて斗いの支援を送ります。

（38・7・22）

12

わたしはこう考える

☆ 習慣を権利に……………　村田伸

☆ 気になる事件のあとさき………　石原靖子

☆ 曖昧な時間のきめ方に問題……　江島弘子

習慣を权利に

ー中小企業労仂者の立場からー

村田博（印刷）

事件のおきた頃、私は病院に入っており、手術直后でうなっていました。それでも、一応私の知っている人たちや会員の名前が出ていないか、家内に調べてもらったりして新聞にのった程度の知識は持つ事が出来ました。或は誤解があるかも知れません。それについてはご指摘下さい。

私の才一印象は、はだかで連行された人たちに対する同情や当局の仕打に対する批難などよりも、勤務時間中に風呂に入っていたのかという驚きと、それじゃ怒られるのも当然じゃないかという気持が先だったというのが、偽らざるところです。

その后時間がたつにつれて、当局側の処分の厳しさなども報道されるにつれ、少なくとも、労仂運動の一角を占める場所で仕事をして来た者が、そういう反応の仕方しか出来なかったということは、やはり自分にも相当問題がある称に思われて来ました。

それにしても、私の印象は、単なる狭い見解として葬っていいものだとも思われません。この疑問をどう処理するかをここの課題にしてみました。

私は、田町電車区ではありませんが、隣り合せの品川客車区の浴場には入ったことがあります。夕方近い頃で少なくとも十数人の人たちが入っていて、他愛ない話から経済学の議論まで話がはずんでおり、非常に解放的で、国鉄のような大企業でしかも組合の力の強いところで、はじめて見られるものではないかと思われました。多分、電車区の方も同じような雰囲気でしょうし、時間的にも、事件の起きた時と大体一致する頃だったろうと思います。
その人たちは、仕事が終った后のホッとした気分でいかにも楽しそうに当然の权利として、いや权利以上に当り前なことのようにふるまっているようでした。
こうしたことが、実際は許可されていない勤務時間中のことで、時間内の入浴は単なる習慣にすぎなかったということはどういうことなのでしょうか。
問題はその辺にあるのではないでしょうか。
私どもが仕事が終った后、汗を流し、身じまいするため、企業内に浴場をもつことは当然の权利であり、また、たとえ時間内といえども、仕事が終った后なら入浴していっこうに差支えないことだとは思います。しかし、それが当然の权利として、文律的にも当局に認めさせてあるのか、単なる解放的な雰囲気の中で、いつのまにか習慣になっていたのかというのとでは、大分大きな違いがでそうに思います。
少し大げさな引用かも知れませんが
『どんなに小さい勝利でも
日々に新らしい勝利を準備せよ』
とは、エンゲルスの言葉です。日々に獲得した权利をどんな小さなものでも、単なる習慣にとどめておかず、確固たる权利として当局側にも労仂者側にも認めさせ、我々が規則を守るのと同様に当局にも守らせることが必要です。

単なる習慣や解放感に首までつかっていると、労仂者的な、規則というものに対する感覚がマヒするばかりでなく、労仂運動が守勢に転じた時、真先につけ入られる元になるのではないでしょうか。

私ども中小企業の労仂者は、やゝもすれば組織労仂者たちの斗争の歴史を見ず、彼等の職場に確立している諸権利をうらやみ、解放的な雰囲気を嫉視し、労仂貴族だなどと言いたがります。勿論、これは私たちの視野の狭さから来るあやまった傾向ですが、それでも時に多くの組織労仂者のはなはなしい斗争と解放的な雰囲気のかげから意外に無権利な時には無気力でさえある日常生活がのぞいているのを見ることがあるのは私だけでしょうか。

私たち中小企業の労仂者には、浴場やシャワーはおろか、食堂も、夜勤専用のベッドさえ持っていない人たちが多く、未組織労仂者が斗争に立ち上る場合のスローガンには、殆んどが、時間短縮、給料値上げなどと同時に、工場の片隅で家畜の水あびのように、バケツで水をかぶるようなことはごめんだとか、薬品やガスの匂いや、四十度以上の熱さの工場の中ではないちゃんとした食堂と食卓を与えよとか、危険物倉庫の二階や冷たいコンクリートの上のゴザのベッドから我々の睡眠を解放せよというような最も日常的な要求がかゝげられます。そして一旦斗争利あらず、守勢に転ずるや、最初にうばわれるのが、こうした厚生施設を使用する時間であり、そうした時間から生まれる解放的雰囲気に水をさすような、あらゆる行為が取られます。

私はたかが時間内の入浴に解雇処分を以ってのぞむような当局の攻勢に斗いをいど

16

んだ国労諸君を全面的に支持すると共に、日常的な面での权利斗争でも一つ一つ文律にまで持って行くような多面的で深みのある戦いを組み、その斗いで、あの解放的習慣を犯すべからざる权利にまで高め、我々中小企業の労仂者に範をたれて下さることをお願いします。

気になる事件のあとさき

石原靖子（デパート）

私がこの事件を知ったのは、七月三日付の朝日新聞からです。

——裸で逮捕をしてそのまゝ履物もはかず、人前を手錠をかけて連行——。

驚きました。どんな事件の逮捕であれ、裸で連行するとは人权蹂りん以外の何ものでもないと思います。

そして、一体何が原因かと思えば規定時間より三〇分早くお風呂に入ったとか、再三にわたる注意を聞かなかったとか——。こんな理由で何故こんな逮捕をしなければならないのか不思議でした。

　私たちの職場内でのことで考えてみれば、定められた休憩時間をオーバーしてしまったとか、営業時間中に無断でお茶を飲みに行ってしまったとか、そういう類のことではないだろうか。こう考えていました。

しかし、その后品川客車区のOさんから聞いた話によると、捕えられたのは組合の活動家で、当局側はそれを狙ってやったのだということです。

「なる程、そうだったのか――」と、思いましたが、それにしても何故こんな风にしてまでも逮捕しなければならなかったのでしょうか。当局側にしてみれば余り賢明なやり方とは思えないのですが。

勝手な推臆をしてみれば、組合と当局側との間には、入浴時間の直接の問題以外に、何か別の大きな問題でもかかえていたのでしょうか。勿論、大問題があればこの事件は許されてよいというものではありませんけれど。

私は、最近読んだキューバの小説〃ベルチリヨン166〃を思い出します。

この事件とは特別に何の関係もないのですが、キューバ革命の時に、サンチヤゴの街で行われるバチスタ政权の無鉄砲な逮捕と、手当り次才の殺害、そしてこの文明の現代に行なわれたのかと疑わずにいられない拷問等。

人間性とか、基本的人权等とはおよそ縁の遠い驚くべき一面なのです。

科学や、文化の発展と、人間の权利とは全然別問題なのだと改めて考えたところです。

また、私は今度の事件が多くの人たちに誘拐や、殺人の単なる三面記事のニュースと同類に読み流されてしまったのではないかと心配しています。朝日新聞にしても、もの珍らしい派手なニュースとしてのせたに過ぎないような気がします。例えどんな事件でどんな人間が逮捕されたにせよ、このようなことは、もっと〳〵追及されるべきことだと思います。

この問題は、その后何処でどのように審議され、どう解決されたのでしょうか。それともまだ未解決のまゝなのでしょうか。新聞や、週刊誌でもその后、この件については何もみないように思うのですが……。

◇

曖昧な時間のきめ方に問題

江島弘子（デパート）

勤務時間を労仂者が一方的に短縮したか、しないか、の問題でその解決のためだけにしてはいくら争議の多い国鉄とはいえ手段が乱暴すぎるように思いました。

組合員たちが風呂場になだれ込んだ状況を写真にとったり、裸でいる人に「お前の服はどこにあるのだ」といったりの、しかも同じ国鉄内の人間による威嚇的な行動は、全く相手の人权を無視したものと思われますし、更に高輪署に留置するとは扱いもはなはだしいと思います。

私は国鉄の公安委員とは、職務は違っても広い意味で、区員と共に組合員として仂いているものと思っていたのです。こんどの対立でやっと、国鉄でも異る組織の中にある職務とわかったのですが。そんなこと

19

から国鉄の中の職務と組織の関係に興味を感じています。

なお記事によりますと、（入浴終了後の時間と思われますが）、勤務終了時間は、区長と組合の話とを総合して午后五時となっています。別に、規則書に明示されているにしても実際には、習慣でそうなったような曖昧な時間のきめ方に問題があると思います。これは組合側と区長側両方の責任と思います。このようなことから、お互の時間に対する解釈のずれが事件の直接の原因の一つになったと考えてよいと思います。

それにしても、一般の会社の場合におきかえてみますと、極端ないい方をすれば、単に勤務時間を何分か私用に使ったにすぎない問題、ということにもなると思うのですが、そのことがこのような事件をひき起すことになるのでしたら、たいていの労働者にとって、そのような職場で働き続けることは、とても我慢出来ないことになるでしょう。

相互の不理解から時間の奪い合い、人権問題にまで発展したこの事件は、一般労働者、管理者共に正しく理解されなければならないことと思います。

20

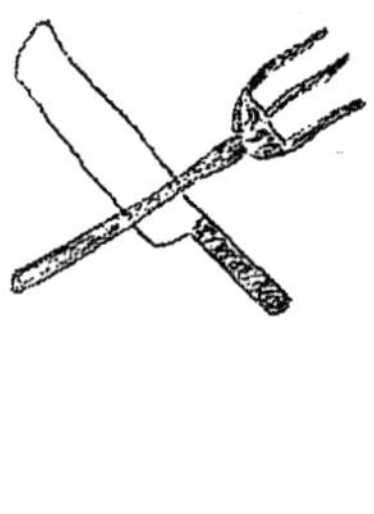

調査要項案

村岡雅男

調査要項案

村岡雅男（教師）

「三河島」以来の労務管はどう変化したか。

。作業の内容にどんな変化があったか。

。その変化でやり良くなった点はどうか。

。逆に悪くなった所はどうか。

。人員の変化はあったか。

。配置転換は行われたか。

。当局との交渉にどのような変化があったか。

。労仂者に対して当局の態度はどうなったか。

。個人的に親しくするとか、分裂策動や情報収取などの面。

強圧的な態度はあらわれているか。

。労仂者からの要求はどの程度採用されているか。

。当局側における権限の変化はあったか。

。組合に対する態度はどのように変化したか。

組合活動に対する干渉。

2 「風呂事件」の具体的内容。

。事件の経過の概要は。

。当時当局側になにか目立つ動きはなかったか。

。事件の起った時、職場の人たちはどのように感じたか。

個人的な問題ととったか、弾圧ととったか、更にもっと深いものと。

○組合はどのような方針で対処したか。分会、支部。

○当局側の態度は、現在まで一貫しているのか。

○当局側のこうした行動に対して職場の人たちは、それを予測しえたか。

○職場の人たちは、現在何を私たちに期待しているか。

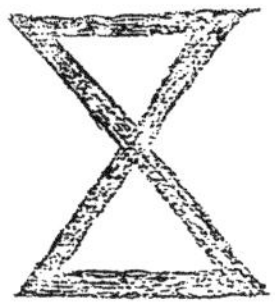

会の参考資料

☆「職場の歴史をつくる会」について　勝浦　純

☆会の機関誌総目録　村田　伸

「職場の歴史をつくる会」について

勝浦 純

機関誌20号の発行を機会に一言、会の説明をしておきます。一九五四年秋からはじまった会の「職場の歴史」をつくる仕事は労働界あるいは歴史学など社会科学の一部でも注目されています。

最近、中国やソビエットなどで労働者・農民の手になるいわゆる工場史、農村の歴史が日本にも紹介されると共に、私共の会の運動はより広くさまざまな領域で問題にされるようになってきました。

現在では、東京が中心でありますが、ぼつぼつ地方とも連絡をすすめています。会の性格上、個人が加入する形をとるのではなく、職場に労働者の職場の歴史をつくる運動をひろめていき、その過程でつくられる職場サークルの連合体といったような形で、職場の歴史をつくる会ができています。

会の仕事の一部として、会編「職場の歴史」(五五年)、歴史評論「職場の歴史」特集号(五五年)、井上清・石母田正・奈良本辰也・竹村民郎編「現代史の方法」上・下(六十年)、会機関誌「職場の歴史」(1～20号)=本号所収目録参照=等があります。

会の運動はいうまでもないことですが、職場の働く人びとが、現実にぶつかっている諸問題を解決したいという要求をキソとしています。(運動のにない手=労働者、要求=現実問題の解決)

たとえば、国鉄労働者の当面の要求=("三河島以後"の情勢を職場=生産点=の変化と結びつけて評価したい)が会のなかでひろく他の職場の労働者会員と討論されることによって、まず本号のような形で発表されます。本号以降も、会は「三河島以後」という綜合テーマをねばり強く追及することによって、より精度の高い「職場の歴史」を発表することとなるでしょう。もちろん、会員の研究しているテーマはこれだけにとどまらず、九年間の運動の実績と失敗の経験の上に立つ様々なテーマがあります。「職歴」と同じ性格をもち、同じような形で今后大きく発展していく見通しと条件をもつものの中に「村の歴史」「母の歴史」などの活動があります。すでにそうした動きは自主的にときどきフキ出しています。もちろん、それぞれ運動のもつ社会的な意義はそのにない手である労働者、農民、市民のたつキソに応じて異なります。

わたくしたちは「村の歴史」「母の歴史」などを含めた「国民の歴史をつくる会」に成長したいし、これまでの経験はその目標を達成しうるという見通しに確信をあたえています。これも労働者の「職歴」を中心に運動としてはじめて意義あるものとなり、そうしてこそ発展も可能になると考えているところ「職歴」にもっとも力を入れている次第です。

読者各位の御声援をお願いします。

会の機関誌総目録

作製　村田伸

第一号＝一九五五年九月

石川島労働者運動史（一）
二見清

はしがき（52・9）

発端　明治時代

一　百年の歴史をもつ石川島

二　石川島造船所の労働者運動と同盟進工会

三　社長渋沢栄一宅へ職工の生腕を送らる

第一篇　大正時代

一　造機船工労働組合と高山次郎吉

二　自彊組合と神野信一

第二篇　昭和時代（一）

一　神野信一と日本主義労働運動の展開

二　自彊会と産報運動

三　近藤孝太郎と文化運動

第三篇　昭和時代（三）

一　終戦后の石川島労働者運動

二　工職組合の会同と文化協会

三　全造船結成、石川島支部成る

四　石川島支部進展（食糧問題と労働協約）

五　賃上げ、十割を要求

六　劃的越年斗争と石川島労組の新規軸

七　二、一ゼネスト前后

八　二、一スト如何終ったか

あとがき

参考文献資料

はだか日本現代史　職場の歴史をつくる会有志

鏡をおそれる娘たち

ヤミ屋日本

マック天皇ー一九四六年ー

デス　バイ　ハンギングー一九四八年ー

蒋介石は売店かー一九四九年

また戦争が始まったー一九五〇年

「街は案外ひっそり」ー一九五一ー五二年ー

基地ニッポンー一九五三年ー

マグロがたべられるー一九五四年ー

プロレス・マンボ・うたごえー一九五五年ー

なえどこ　王子製紙労働組合　組合史編纂委員会

梅野信行氏より　職大竹村民部氏宛　手紙

学習運動と科学　井尻正二

はもん　編集係

歴史評論五月号（一九五五年六月号）河出書房で特集した〝職場の歴史〟についての各地の読者からの便り

書評　横山源之助「日本の下層社会」　渡辺菊雄

大蔵大臣よりの手紙ー会計報告ー　秋山ヨリ

編集後記　（R）

第二号＝一九五六年二月

この手千両ー職大発展のためにー（M工場グループ）竹村民部

その前夜ー私たちの組合はこうして生れたー通信局職場の歴史をつくる会

これが私たちの職場だった

よりよい生活を求めて

学習会と歌う会の誕生と発展

三度のメシを食わせろ

組合を作ろうーサークル統一への動きー

組合結成準備会誕生ーあしー

第一号発行ー

あしや一号配布
今日も首がつながっている
当局の弾圧激化す
局長の顔は七面長、化けるタヌキは七変化
アンケートにあふれる期待
遂に組合結成さる
学習運動と科学（二）　井尻正二
考えはお尻のおき具合から
社会科学はお上品
いんちきはノーベル賞
本当のことを知りたいため
書評「日本繊維労働者の歴史」　小野一男
山八毛織工場の歴史（山八毛織の歴史を語る会―豊橋蒲郡グループ）
しぼられた私たち
組合誕生
こうしてみんなの力で組合は出来上った
組合から手を引け
党の前に

ポーランドからの便り―ワルシャワ大学教授の手紙―コタンスキー
職場の歴史をつくる会会則
（職場の窓から）
職場の歴史をつくろう　平井茂

第三号＝一九五六年四月

会のことば　宮坂武人
私たちの会の三月のうごき（K）
村の歴史―現代寓話―三年寝太郎　竹村民郎
一九五五年十一月東京証券労組「声」掲載
大学の暗黒に―上智大学への公開状　内義一
はもん　地方からの便り　編集部
人　岡島博の場合　庄公代
全国に拡がる歴史運動の現状（上）
（三月までの分）北海道・東北地方、京浜工業地帯・関西・九州
学生のページ
凡人のための研究勉強プランの立て方　井尻正二
飛耳帖　編集部
書評　王子製紙労組編　王子製紙労働組合運動史―別冊―　高橋秀夫
おしらせ、あとがき　編集部

第四号＝一九五六年五月

会のことば　竹村民郎
私たちの会の動き（O）
職場の動き　共同印刷　K
晴れた五月の青空に―メーデーの一こま―　高橋秀夫
はもん―地方からの便り―編集部
人　庄公代さんの場合
会計だより　内義一
学生のページ
デスモ会のこと（A）
飛耳帖　編集部
五月の連絡会ぎ
書記局員の紹介
あとがき（岡）

第五号＝一九五六年六月

会のことば　藤本敏雄
私たちの会のうごき（S）
一口ばなし
「職場の歴史」（新書）合評会　同書の友　郷晋
書評「東証の歴史」をめぐって

Mデパートグループ
会計だより　六月の連絡会ギ

第六号＝一九五七年一月
職場の新時代をどうとらえるか　杉崎　隆
歴史について　日本水素労協組合小名浜支部
座談会―組合の歴史をつくるための労組懇談会（一九五六・十・二五）
於国際電々新宿分室
出席者
国鉄品川客車区分会
全蚕糸労連
東京証券労組
足尾鉱業労組
恩給局労組
全食糧労組
全電通労組
国際電々労組
（主催）職場の歴史をつくる会
編集後記　（杉崎）

第七号＝一九五七年六月
会の言葉
炉材工場と労働者の変遷史　日本鋼管鶴見支部委員会
鶴見窯業創立と「女土方」　昭九―十四
賃金ドレイのように　昭十五～十六
戦争と日本鋼管へ吸収されたけれど―昭十六～二十
苦しい中から職場の民主化へ　昭二十一～二十二
絶対ぬけでられない「死の泥沼」
「珪肺病」と最初の斗い　昭二十三～二十四
「人べらし」から日の当らない職場へ　昭二十四～二十七
「T・W・I」だろうか　昭二十八頃
我輩は珪肺病である　鶴鉄労協新報投稿
続　山八毛織工場の歴史　豊橋青部グループ
あらすじ（編集部）
嵐の前に
会社との交渉
外部の応援
力のある限り
斗いの終結
明日の前進のために
編集後記

第八号＝一九五七年九月
会のことば　T
いいやいかん―父の歴史から―　竹村民郎
序　父の追悼会によせて
一　葬列で
二　父の歴史を書こう
三　いいやいかん―父の思想
四　ぼんぼん
五　残された母と子
竹村民治郎年譜
竹村家系図
職員の歴史―魂あいまみれて
―恩給局職場の歴史をつくる会
田舎から東京へ
待ちうけていたものは
かびくさい部屋の中で
ゴールデン・ウィーク斗争の中で
進む事を知っていた　整々社労組
はじめに　入野徹・三峰光
整々社という私たちの職場は
歴史のはじまり
話しあうなかで
組合結成への芽ばえ
巧妙な切りくずしに抗して
組合結成の朝が来て
職場の歴史をつくる会々則
編集後記　機関誌部

第九号＝一九五七年十一月
―三周年記念特集
会のことば　田中正俊
職場の歴史について　竹村民郎
一　はじめに
二　職場運動とは何か
三　職場運動をどのように組織するか
四　むすび
品川客車区職場サークル報告　岡島　博
一～九

Sサークルの生い立ち
一　一人が一人を呼んで来て　一九五四秋～五七・一
二　「職史」誕生　五七・二
三　「大討論」からスタート
四　弱さの上で続く　五七・八、九
五　生活を書こう　五七・一～現在
あとがき　一九五七年十一月

恩給局職史サークル報告　清水澄夫
今後の活動のために
まえがき
一　職史の初期の活動
二　職史の「歴史」のよい面、わるい面
三　これまでの反省
四　生活の歴史
五　これからの活動をどうするか
めざすか、
学習活動
職場の歴史を実際につくる
仕事

Aサークルに集まった会員　秋山より
Kさんの話
Iさんの話
Aさんの話

職史第一報告

組織部　宮坂武人・岩根忠夫
理論学習会について
国民文化集会について
会が次期総会までにやる事について

会計部活動についてのまとめ　菊地一徳
Ⅰ　はじめに
Ⅱ　成果
Ⅲ　欠陥
Ⅳ　まとめ

機関紙部の反省　太田千江
1　発行まで
2　販売について
3　会計について
4　最後に—特に強調したいこと—

スポット
主な行事—一九五七・七～十一
組織部資料　五七・十一
会則改正について
会の動き
編集後記

第十号＝一九五八年五月
「職場の歴史」改称「職場と生活」

友だちが家を建てた話　吉田教助
友だちが家を建てた
就職以前
新しい職場
私の家
私の仕事
敗戦
辞職願
戦い終って
鉄道教習所
首切り
職場にもどる
転勤
定時制
病気
どんぞこ
機構改革
鉄道工場へ
父の死
読書
定時制卒業
コーラス
東京へ
都会の中で

第十一号＝一九五八年八月

都会に生きる
—一職員の生活の歴史—
恩給局職場の歴史をつくる会
友への手紙（一～十三信）
「個人の歴史」が「都会に生きる」について　竹村民郎
的
書評
日本列島　湊正雄・井尻正二（I）
地球の歴史　〃　〃（O）

第十二号＝一九五八年十一月

負けちゃなんねえぞ—国鉄一職員の生活の歴史—
国鉄職場の歴史をつくる会
幼少の頃
倉づくりの家
父母のこと
祖母
幼い疑問
叔父
お坊ちゃん子
入学
戦争と思い出し
先生の想い出
疎開
敗戦—国破れて山河あり—

30

学生の時
叔父の結婚のこと
中学生
鉄道学校に入る
ヤクザ学生
アルバイト
初恋
幼い精神主義
学生の生活
不良仲間
国鉄の採用試験
鉄道学校卒業
職場の生活
品川客車区
汽車の掃除（整備係）
朝鮮戦争
世の中というものは
徹夜作業
アリ地獄
寮生活
学会
勉強会
斗争参加
同僚の立場から
―"負けちゃいらんねえぞ"を読んで（K）

"負けちゃいらんねえぞ"について　Sサークル（I）
「都会に生きる」合評会から
編集後記

第十三号＝一九五九年一月

会のことば―新年にあたって
組合の本質をどうとらえるか（一～二、附記）　竹村民郎
職場の本質についての対話　土田敏助
本質忘却症　たけむらたみお
職場の本質のすすめ方について
―夏山フェスティバルの教訓―　岡島　博
銀座の生態（その一）
―一店員の生活の本質―
肩身がせまかった頃
母のこと
編集の窓
池田山小唄　地学団体研究会　志

編集後記

第十四号＝一九五九年三月

会のことば　はじめに
愛情と信頼について
―結婚した人々を囲んでの座談会から
土田敏助
愛情の深さとひろがり
現実的という事
独立と自信
ビジネス特急　たけむらたみお
銀座の生態（その二）
―一店員の個人の本質―
田舎っぺ
都会のユーウツ
銀座の空
職人気質とは　藤本敏雄
銀座の生態について　岩根忠夫
編集後記

第十五号＝一九五九年五月

会のことば　はじめに
銀座の生態（三）
職場の本質をつくる会銀座サークル
一つの証言　たけむらたみお
"職場の壁"と教師像
―これからの職場づくり―
京都市A小学校　吉田三郎
はじめに
子供たちのくらしと学校
教員の実態
組合の指導について
勤評斗争と職場
"職場の壁"と教師像を読んで　高橋秀夫
書評"二宮尊徳"（奈良本辰也）を読んで　田畑　健
編集後記

第十六号＝一九五九年八月

萱屋根の下
―家と自分の本質をたどって―

31

岩浪忠夫
一　庄内平野
二　伝説と家訓
遺訓之覚書
三　祖父と父
私の中にある地主思想
七月十二日の研究会から
編集後記

第十七号＝一九五九年十二月

会についての覚書
二つの天皇制論について―
井上清"皇室と国民"
松下圭一"大衆天皇制論"を
読んで　飯塚節子
改作　都会に生きる
恩給局職場の歴史をつくる会
第一章　谷間の生態
第二章　広場と孤独
安保阻止第八時統一行動における成果と私たちの課題（一～三）
清水澄夫
編集後記

第十八号＝一九六十年一月
臨時増刊

魂いあいふれて
恩給局職場の歴史をつくる会
はじめに
第一章　無秩序における臨時職員と組合結成の胎動（53～54）
一　田舎から東京へ
二　総理府恩給局に入って
三　臨時職員はただ働いた
四　組合結成は恐ろしかった
五　組合結成の職場の動き
イ　エンピツと同じの臨時職員
ロ　組合結成の動きは近江絹糸に支えられていた
第二章　スパイと自立への脱却（54～55）
一　十五日休んだらクビになること
二　スパイすれば職員になれる
三　自前の生活へ
四　組合結成后の職場の動き
―要求は山ほどある
第三章　ゴールデンウィーク斗争と自己の発見―職場の民主化発展（55～55.7）
一　有給休暇がほしいけれど
二　賃金カットと超勤手当
三　職場の動き―サークルの発展と臨職問題の普及

第十九号＝一九六〇年八月

声明　竹村民郎
自分の歴史をつくる今日的課題
特集　たたかいの記録
―自分の歴史の前進のために―
組合旗―六・一八の記録　田畑健
一九六〇年六月一六日　竹村民郎
五月二十日未明　清水澄夫
国民についての対話　高橋秀夫
安保斗争に参加して　渡辺晃
五月十九日以降考えたこと　岩浪忠夫
農村で感じたこと　山形　岩浪　健
デパートと安保反対　飯塚節子
安保批准に思う　伊東喜美子
職場の胎動　秋山ヨリ
安保斗争と農村の場合―　山形県鶴岡市　青山崇
六・一五の日にあらわれた分裂―全金オリジン電気支部の場合　西田秀夫
現代史の方法―討論のひろば
国民と歴史について　清水澄夫
国民と歴史を読んで　高橋秀夫
一、本書成立の意ぎについて
二　内容の検討
"大衆こそ歴史の主人公"この思想を深めていこう　山形より　青山崇
"友への手紙"―書評にかえて　田畑健、
私の歴史意識の確立―国民と歴史（竹村民郎）を読んで　岩浪忠夫
書評「炭坑に生きる」を読んで　伊東喜美子
安保斗争小史
六月一日～三〇日

以上

（一九六三年九月九日　完）

附記
「機関誌総目録を作り終えて」
（前略）一冊一冊の機関誌あるいは一編の個人の歴史については、それなりのまとまりと評価が与えられていても、職場の歴史運動としての一つの流れ―その歴史が把握されていないという反省が、これを私に作らせる動機となりました（後略）

32

編集後記

三河島脱線にもたらされたもの——それは、この八％力事件であり、そして今度は鶴見事故です。時を同じくして九州では三井三池の三川鉱爆発事故です。

私たちは、もう悲しみや不幸は沢山です。といって黙っていては、どうにもならないどころか悪くなるばかりです。

この拙劣誌が、もしあなたの沈黙を破ることにでもなれば、その時こそ意義あるものになると期待しています。

（M）

1963年11月17日 印刷
1963年11月20日 発行　定価　　円

編集　東京都小平市喜平町1,032 竹村方
発行　職場の歴史をつくる会

乱丁落丁のときはご連絡下さい

ふたゝび安保斗争を

――鶴見・三池の大事故への抗議――

高木一夫
（国鉄労働者）

鶴見事故は起るべくしておこつた。テレビをみていると当面は技術問題を通じて事故の真相を究明するとさかんに云つているがこれはおかしい。三河島事故のときも、形式的な事故対策委員会をつくつて問題の本質をすりかえてしまつた。事故の本質は独占の要求に基づいて国鉄経営がおこなわれているところに問題がある。今後勤務規定がますますきびしくなり、合理化の影響がつよまるだろう。テレビでは当局は貨物は二軸車（四ッ車、普通車は八ッ車）だからどうのと云つているが問題は機構だ。国鉄労働組合も国民に対する責任を自覚しもつと本質的な問題を整理して、当局と対決する必要がある。国労は三河島以降、問題を必ずしも明確にしてこなかつた。パスの値上げ・貨物輸送力の増大、貨車の検修のいいかげんさなどつくべきことが山積していた。事故対策委員会を形式化せず内容的に発展させるべきだ。各職場に事故対策委員会をつくること、地域の人まで入れて事故対策委員会をつくることは空想だろうか。組合の幹部はこれらの問題について良く考えるべきである。

当面は言いなりに働く労働者をつくるために労務管理を強化してくるだろう。弾圧で云うことを聞かねば才二組合をつくつて労働者を分裂させるであろう。山手線全駅に才二組合が発生している。

ある意味では鶴見事件よりは三井三池の方が重大である。鶴見の場合偶然性が作用していた。三井三池の方は、かつての大斗争の終結の方法が今日の問題を起した遠因ではないだろうか。労働者の生活、安全性を確認！保証できなかつた原因が、三井三池の大爆発となつたのではないか。

テレビのアナウンサーは「才一も才二もないともにかんおけをかついでいる」と云つていた。人間の死のまえには才一も才二もない。労働者は本来仲間を差別しない。灰原才一書記長は才二組合の役員に一緒になつて斗かおうと云つていたが災害現場では共にすでに斗つているのだ。

灰原書記長の云い分は、気持はわかるが、なにか上から物をみているような気がする。今度の事故を契機にもう一度三井三池では才一と才二とが統一して斗う可能性がでてきたのだ。

その斗いと鶴見の問題をとらえた国鉄の我々の斗いがむすびつけば、才二の安保斗争ができる基礎が生れてくる。こんどの選挙斗争はそうした問題を明確にして斗うことだ。

職　場　の　歴　史

会創立１０周年記念特集

「職場の歴史をつくる運動の伝統と創造」

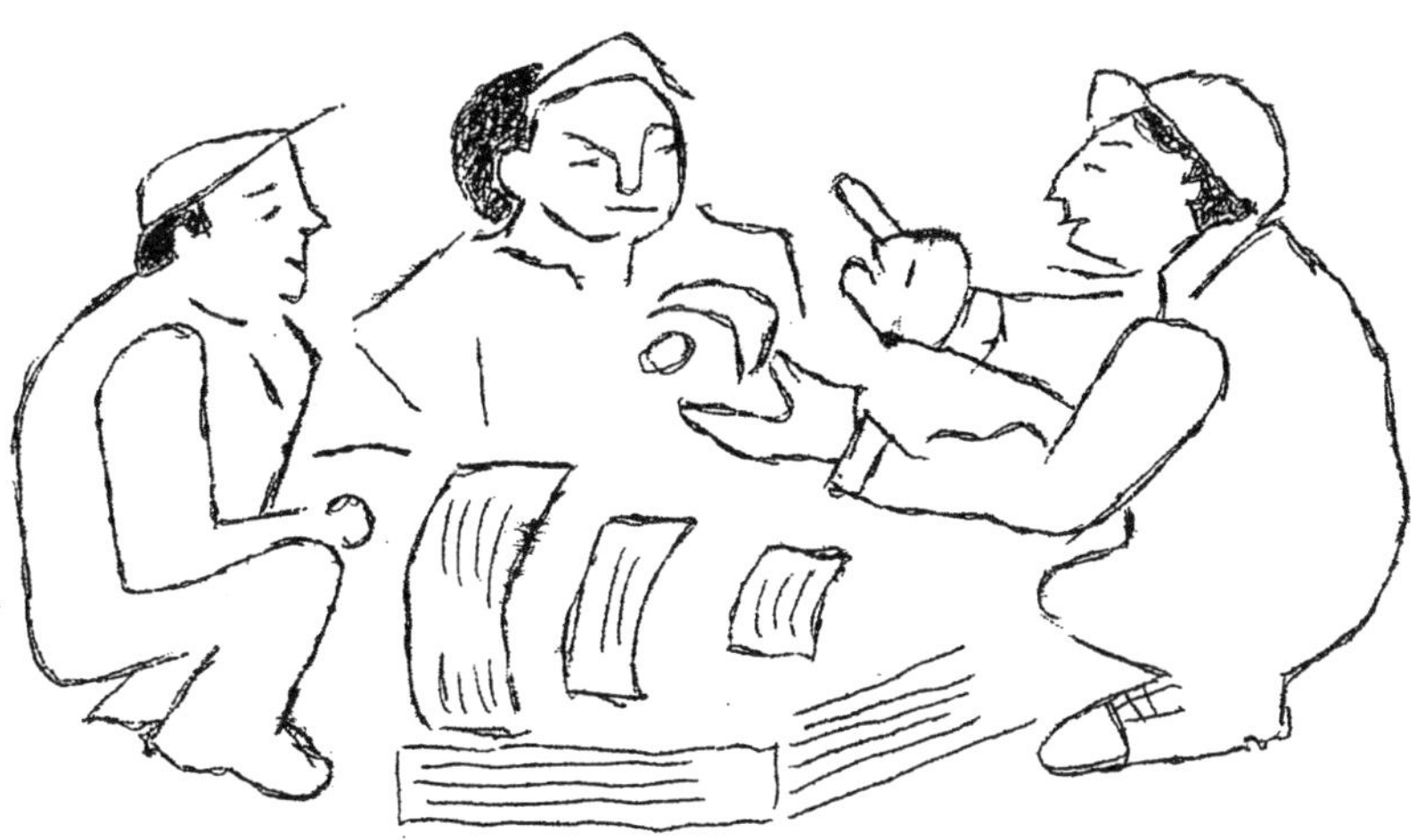

21

編集　職場の歴史をつくる会

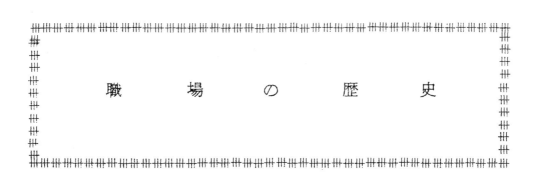

職場の歴史　二十一号

―創立十周年記念特集―

「職場の歴史をつくる運動の伝統と創造」

目次

伝統と創造

鳥海光

今回、現代における記録の問題を特集した。われわれはこの特集の意図についてつぎのように考えている。五四年の会創立以降、われわれは会の歴史のかなりの部分をしめる時期に、労働者の手による記録の創造・個人の歴史（自分の歴史）の創造をこころみてきた。この時期、会員今井澄夫「魂あいふれて」をピークとする一連の作品がつくられた。労働者の生活にしつかりとむすびつこうとする方向でつくられたそうした作品と、その創造過程にあらわれた数々の未発の思想は、会の遺産として継承されるべきものである。そうした遺産が言葉の正しい意味で会の伝統となり、現在の「職場の歴史」創造の土台となるためには、つぎのような反省が一方において必要とされるのである。

個人の歴史の創造が問題となつたのは、職場の歴史＝労働争議の歴史とするような運動のマンネリズムを打開し、労働者個々人の豊富な生活体験に裏づけられた職場の歴史創造の方向をきりひらこうとしたためであつた。そうした展望のうちに進められた個人の歴史の創作活動ではあつたが、その過程にあつては、個人の歴史創造の試行錯誤を理論化する努力がいちじるしく弱体であつた。理論化への努力が全くなかつたわけではない。そうした方向への模索の過程で、「職場の歴史」（五五年）「現代史の方法」（六〇年）が刊行された。又会主催で様々な職場の労働者を集めて組合をどのように書けばよいかについてのシンポジウムが開かれたり、或いは年表形式をとりいれた個人の歴史創作方法の研究発表等多多採な実験がおこなわれた。こうした過程はひろく思想の科学、国民文化会議の活動等にも影響を与えて進行した。だが理論化の立ちおくれは否定できず、したがつて問題が会員全体のものにならず、職場の中に個人の歴史を書く運動が巾広く深く組織されることはついにできなかつた。その結果個人の歴史を書いてなにになるのか等の動揺が会内部に現れ、ついに個人の歴史を書く仕事は中絶するの止むなきに至つた。それ以降現在までの時期は重苦しく苦るしい過程の連続であつた。最近ようやく、そうした会の経験の反省に立つて、(労働者が職場と生活のたたかいの過程で、非常な苦労をして書いた作品にたいする敬意をもととして)個人の歴史否職場の歴史の方法を理論的に総括しようとする仕事が芽生えてきた。

われわれはここにわが会の伝統と創造への可能性の発様をみるのである。しつように失敗から学ぶことは、科学する者にとつて不可欠の要素である。「科学」(六四年十一月号)において、自然科学のさる長老がいま一番興味をもつていることは自分の昔の誤りを改めることであると語つている。会の活動は個人の歴史をつくる運動が後退した直後から今日に至るまで、様々な生活上の問題もからんで(偶然性の強い影響もあつて)必ずしも活潑ではない。この沈潜の時期を克服するいくつかの道のなかでも重要なものは、個人の歴史運動の失敗||理論化の失敗に卒直に学ぶことでなければなるまい。既に述べたような、個人の歴史を理論的に総括しようとする仕事が今日、会の研究活動の領域で現れていることは、会の伝統を正しく継承し、職場の歴史研究のあたらしい創造へ向おうとする意欲の一つの現れとして評価する必要がある。だがそうした貴重な仕事はまだ発芽の段階にあり、慎重に発展させねばかれしぼんでしまうであろう。それがかれたあとには何が待つているのか。会の死滅であり、会の一切の経験の風化作用の進行である。それはまた個々の会員の思想の空洞化をもたらす以外の何者でもない。会員の多くは、その青春のもつとも貴重な時を会の活動に参加する中で過ごしてきた。今日会で創造的な仕事がほとんど発表されていないにもかかわらず、なお会員が会との結びつきをもつていることは、最近の情勢の進行が職場の歴史運動の必要をいよいよ明確にさせてきたこととともに、そうした事実を無視しては考えられない。個人の歴史運動に直接、間接に参加してきた会員が、自らの経験をふまえてそれぞれ独自の発想とその経験を生かして、過去に書かれた記録についての再評価、を試みることは、会発展の

基礎であるとともに、個々の会員の自らの思想の整理を保証するためのスプリングボードでもある。その意味から会は、こゝに村岡雅男の「職場の歴史と生活記録」――職場の歴史研究方法を確立するために―と山田三郎の「職場の歴史運動前進への一側面」―職場の歴史と現代史資料についての若干の感想―を発表した。諸会員の支持と批評を期待するのである△

もとより、会の歴史の失敗に学んで、職場の歴史研究の方法の達成(アプローチしていく胎動は、今回発表する二労作以外にも、会の内部において芽生えている。又安保斗争以降今日迄の期間に、国民のための歴史学運動の後退と云う現実を打破し、日本の全国に発展してきた記録運動の様々な潮流、さらに云うならば世界の各地に展開されている労働者の記録運動或いは組合史編纂の仕事との連帯の問題も意識されている。そうした全体状況についての紹介と概観そして成果の公開は未だその時期ではないからら、別の機会にゆずることとする。

(一九六四年十一月六日　夜)

「職場の歴史と生活記録」

―職場の歴史研究方法を確立するために―

岡村雅男

はじめに

会の活動は、現在発展、拡大の見通しを充分持ちつゝも、やゝ低迷をつゞけ、その弱さを克服してはいないといつて良いだろう。検討されている方針はすぐれているにしても、それを推し進める会員の力が強く結集しなければならない。こうした時、会の歴史の中でそれは、どのような時、何故、どのようにして成功したかという事を知りたい気持が起つた。会をめぐる条件は、現在とは異つているだろうが、それを検討することは、決して無意味だとは考えられない。

私は、会の歴史には二回の山があると考えている。第一は、会の結成時から新書版「職場の歴史」出版まで（一九五四～五六年初）第二は「父の歴史」作成から「魂あいふれて」完成まで（一九五七～六〇年初）前期の特徴は組合づくり、たゝかいと会がしつかりと結びついて、そのたゝかいの歴史を生み出しており、会の「つくる」という性格が、組織、集団といつたものに依拠して鮮明だつた。後期は、個人が前面に出てきて、より致密な眼を持つて、「職場と生活」を見つめており、とくに個人の歴史がさかんにつくられるが、会は孤立化しはじめ、苦しい時期だつたと思われる。

前期の激しい、やゝ楽天的な運動（すばらい成果を挙げたが）よりも、会の活動が、一応の定着を見せた時に展開した後期の動きに強く私の関心が向く。しかも、この時期に私は入会し、「個人の歴史」に強い低抗感を持ちこそすれ、その動きを肯定することができなかつた。また、いまもつて、私はこの活動が会の基本線に、まつたくずれていないとは断言できない。しかし、現在までに、この時期の活動に参加した人々の根強いエネルギー――このエネルギーは、きわめて貴重であり、会活動の苦しさを見事に乗り切つたこと――に、頭を下げざるを得ないと思うようになつている。

この時期の機関誌や作品をよみかえすと、私の心をつよく打つ、すばらしいものの多いことが気がつく。とくに、それは清水澄夫氏の「魂あいふれて」で最高潮に達する。同時に、私はこの時期の作品に「生活記録」との共通性を見出す。そして、清水氏の作品をはじめて「生活記録」の水準を、はるかに突破した作品が多く、「生活記録運動」が低迷をつづけている今に思うと、その成果が広く紹介されたらとくやまれる。

しかも、その作品のあいだには、つくる過程や批評が紹介され、それが、作品にどんどん消化されていくのを見て、その中に「生活記録」を発展させる鍵がひそんでいると思うようになつた。それを確認するために、私は「生活記録運動」を全体として再検討することを思いつき、この文章を書いた。

第一章　生活記録運動の成立と特徴

1、生活記録と生活綴方

「生活記録」この言葉には冷い、知的なというよりも金属的な音感がある。同じような言葉に「生活綴方」がある。これには暖かさ、やわらかさ、そして幼なさを感じ、より生活に近いように感じる。

「生活綴方運動」には、大正初年以来すでに五〇年あまりの歴史がある。子供たちに多くの知識を要求していた教育のあり方に対して、それを再編し、子供たちの体験と実感にもとずく、知識の拡大、生活環境に対する働きかけを組織し、生活をより豊かにする人間をつくりあげようとしていた。ために明治以来の学校教育のあり方と対立し、その発展は抑えられた。つまり、この運動は学校教育と結びついて、子供たちのものであつたと云つて良いだろう。

この運動は学校教育だけにとゞまらず、大人たちの世界にも影響を与えていた。だが、大人たちの生活を見つめようとする運動は戦前では、一部の地域を除けば、充分開花しなかつたといつて良いだろう。ところが戦後になると、学校教育ではアメリカから輸入された生活単元による教育法方と結びついて大きく発展し、同時に大人たちの運動としても、農村の青年や婦人、職場や都市の婦人たちによるサークル活動の代表的な課題として採りあげられ、全国的な運動となつた。

2、生活記録運動の成立

大人たちの運動となつた「生活綴方」は、何時の頃からか、「生活記録」と呼ばれるようになつた。（判然とはしないが四八年以前にはさかのぼれないだろう）「生活記録運動」が全国的な運動として組織されるようになつた時点は、ほゞ一九五二・三年頃と考えて良いだろう。五四年頃には「鉛筆をにぎる主婦」をはじめとして多くの本が出版されはじめる。「職場の歴史をつくる会」の発足も同じ時だということに注目して良いだろう。何故この頃に「生活記録運動」がサークル運動としてひろがるだけでなく、出版社など多くの人たちに注目されるようになつたのだろうか。

鶴見俊輔氏らは「アメリカから持ち込みの近代が挫折したのに対する当然の反動」として「戦後的な近代方式を批判する視点」を生み出したのであり、「レットパージ」という特殊な状況を通じて大衆の中に影響をもたらし、「状況感覚なしに高姿勢で戦後の革命運動を指導した日本共産党の理論家たちにたいしてつよい不信の念をもつている」ため、戦後のサークルの主要な活動家が追放された時点で、新しい別個の運動として展開したからだという。「『だからレッドパージ以降』というのが現在の日本の思想において何事かを生もうとしている場所だと云うのである。

この評価には当時の状況を正しくとらえている面がたしかにあるが、「レッドパージ」という不幸な事態を直視していないようだ。戦後の激しい大衆運動ので、その弱さをある面で補いつゝあったサークルが、その力をたくわえ現実にはたらきかける、より強固な集団に発展しつゝあった、その時、サークルの指導者たち、多くの欠陥・弱さを持っていたとはいえ、その活動家たちを「レッドパージ」によって失ってしまった。同時に、その遺産を継承することができなかった弱さ、なおかつ、たゝかわなければならない状況、こうした条件が、職場斗争、地域人民斗争、国民のための科学運動などの中から、新しいサークル運動を育てていたのではないだろうか。

「生活記録運動」として、ひろがるサークル運動は、それゆえにたゝかいの場としては弱さを多く持ち、他面では新しい芽を大衆の中から育てることが可能だったのだ。

＝参考文献＝

鶴見俊輔・久野　収　「現代日本の思想」　岩波新書
久野　収・藤田省三　「大衆の思想」　中公三三年　七月号
坂本賢三　「『大衆の思想』の神話」　唯研　三号
石母田正　「歴史の遺産」　大月書店
藤田生大　「歴史と実践」　大月書店

3、生活記録運動とは何か

「生活記録とは、歴史をつくる国民が、自分たちの考えや行動を記録することによって、国民が歴史を書くことをとおして、自己改造してゆくしごと」だと鶴見和子氏は定義している。しかし、この定義では、充分理解できない。又、先述したように「生活記録」は、戦前からの「生活綴方」を背景とし、「大人の生活綴方」として進められていることも、一つの性格を表わしていよう。

「生活記録運動」の実際は、ひじように多種多様で、一言で説明しつくすことは困難だといえる。それは、生活にしっかりと結びついているがゆえに、生活の多様さをそのまゝ反映していること、サークルの生れ方、運動の動機や目指している方向が多様であるからだ。生活の中で体験したことをそのまゝ書くものから、社会に働きかける行動を記録するもの、自分たちの生活環境がどのように形成されたかを歴史的にかなり古くから記録しようとするもの、同時代の社会構造に分析の眼を向けようとするものなど、短歌俳句同様のものから、分析を主とする社会科学同様のもまで、沢山のものがある。このように見て来ると、そこに共通するものは「生活を記録する」というだけになってしまうようだ。

多種多様さの故に、この運動に対する評価も、それに対する内部からの反応も多様である。

≪ 参考文献 ≫

鶴見和子　「生活記録運動のなかで」　未来社

4, 農本主義型と社会対恃型

鶴見俊輔氏は「生活記録運動」を二つのタイプに分類している。一つは無着成恭氏「山びこ学校」小西健二郎氏「学級革命」東井義雄氏「村を育てる学力」など子供の生活綴方運動によって代表され、同時に「生活記録」の大半を占める「農本主義型」と、樋口茂子氏「非情の庭」に代表され、作品の数がきわめて少いタイプ（呼び名がないので仮に「社会対恃型」と名付ける）とである。勿論、サークルの類型からは、都市サークルと農村サークル、あるいは職場サークルと居住地ナークルと分類することもできる。

氏によれば、「農本主義型」は「生活記録」の大半を占め、その性格は「状況を受け入れ」る、つまり「存在との一体感」を前提し、表現する場合「存在そのものを組織化する」それに対して「社会対恃型」は「存在に対する異和感」を前提とし、「状況への行動」を重視し、表現する場合は「行動を組織化」する。（もう少し、その両者の性格をはっきりさせると、「農本主義型」は、第一に「戦後的な近代化方式を批判する視点としてむかえられ」「近代という」「普遍的な原理を、日本の特殊条件の中から生み出すことをみずからの課題とした思想運動」である。しかし「日本的な『特殊』のひずみが出て来やすい」第二は「状況主義、与えられた状況を受け入れる立場」で、「大状況」に対する検討を批評家的として否定し、「小状況」＝身近なものに常に視点をするため、「働き主義」「誠実主義」に向いやすい。第三に「無競争主義」「平等主義」つまり、上位集団への上昇をめざす競争と立身出世主義を否定し、下位集団を育てる。指導者意識のない「下位集団から決して抜けないリーダーを養成」している。第四は「実感主義」教科の論理と実感の論理を区別し、「表現されていない存在そのものを組織しようという方法」つまり「文章以前の綴り方を問題にする。……内的言語の構成……感じ方とか、見方とか、しぐさとかそういうもの全部」。だから実感に組みこまれない「普遍的な原理の体系という理念はない」。第五は「善意と受容の哲学」というか、日本の民族的な信仰と結びついて、底に働いている善意を信じて「存在を受入れてしまう」「状況ノッペリ主義」そのため、体制に順応し、権力・反体制両方につながるあいまいさ、第三勢力となる。批判的精神を生かし続けられず、「集団への埋没・状況への埋没の姿勢」が強く、同時に「人民は神だという信仰……打ち立てられるべき人民でなくて、特殊な現実のものを信仰する」

「社会対恃型」は、第一に「生活体験」ではなく、「追体験を記録」する。状況に含まれる真相をさぐるという精神に貫かれている。第二に、個人的な生活に直接に結びついていないものにでも「何か行動しなければ、自分が生きているという感じがしない」個人を超えた普遍に対する結びつきが強い。第三に、「感情が非常に煮つまつた場合、何かに向つて行動をつき動かして行く。その場合には感情そのものの中に行動に向う強い姿勢がある」受動的な行動でなく、こうした「行動の意味を新しく見出して、行動の記録」とする。第四に、状況を受け入れない、完全につきはなし、最後まで裁きつゞける精神、つまり「非国民の精神」──「日本の村落共同体の外に出て、そこから共同体を批判することはやさしいけれど、共同体の中にいて、共同体の目的にも奉仕すべき点では奉仕し、同時に共同体全体をつきはなす視点に立つているという方向」を持つ。）

サークル活動の「最もすぐれたものは、東井義雄の仕事の中にあらわれたものと、樋口茂子の仕事にあらわれたものとによつて代表される」と氏はこの二つのタイプを重視する。

この鶴見俊輔氏の性格ずけを検討するために「生活記録運動」の指導をしている人たちの考え方を分析してみよう。

≪　参考文献　≫

前掲　中央公論三三年七月号所載の報告部分

5，農民のためのいろり端

ここでは、大牟羅良氏の「ものいわぬ農民」溝上泰子氏の「日本の底辺」山代巴氏の「民話を生む人々」鶴見和子氏の「生活記録運動のなかで」をとりあげてみる。

大牟羅氏は、日本のチベットとも云われ、日本の貧しさを典型的に代表すると云われる岩手県の農民生活に、四年間の行商生活、七年間の「岩手の保健」の編集生活を通じて接して来た。山林を軸とした古い生産生活のしくみ、山林地主とナゴ（小作人）の労役関係、言葉までがちがう村内の階層、旦那殿（戸主）と家人たち、嫁の立場、激しい農耕と子供達の保育、健康、全国一の乳児死亡率、そこには日本の農村にあつたという、あらゆる古さ、暗さ、苦しさが集中しているようでさえある。

しかし、その生活を良くしていく、そのために、農民の実生活を知る方法は何か。アンケートや統計は実体を表わさない、農民の生活としつかり結びついていなければ、その実体を知ることができないという。「行商時代のいろり端〜稗メシ〜どぶろくという形が、今は、座敷〜米のメシ〜清酒という応待に変つていたのです。現実にある問題を問題とする雑誌を本気に作ろうとするのであれば、雑誌記者ではムリなんだ」そこで村の保健婦さんを通じて、農民の家庭に入つて行く、例えばエジコ（赤ちゃんを入れておくかご）は、不潔で、しかもくる病の原因になると云つても「野良仕事で手のまわらないおつ母さんたちに代つて、赤ちやんの危険から守るために、エジコが生まれ、そして普及していつた」ことを考えねばならない。

どんなすばらしい衛生知識、健康な生活を唱えても、農民の実生活と結びつかねばどうしようもない。そこで雑誌に「農民のくらしの声」をのせて行く「農民の声で農民に訴え、その声を元にして、農民共々に、そうした言葉の出てくる背後の生活を考え合い、深め合つていけばいいのだ、またその方が農民にとつて他人ごとならず身にもしみ、自分たちの生活を考え意識してくれるのではないか」雑誌を「農民のためのいろり端」にして「おえらい人から問題を持ちこんでもらい、おえらい人からお教えをいたゞくのでなく、自分たちの身のまわりにある問題を自分たちで発見し、それをお互いで考え合つてゆくこと」が第一だ。

今農村は変つている、農地改革で「同じスタートに立たされて出発した」これが「お互いの競争意識を駆りたてた。」家屋の新築・進学率の上昇・本家、分家の関係、ヨメいびりを口では非難するに至つたこと、結婚届が早く出されるようになつたことなど「その中には明るい芽生えもたしかに感ぜられもするのですが、しかしそれは岩手全域に芽生えているものではありません。依然としてそこには動かし難い現実が横たわつています。」

この冷い現実を解決するものは一体誰か、「基本的には国の政治」だが「今の政治に、そして更に今の政治家と云われる人人に果して期待できるでしようか？！」結局「この現実の凝視、それは国の政治をみつめる目ときつとつながらずにはいまい。政治は政治家によつて動かされるのでなく、大衆の力がその基礎になつて政治家を通じて行われるべき」だから「くらしの声をここに集め」ていこう。

「くらしの中のよろこびや悲しみ、のぞみやなげき、それらを自分自身の言葉で、自分自身の筆で記し、それをお互いに交流する」「ことを通じて働く農民も都会の人も」「お互いの立場を真に理解すること」「その人間としての願いとするところが」「生活条件のちがいを乗り越え」て交流と共感がもたらされる。

「働く農民と都市の労働者を結びつけることが何にも増して重要なこと」だろう。

〃　参考文献　〃

大牟羅良　「ものいわぬ農民」　岩波新書

6.　生活を明るく豊かに

溝上氏は山陰の島根県にあつて、大学に勤務しながら、農村の女性たちと講演会、座談会を通じて接し、文通によつて更に深く生活の中に入つて行き、生活と考え方を掘出している。

文通は、農家の主婦を中心に、生後まもない幼女から七五才の老婆まで、七年ないし一年半も続けられている。文通という方法は、必ずしも生活の実体を表わしうるか、一部のあるいは特殊な人たちだけを対象にしてしまうのではないかなどの懸念がある。だが、逆の面では、生活の裏側、個人の内面を知る有効な方法でもあり、生活の記録をする方法としては、やゝ負担が軽いとも云える。筆者が材料として、手紙を公開すれば、仮名を使つても農村では、周囲の冷い眼を避けることができない。そのため文通が途絶えることもある。農村社会には、とくに「だましあい、ねたみきい」が強い、わずかでも目立つことを避けるからだ。

農村の婦人生活は忙しく、つらい嫁姑の関係はもちろんだが「農村では『手間』と呼ばれる嫁が、たとえ二時間でも家をあけることは、それだけ仕事の能率が下ること」だ、農作業と家事、このため婦人会の活動に参加するのが、ためらわれる。家庭生活を明るく、楽しく変えるには主婦の力が大きい「演出家としての」腕前が要求される。だが、親と子の断層、子供は母親に対して、「無自覚な生活に哀れみ」と軽べつの眼を向け「もつと自覚した主体性のある態度を」要求する。生活に忙しい母親は「自分の分身として」「押しつけがましい愛情」で応える。ために子供は「母を敵として戦わねばならない。」

「わたしは文化の底辺に位しているあたりまえの人、特に母性を求めた。そして幾人かの人をろちあてた。でも、取り上げてみたらこれらの人々はあたりまえの人々ではなかつた。到底、ひとりで背負いきれない重荷を背負いつゞけてきた人、背おつている人、暗い農村の重圧を、手を取り合つてもちあげようとする人々、決してあたりまえの人ではない。」と筆者は「あたりまえの人」農村の女性を、先の大牟羅氏とちがつて、特定の個人を取りあげる。

同じような古さ、暗さを持つ農村で生きる人々に「鋭い眼と黙々の実践を通して、えぐりだされる一信、一信に、わたしは貧にからむ封建制の重圧を、押し上げようとする人間の満身の力と人類の理性の輝きをみせつけられた」と、たんに「保守的な農村」だけでなく、その中で生活を変えていこうとするわずかな努力をも、共感し、はげまし、高く評価している。

≪　参考文献　≫

溝上泰子　「日本の底辺」　未来社

7, コンマ以下の力

山代氏は広島県の農村で、農婦として、農民の生活の中から民話を生み出そうとしつゝ、婦人運動の指導者として、同じ農民の生活と結びついている。

「隣りが田を売りや鶴の味」せまい農村社会にあつては、その苦しい生活の中では、皆が生活を上昇させることはむずかしい。近所の人よりも少しでも良い生活をと願う気持が「農民お互いは今も、隣人の不幸を喜ぶ」ことになると筆者は、当時、尾道の図書館長をしていた中井正一氏から「あきらめ根性、みてくれ根性、ぬけがけ根性」を教えられた。この根性を打ち破るためには「沈黙」をやめ「心の蓄をして暮すこの人の本心を、私の口を通して出来るだけ多くの人の耳へ、伝え」て、この人たちが協力し農村の生活を良くしていかなければならない。筆者は「荷車の歌」を作る。そして「生活の中の問題を訴え」「内容をより豊かにして」いくために、黒板に絵を書き、紙芝居をつくり、民話を話し、真実の民衆の物語をつくろうとする。

広島県の婦人運動は、戦後占領軍の指導によつて、新しく生れ変り、つくられた。戦争中と同じような指導者が、新しい運動の指導にたずさわるのだから、占領軍の指導のまゝ、それに追いつくのがせい一杯であつた。趣味のグループは簡単に作れるだろうが「文学や詩のグループ、政治や経済や科学などの研究グループ」自主的なグループは「相当な抵抗を覚悟」しなければむずかしい。その上、やがて占領軍の政策も変つていた。

農村における「民主化」「生活改善」は奇妙な事態を起す、見学者用の村がつくられ、ために、そこの赤ちやんの健康は他の地区よりもおとると。又、家計簿グループは生活に余裕のある人たちだけとなる。トマトグループの活動する村は「原爆の犠牲者を出した家も多いそうですが、この事実とグループ活動が重なつても、それで平和運動にはならなかつた」毛利夫人の一言で、婦人会も平和署名をことわつた。「グループ活動が盛んになりさえすれば、自我が育ち平和が確かになると思うことは、甘い夢だと笑われているようなものです。」中井正一氏が誘つた「もう誰にみてもらわなくてもいい、おれ達の道を殊く」という「倭倭寇の精神」「倭寇の血」の中心である。因の島での活動は「日立の新生活運動」の圧迫下に苦しむ。「倭寇の精神」は現在、資本家＝日立にとつては、困るのだ「これをなくすことにやつき」になり、会社側の与える講演、講座、各種講習会などの他は、自主的な活動を抑えつけられる。

このように婦人会活動、生活改善、農村民主化の活動は奇妙な底の浅さを露呈する。とにもかくにも、この婦人会活動と手をつないで進む、やはりそれが有効なのだと。「鮨蛙笊どじょろ、樽へび」の農民たちは次第に新しい指導者と新しい活動をつくり出す。「コンマ以下の力」が「自分も人も気がつかないうちに、自主独立の精神を育てゝいる」「そのことなしに、民主化への民話創造は不可能」なのだ。筆者は農村の近代化、生活を良くしていくための農民のエネルギーを民話という形で汲み出していこうとする。

≪　参考文献　≫

山代　巴　「民話を生む人々」　　　岩波新書

8. 百円札の重さのちがい

鶴見和子氏は、一地域・一地方の指導者というよりも、全国的な「生活記録運動」の組織者の一人と云うた方が良いかも知れないが、東京の下町で内職を通じてつくられた「生活をつゞる会の一員として活動し、それ以外でも紡績工場のサークルとも接触している。この場合、先述した人たちのように農村を対象としているのでなく、都会の主婦あるいは職場の労働者であるが、やはり同じ様な問題が出されている。

下町の主婦は家事と内職に追われ、自分の場所も時間も持ちえないし、家族や近所の人たちの眼を恐れなければならないし、紡績工場の場合は、寄宿舎のなかで、心の中まで見透かされるように、わずかなことでさえ、周囲の眼に不安を感じている同じように「ビンボー」であり、生活をしてゆくことに全力を投入している人たちだ。

「日本のこれまでの『家』というわくの中では、ひとりひとりの人間が、他の人たちと自分とを識別させるような、考えをもつことを許さない」それをもとうとすれば「家族の縁をきらなければならない」しかも、こうした「家族関係」が職場のなかにおきかえられると、強い強制力となって、もっと苦しめる。

「ひとりひとりが自分の生活について、はっきり考え、発言し、行動することのできる人間になるために、ひがみや恐怖心なしに、なんでも話しあえる仲間」なまの人間同志として、対等な人間関係がサークル内には欲しい。だが「年令、職業、学歴、生活経験などのちがったひとたち」の間では「実行できない感情的な深いわだかまりをほごすこと」同じ百円札にも生活による重さのちがいをわかろうとすること、これはかなり困難だ。

「生活記録」は「本当のこと」を書かなければならない。しかし、それは自分ばかりでなく、周囲の人たちをも傷つけることが多い。それを避けるためには、一つは「自分たちの問題、正直に話しあえるようなよい人間関係をつくるための働き手となること」もう一つは「特定の個人および個人の体験に密着した生活つゞり方から、集団的な作品に転化していくこと」「なまの体験のまゝでなく、その体験の意味をはっきり結晶させるようなかたちで虚構」を加える。

氏は「生活記録」に「既成の文学」とちがった新しい文学の芽を見ようとする。その特徴は、一つは「書くということは、よりよく生きるために工夫する努力の完全な一部」であり、そのため「既存の文学を、その発生の場である生活につなげることによって、新しい文学への可能性をひらく」第二は「自分の体験が、他人の体験」と共通していること「社会的なひろがり」を持つことを認識し、「私小説的態度におちいることをふせぎ」「社会的な行動の方向が、よりたしかになり」「行動への意欲が深められる。その意味で、現実逃避の文学とことなる」第三に「書くということが、自分を明確にし、さらに自分自身および自分をとりまく人間関係をつくりかえてゆくきつかけ」となり、「新しい女性像」を生み出す「自己改造と抵抗の文学に通じる」第四に、このように既成の文学の表現方法に反撥しながら、いつも、その弱点、欠陥と結びついてしまう弱さを持っている。

つまり、これまで文学や記録の対象となっていた人たちが、自分たちの生活と生活者のたちばから書いて見ようとするもの

—12—

だ。

≪　参考文献　≫

鶴見和子　　前掲書

第二章　　生活記録運動の思想

1. 生活から行動へ

これまで「生活記録運動」の歴史と特徴を簡単に素描してきたが、それを検討してみよう。

鶴見俊輔氏は「農本主義型」を「生活記録」の主流として ではなく、その特徴を代表するものと考えて良いだろう。そこで氏の性格づけは、たしかに、その指導者ないし、参加者の発想の中にあることはたしかめられた。なおかつ、そこには、その性格づけでは把え切れないものが残っている。

「生活記録運動」がなぜ、職場や農村の苦しい生活の中から、あのように広汎に、そして激しく展開して行ったのか。その原因を考えなければならない。自分たちの生活している場（家庭、職場、社会）それは自分たちを苦しめんがためにのみあるようだ。その苦しみや環境から抜け出したいと考える。抜け出す途は、鳥でも魔術師でもないのだから、唯一つ、自分たちの生活の場をつくりかえていくだけだ。抜け出したい捨て去ってしまいたい生活であるがために、自らの生活に眼を向け、生活のありのままの姿を描き出そうとするのではないだろうか。

だから「生活」を見つめることから、自らの「生活状況」に対して「行動」つまり働きかけようということが繰り返し述べられている。はたして、その考え方が実際の作品あるいはサークルの活動に実現されているかどうかには、疑問の余地があるが、とにかくサークル活動の動機であり、主張され、考えられているということを無視できない。

「生活」から「行動」へは、あいことばのように、あらゆる人たちの文章のなかゝら、うかがわれる。だが、そこで云われる「生活」とは何かと云うことに問題が一つある。つまり溝上氏に、はっきりと見られるように「家庭生活」別の云い方をすれば「小状況」だけを考えているようだ。しかも、それを見つめていさえすれば、社会＝大状況と必らず結びつき、組織的な運動以上に根強い抵抗と行動が成立するという、あまりにも楽天的な考え方があるのではないだろうか。山代氏は、そうした懸念にも、トマトグループの例を挙げて言及しており、反省しているようだ。

「生活」は、個々人によってあまりにも多様だ。だから、ありのまゝの生活～それはあまりにも複雑で描き切れない～を、そのまゝ把えようとすれば、「記録」は迷路に入り込むだけだろう。また、それがある程度成功しても、個人生活の多様さに当惑する。一歩あやまれば、ひとり、まったく異なった問題を提起するだけになってしまう。そして、ひとり、まったく異なった解決方法と行動となり、個人生活の変革、家庭生活のあり方を改善する努力、誠実な人間、一生懸命、働く人間だけに眼を向ける「働き主義」「誠実主義」となり、社会とのつながりを絶つてしまうことになりかねない。

個人の生活が、より多くの人たちの共通のものとなる鍵はなんだろうか。

2, 個人の体験を共通なものへ

「生活」をありのままに把えるだけでは、個人の内面に視線が向いてしまう危険を指摘した。「生活」は「社会生活」として営まれているのであり、社会との結びつきなしに、如何なる個人生活もありえないが「生活」「体験」がそのまま共通するとは云えない。「生活記録運動」の多くは、共通しえない体験や問題を理解し合うために、「記録」とは異なつた別の方法、手段がとられる。サークル内で一定度の認識を持つために、仲間で話し合いが行われ、ある程度の成功をおさめる。この方法は、一般的には有効だが、共通の体験を掘り出すためには、有害である。つまり、サークル以外の人たちとのつながりを断つ。そのため「仲より主義」「仲間意識」だけを強め、いわゆる「セクト」的な集団になつてしまう。

鶴見和子氏も云うように、集団から去ると生活を見つめる眼の冷静さが失われて、感傷的、詠嘆的なものとなることも、こうしたことに原因していよう。つまり、作品そのものの中に生活、体験が整理され、多くの人たちに理解されるようになつていなければ、行動への力強い働きかけとはならない。

生活全体が社会と結びついていることは、もちろんだが、その結びつき方をはつきりさせなければならない。共通の体験、意識は、生活のそれぞれの局面にあり、その局面によつて異なつている。藤田氏は「働き主義」「誠実主義」を克服するためには「状況そのものをもつとこまかく分割する。そして分割した特定の状況に自分を据えつけるような、そういう状況主義になることがのぞましい」とし、椎名麟三氏の作品「美しい女」を例として挙げている。この考え方は、理解しにくいが、「特定の状況に密着させる」ことでは、また社会的つながり抜きの別種の「誠実主義」的人間像を生み出すだけではないかと考えられる。だが、この「状況分割」の方法はかなり有効ではないだろうか。

生活の局面をそれぞれに分割し、(職場・組合・家庭・買物・読書・乗物・住居など)特定の局面における生活、体験、意識を見つめ、それを明らかにして行けば、多くの人たちに良く理解でき、それぞれの体験と比較して、共通のものと考えることができる。つまり、生活の社会的なつながりの結び目、つくりかえていかなければならない「生活」の問題を掘り出すことができる。その上で、再び「全人間像」として構成することができるのだ。

「生活記録」は記録を通じて、サークルの内部の人たちや、近親者ばかりでなく、直接に結びつきのない多くの人たちに、働きかけるべき対象のあることを訴える。ところが「生活記録」は「生活」「個人体験」としつかり結びついているが故に、生活条件の異なつた他の人たちほ対して、同情とか、感情の面での共感を与えても、理性に訴え、ともにたゝかいを組織する力にはなりにくいという問題がある。共通じた生活体験、条件として受け入れられるためには、それを表現する言葉、個人の生活、体験を超えた共通する言葉――概念をつくらなければならない。

3, 共通する言葉をどうして創り出すか

「生活が苦しい」と云う、何故か「物価が高い」「給料が廉い」「仕事がつらい」「時間に余裕がない」と訴える。これに対して、現在の歴史的条件、資本主義の機構、国家のしくみなど社会科学の概念を直接にぶつけても、「なるほど」と或る程度理解されるだろうが、やはり異和感が残る。だが「私の生活が苦しい」と何度繰り返しても、自己満足への「グチ」「ボヤキ」でしかない。「生活が苦しい」から「苦しい生活」への飛躍、更に「苦しい生活を変える」への飛躍、という「生活者」を生活の場においてたゝかいに組織するためには、何段階かの「言葉」の飛躍がある。これは「言葉」の飛躍というよりも、認識論の問題とすべきかも知れないが、問題は「生活記録」が、その第一段階に止まり、それを繰り返すという場合が多いということだ。

大牟羅氏が「その道の権威者から方向を示してもらえとの注文」に対して「現実は簡単に割切つた結論が出るようなものでないのだし、それをすつきりした解決策を示すことは、たとえ権威者であつたにしても無理が伴うことだ、しかも読者が権威者なるが故に無批判に鵜のみにする危険もないではない」と考え「無名人があゝでもない、こうでもないと自分で自分なりに自分たちの生活をみつめながら、一人でも多くの人々と考え合つてゆくということをお互いが確認し合うこと」が大事だとする意見は「一人でも多くの人々」に理解されるように「現実」を整理して行くことが試みられるならば「共通する言葉」(農業の機械化、農産物の価格、農工業の生産性の差、無医村、保育所、国民健康保健、社会福祉)を生み出すものとなろう。

つまり、あまりにも常識的なことかも知れないが、現実は複雑だ、生活は広いものだという実感に惑わされず、その中にひそむ問題を掘り出したら、それなりに整理して、それを現実の中で検証し、より広い「言葉」に変え、異なつた生活を超える課題としていくことだ。ここに「実感」と「知性」との結びつきがありうるのではないだろうか。

「生活」を見つめることは、たしかに「生活を変える」原動力になりうる。前述した様に、変革すべき対象としての「生活」には、多くの異なつた段階がある。「農本主義型」の多くは、その「生活」を家庭とか、村落とかいつた比較的、小規模なもの（小状況）に限定しがちであり、社会とか国家とかいつた個人生活から遠い大規模なもの（大状況）に対しては、その流を無条件に受け入れる傾向が強いというが、それは概念を拒否することに起因するように思われる。

だが、「生活を変える」ためには、小状況をその基礎としながらも、大状況を常に念頭に置かなければ、有効なものとなりえない。

4，行動と組織

「生活」の条件や状況に対して、働きかけることは「社会対峙型」ばかりでなく、「生活記録」そのものの重要な要素である。「行動」は、その対象によつても異なるが、その効果を挙げる地点から考えると、結局の所、対象の中に居ながら、考え方として対象を突きはなし、対象に対してたゝかいをいどむことではないだろうか。

対象が家庭、個人生活に限定される場合には、溝上氏の見るように「努力」「誠実」「演出」といつた形であらわされるにしても、それが拡大されるにつれて「行動」は「たゝかい」の様相を強める。そのため「生活を変える」ということがそのまゝ組織的なたゝかいと結びつかざるを得なくなり、東井氏のように「生活記録」を第三勢力にとどめておくことはできなくなる。鶴見俊輔氏の云うように「農本主義型」が第三勢力〜権力と反権力のどちらにでも結びつく可能性〜といつた性格を持つことは充分考えられる。山代氏がなげいた「トマトグループ」と「平和署名」は、この典型だろう。その根源は「たゝかい主義」「組織」への不信だろう。

たしかに、日本の大衆運動には、大衆の生活に対する考え方を無視する面があるにしても、東井氏のように、それを「たたかい主義」として否定してしまつたら「生活を変える」ものは、個人の努力、善意、寛容、共同体結合の強化にのみ集約されてしまうだろう。

つまり、東井氏はもちろん、鶴見俊輔氏にもある程度見られるが、「組織」「斗争」などに対する不信をサークル活動「生活記録運動」の前提と考えることは誤りではないか。指導と被指導の関係が上下の関係に置き替えられる（民主主義抜きの中央集権、官僚主義）、あるいは、下位集団から上位集団への上昇が、指導者の望みであつたりすることはあつても、国家権力に代表される組織や政策とたゝかうことなしに、「生活を変える」ことは不可能であり、組織に対するには組織をもつてする以外にありえないのではないか。

5，創　造

これまで「生活記録」の問題を「生活」から「行動」へという地点で追つて来たが、「生活記録」の最も大事な特徴〜というよりも本質というべきだが〜として、それが、文章という形を通じての「創作活動」「創造」だということを強調しなくてはならない。

鶴見和子氏もいうように、これまでの文学・記録の対象であり、聞き手であつた人々が、みずからの生活の場において、生活、体験、生き方を書くということである。既成の文化を受けとるだけであつた大衆が、自分たちの作品を生み出す。それが、短歌、俳句といつた観照的なものを超えて「生活を変える」という姿勢で、みずからの生活状況を見つめて、記録として結実させる。ここに「新しい文化」いわゆる「国民文化」の一つとしての力を強く感じる。

これまでも、生活を話す、語り合うことはかなりあつただろう。話し合いの役割を決して否定しないが、会話は普通、その場の雰囲気に応じた、その場だけのものになりがちで多くは忘れ去られてしまい、責任あるものとは、必らずしも云いえない。だが、ひとたび、形のあるもの（作品、文章）となるや、それは、半永久的に残り、あいまいな表現は誤解されることも多いし、豫想もしない人たちの眼に触れることもあり、その責任は長い間、つきまとう。その上、他人や自分を何時のまにか傷つけてしまう。それは、内容が真実であれば、ある程大きなものとなつてくる。こうした結果を豫測すれば、作品をつくることにためらうことになる。その上、時間や場所の制約、つまり専門の著作家とちがい、仕事のあいまに書かねばならないし、個室を持たない家屋で、落ちついて思索にふけることはできない。更に、職場など社会的な制約も強い。この障害を超えて、作品をつくろうとするには、大きな決断が必要となる。何故書くのか、何を目的とするのかをしつかりと把えていなければならない。そして感情の凝集により、決断は「生活」を見つめる眼を鋭くする。

創作の方法として、サークルの援助による個人の創作と集団創作が採られる。前者は個人の体験、作品を討論し、その内容をたかめて行く方法であり、広く行われている。後者は、集団としての体験を整理し、あるいは個々人の体験を集約して、共通のものとして、実際とはある程度異なつた作品を作りだす。いずれにしても、集団を基礎として作られ、感傷とか、懐古とかの弱点を克服することができる。創作方法の具体的な検討は後にゆずろう。

〜〜　一応の結論　〜〜

これまで「生活記録運動」の基礎にある、思想的な面を、直接に作品を分析することを避けて検討してきた。その範囲で一応の結論をまとめてみる。

「生活記録運動」は集団を基礎に生活者みずからが、創作活動に参加し「新しい文化」の可能を開拓し、生活をみつめることからその共通性、社会性を掘り出し「生活を変える」ために、その環境、状況に働きかけるところに、その特質を持つ。「生活記録」は社会、生活を観照的に見るのではなく、生活の進歩、社会の発展、つまり歴史への介入者、歴史づくりへの参加者として行動する。

「生活記録」をこのように考えるならば、先述した鶴見俊輔氏の「農本主義型」「社会対特型」として分類及び特徴ずけ、再検討せざるを得まい。簡単にまとめるならば「生活記録」は出発点となつた「生活綴方」の一部にあつた「状況埋没」の発想ゝとくに東井氏にはつきり見られるゝに強く影響され、「働き主義」の人間像をつくり出す。非政治的というか、大衆崇拝の傾向をたしかに強く残しているようだ。これは藤田氏も指摘するように、戦前の郷土主義運動（農本主義的ファシズム運動と結びついたもの）と共通する点が多く、その成果は、本質的な反対制側のものと云うことはできない。この東井氏の発想を「農本主義型」として「生活記録運動」の大半を占めると考えることは誤りである。

他方「社会対特型」としているものは、大衆的に展開されている「生活記録運動」とは、異質なものと云つて良いのではないだろうか。つまり「生活記録運動」の多様性あるいは、多方向向性はみとめられるにしても、この基本的な特質は、氏の「農本主義型」「社会対特型」両者とも、典型とはいえないと結論しても、良いのではないか。たゞ、この運動の多方向性の故に、両者に接近するものもかなりありとくに前者の型に近ずいて、運動の成果が体制の側に汲みとられてしまうことが多い。

この一応の結論を仮説としておいて、「生活記録」の重要な作品を検討し、運動の現状と問題点を考えてみたい。

職場の歴史をつくる運動前進への一側面

―職場の歴史と現代史資料についての若干の感想―

山田三郎

日本において「職場の歴史」の運動誕生の声をあげてから早や十年になろうとしている。その間、会の歩みとともに、今日までその体験は成功・失敗とりまぜながらかなり豊富に蓄積されてきている。

そうしたなかにあつて、会はその経験を、その時期々々に応じて、総会あるいは研究集会を通して集大成、理論化につとめてきており、そうしたなかから貴重な成果は機関誌上にまとめられ、発表されてきている。

そうしたなかにあつて、会活動のコースの総括ともいうべきものが、竹村民郎によつてまとめられた二つの文章、「職場の歴史について」（会機関誌「職場の歴史」九号、一九五七年）であり、また、「国民と歴史」（竹村、井上等編『現代史の方法』上　三一書房）が日本国民にとつて記念すべき年、一九六〇年春安保斗争のたたかわれているなかに発表された。

我々はこうした貴重な内容を持つているにもかゝわらず、そうした内容は、なお太く大きな流れには残念ながらなし得ていない。

日本においてはまだ人民と科学の十分な結びつき、いな科学が本来の任務とするところを十分にはたし、その存在価値を示していない。これはまさしく科学の問題である。

その実例は、我々をとりまく状態のなかから容易に取出せるが、ここではそのなかから一つだけ例示してみよう。

一九四〇年の執筆になる羽仁五郎の「歴史及び歴史科学」（河合栄治郎編『学生と歴史』所収）によれば、羽仁は、その時から十数年以前の東大史料編纂所ではたらいていた頃、そこの所長にたいして日本の歴史の史料文献総目録の作製および公刊の提案をなした由である。

所長はその意義を認めたが、ついに実現しなかつた。そうだとすれば、この話は昭和の初期であり、私などはまだうまれていなかつたことになる。しかるに、第二次大戦後の今日なおこうした提案は実現されていない。

なお一言説明を加えておくと、右の東大史料編纂所は今日まで主に約百年前の明治維新前後までの資料を主として扱かつており、近代・現代の分野については最近日本学術会議の働きかけによつて国立文書館の設置によつて、おくればせながらやつとカバーされようとしている。なおその運営方法など、大きな問題は残されてはいるが。

現在にいたるまでのかかる非常な立ちおくれのなさけない状態は、羽仁も右にあげた論文で指摘しているように、こと一つ何かを調べようとする際には、あちこちに散在する文献をめぐり歩き、苦労してさがし出してこなければならないといつたまつたく非能率なことをしなければならないということにならざるを得ない。

そのなかにあつて我々がとくに注意しなければならないのは現代史の分野での資料についてであろう。

「史学者は古い時代の文献をさがし求めるのにあれこれ苦労をかさねることは多いが、その苦労がの経験がほとんど現代史の分野に活用されていないといつてもよいのではなかろうか。

このことは、なにも後の世、何千年もあとの時代のために、今日の我々の時代のきわめてぼろだいな古文書・記録といつたものを保存し伝えることによつて未来の歴史学者の古文書さがしの苦労を軽くするといつた消極的な面をさしていつているのではない。

そうでなくて、現代に生きる我々にとつて、何を歴史の証言とすればよいか、そのために積極的に我々が課題として描かねばならない歴史そのものであり、また後世に伝えねばならない資料は、それと表裏の関係にあるものでなければならないであろう。

ところで、このことはたれもが指摘するところであるが、現代史に関する資料はきわめて多量であつて、したがつてそのなかに埋没してしまつたのではなかなかことの本質に把握されないと。

まさにしかり、しかし、そこで考えねばならないのは、そこで問題とされ、主要な関心とされているのは、それまでの政権担当者側のものである場合がなお強いことである。

古代・封建社会にあつては、今日我々の手許に残されているのは、等時の社会的条件下にあつては、その多くが支配者層のものが主であり、したがつてそれをどう我々の眼で評価するかといつた点に苦心を要するところである。

「現代」にあつてはまさしく我々が生をうけている時代なのであり、その動きを正しくつかみ、正確に描き出すためには、まさに人民の姿こそ正面にすえて見つめていくことが絶体に必要である。

「イギリスの労働者階級の歴史は、前世紀の後半から、つまり蒸気機械と木綿加工機械との発明とともにはじまつた」と一八四五年その著者『イギリスにおける労働者階級の状態』のなかでのべたエンゲルスはまたその書のなかで『労働者階級の状態は、現在のすべての社会運動の事実上の地盤であり、出発点である」と鋭く喝破している。

以来今日までのイギリスの、全世界の歴史の進展はあますところなくそのことを立証している。

ところが、日本の現代史の分野にあつては、この事実を実際に実のりのあるものとして十分に結実させてはいない点こそ我我が深く思をいたさねばならないところである。

かかる現状、弱点を深く掘りさげ、自信に満ち、積極的に我々我の運動を推し進めていくことが必要である。

すでに、これまで会が集団で取組み、発表してきたいくつかの作品のなかにも、これまでの既成の方法をもつてしては十分に明らかになし得なかつたきわめて貴重な内容の提示が、新らしい書き手によつてなされてきているのである。

もちろん職歴は、まさに労働者の職場にその存在の基礎をおくものであり、そのために存立するものであつて、現代史のために存在するものではないことは明らかである。

しかし、さきにあげた竹村論文の一題名が「国民と歴史」であり、理解ある協同者である他の該者とともに作られた本の名が『現代史の方法』であることは、決して便宜上つけられたただけの名前だけでない両者の関係を明示しているといえよう。

「職場の歴史をつくる会」について

機関誌二十号の発行を機会に一言、会の説明をしておきます。一九五四年秋からはじまつた会の「職場の歴史」をつくる仕事は労働界あるいは歴史学など社会科学の一部でも注目されています。

最近、中国やソビエットなどで労働者、農民の手になるいわゆる工場史、農村の歴史が日本にも紹介されると共に、私共の会の運動はより広くさまざまな領域で問題にされるようになつてきました。

現在では、東京が中心でありますが、ぼつぼつ地方とも連絡をすすめています。会の性格上、個人が加入する形を取のではなく、職場に労働者の職場の歴史をつくる運動をひろめていき、その過程でつくられる職場サークルの連合体といつたような形で、職場の歴史をつくる会ができています。

会の仕事の一部として、会編「職場の歴史」（五五年）、歴史評論「職場の歴史」特集号（五五年）、井上清・石母田正・奈良本辰也・竹村民郎編「現代史の方法－上－」（六十年）、会機関誌「職場の歴史」（1～二十号）＝本号収録参照＝等があります。

会の運動はいうまでもないことですが、職場の働く人びとが、現実にぶつかつている諸問題を解決したいという要求をキソとしています。（運動のにない手＝労働者、要求＝現実問題の解決）たとえば、国鉄労働者の当面の要求＝（〃三河島以後〃の情勢を職場＝生産点＝の変化と結びつけて評価したい）が会のなかでひらく他の職場の労働者会員と討論されることによつて、まず本号のような形で発表されます。本号以降も、会は「三河島以後」という綜合テーマをねばり強く追及することによつて、より精度の高い「職場の歴史」を発表することになるでしよう。もちろん、会員の研究しているテーマはこれだけにとどまらず、九年間の運動の実績と失敗の経験の上に立つ様々なテーマがあります。「職歴」と同じ性格をもち、同じような形で今後大きく発展していく見通しと条件をもつものの中に「村の歴史」「母の歴史」などの活動があります。すでにそうした動きは自主的にときどきフキ出しています。もちろん、それぞれ運動のもつ社会的な意義はそのにない手である労働者、農民、市民のたつキソに応じて異なります。

わたくしたちは「村の歴史」「母の歴史」などを含めた「国民の歴史をつくる会」に成長したいし、これまでの経験はその目標を達成しうるという見通しに確信をあたえています。これも労働者の「職歴」を中心軸としてはじめて意義あるものとなり、そしてこそ発展も可能になると考えていまのところ「職歴」にもつとも力を入れている次第です。

読者各位の御声援をお願いします。

会の機関誌総目録

作製　村田　伸

第一号　＝　一九五五年九月

石川島労働者運動史（一）　二見　清

はしがき（五二・九）

発端　明治時代

一　百年の歴史をもつ石川島

二　石川島造船所の労働者運動と同盟進工会

三　社長渋沢栄一宅へ職工の生腕を送らる

第一篇　大正時代

一　造機船工労働組合と高山次郎吉

二　自彊組合と神野信一

第二篇　昭和時代（一）

一　神野信一と日本主義労働運動の展開

二　自彊会と産報運動

三　近藤孝太郎と文化運動

第三篇　昭和時代（二）

一　終戦后の石川島労働者運動

二　工職組合の合同と文化協会

三　全造船結成、石川島支部成る

四　石川島支部進展（含料問題と労働協協約）

五　賃上げ、十割を要求

六　劇的越年斗争と石川島労組の新規軸

七　二・一ゼネスト前后

八　二・一スト如何終つたか

あとがき

参考文献資料

はだか日本現代史　職場の歴史をつくる会有志

かがみをおそれる娘たち

ヤミ屋日本

マック天皇〜一九四六年

デス　ハイ・ハンギング〜一九四八年

蔣介石は専売局か〜一九四九年

また戦争が始まつた〜一九五〇年

「街は案外ひつそり」〜一九五一年

〜五二年

基地ニッポン〜一九五三年

マグロが食べられる〜一九五四年

プロレス・マンボ・うたごえ

〜一九五五年

なえどこ　王子製紙労働組合　組合史編さん委員会梅野信行氏より職大竹村民郎氏宛　手紙

学習運動と科学　井尻正二

はもん　編集係

大史評論五月号（一九五五年六六号）河出書房）で特集した。職場の歴史についての各地の読者からの便り

書評　横山源之助「日本の下層社会」

大蔵大臣よりの手紙　会計報告　秋山ヨリ

編集後記　（R）

第二号 ＝ 一九五六年二月
この手千両〜職歴発展のたゝこ〜（M工場グループ）竹村民郎
その前夜〜私たちの組合はこうして生れた〜恩給局職場の歴史をつくる会
これが私たちの職場だつた
よりよい生活を求めて
学習会と歌う会の誕生と発展
三度のメシを食わせろ
組合を作ろう〜各サークル統一への動き〜
組合結成準備会誕生
あし第一号発行
あし第一号配布
今日も首がつながつている
当局の弾圧激化す
アンケートにあふれる期待
遂に組合結成さる
学習運動と科学（二） 井尻正二
考えはお尻のおき具合から
社会科学はお上品
本当のことを知りたいため
書評「日本繊維労働者の歴史」 小野一男
山八毛織工場の歴史
（山八毛織の歴史を語る会 豊橋蒲郡グループ）
しぼられた私たち
組合誕生
こうしてみんなの力で組合は出来上つた
組合から手を引け
あらしの前
ポーランドからの便り
ワルシャワ大学教授の手紙 コタンスキー
職場の歴史をつくる会会則
（職場のまどから）
職場の歴史をつくろう 平井 茂
第三号 ＝ 一九五六年四月
会のことば 宮沢武人
私たちの会の三月のうごき （K）
村の歴史〜現代寓話 三年寝太郎 竹村民郎
一九五五年十一月東京証券労組
〃声〃掲載
大学の暗黒〜上智大学への公開状 門 義一
はもん 編集部
地方からの便り
人 岡島博の場合 庄 公代
全国に拡がる歴史運動の現状 1，（三月までの分）
北海道・東北地方・京浜工業地帯・関西・九州
学生のページ
凡人のための研究勉強プランの立方 井尻正二
飛耳帖 編集部
書評 王子製紙労組編
王子製紙労働組合運動史〜別冊 高橋秀夫
おしらせ、あとがき 編集部
第四号 ＝ 一九五六年五月
会のことば 竹村民郎
私たちの会の動き （O）
職場の動き 共同印刷K

晴れた五月の青空に～メーデーの一こま　高橋秀夫
はもん　地方からの便り　編集部
人　庄公公代の場合
会計だより　門　義一
学生のページ　デスモ会のこと　（A）
飛耳帖　編集部
五月の連絡会議
書記局員の紹介　（岡）
あとがき　（岡）

第五号　＝　一九五六年六月

会のことば　藤本敏雄
私たちの会のうごき　（S）
一口ばなし
「職場の歴史」（新書）　合評会
同書の反響
書評　「東証の歴史」をめぐつて
Mデパートグループ
会計だより　六月の連絡会議

第六号　＝　一九五七年一月

職場の神代時代をどうとらえるか
杉崎　隆
歴史について
日本水素労働組合小名浜支部
座談会～組合の歴史をつくるための労組
懇談会（一九五六・十・二五）
於　国際電々新宿分室
出　席　者
国鉄品川客車区分会
全さん糸労連
東京証券労組
足尾鉱業労組
恩給局労組
全食糧労組
全電通労組
国際電々労組
（主催）職場の歴史をつくる会
編集後記　（杉崎）

第七号　＝　一九五七年六月

会のことば
炉材工場と労働者の変遷史
日本鋼管鶴見支部委員会
鶴見かま業創立と「女土方」昭九～十四
賃金ドレイのように　昭十五～十六
戦争と日本鋼管へ買収されたけれど
昭二十一～二十二
絶対ぬけでられない「死の泥沼」
「けいはい病」と最初の斗い
昭二十四～二十七
「人べらし」から日の当らない職場
昭二十四～二十七
「T・W・I」だろうか
昭二十八頃
我輩はけいはい病である
鶴鉄労働新報投稿
続　山八毛織工場の歴史
豊橋蒲郡グループ
あらすじ　（編集部）
あらしの前に
会社との交渉
外部の応援
力のある限り
斗いの終結
明日の前進のために
編集後記

第八号 ―― 一九五七年九月
会のことば T
いいやかん 〜父の歴史から 竹村民郎
序 父の追悼会によせて
一 葬列で
二 父の歴史を書こう
三 いいやかん 〜父の思想
四 ぼんぼん
五 残された母と子
竹村民治郎年譜
竹村家系図
職員の歴史 〜魂あいまみれて
〜恩給局職場の歴史をつくる会
田舎から東京へ
待ちうけていたものは
かびくさい部屋の中で
ゴーデン・ウィーク斗争の中で
進む事を知つていた 整整社労組
入野 徹・三峰 光
はじめに
整整社という私たちの職場は
歴史のはじまり
話しあうなかで
組合結成への芽ばえ
巧妙な切りくずしに抗して
組合結成の朝が来て
職場の歴史をつくる会会則
編集後記 機関誌部
第九号 ―― 一九五七年十一月
〜三周年記念特集〜
会のことば 田中正俊
職場の歴史について 竹村民郎
一 はじめに
二 職歴運動とは何か
三 職歴運動をどのように組織するか
四 むすび
品川客車区職歴サークル報告 岡島 博
一〜九
Sサークルの生い立ち
一 一人が一人を呼んで来て 一九五四秋〜五七・一
二 「職歴」誕生 五七・二
三 「大根物語」からスタート
四 弱さの点で統一 五七・八、九
五 生活を書こう 五七・七〜現在
あとがき
恩給局職歴サークル報告 清水澄夫 一九五七年十一月
今後の活動のために
まえがき
一 職歴の初期の活動
二 「恩給の歴史」のよい面わるい面
三 これまでの反省
四 生活の歴史
五 これからの活動をどうすすめるか
学習活動
職場の歴史を実際につくる仕事
Aサークルに集まつた会員 秋山ヨリ
Kさんの話
Iさんの話
Aさんの話
職歴事務報告
組織部 宮沢武人・岩波忠夫
理論学習会について
国民文化集会について

疎開
敗戦 ―国破れて山河あり―
学生の時
叔父の結婚のこと
中学生
鉄道学校に入る
ヤクザ学生
アルバイト
初恋
幼い精神主義
学生の生活
不良仲間
国鉄の採用試験
鉄道学校卒業
職場の生活
品川客車区
汽車の掃除（整備係）
朝鮮戦争
世の中というものは
徹夜作業
アリ地獄
寮生活

常会
勉強会
斗争参加
同僚の立場から
―〃負けちやなんねぞ〃を読んで（K）
〃負けちやなんねえぞ〃について
Sサークル（I）
「都会に生きる」合評会から
編集後記

第十三号 ＝ 一九五九年一月

会のことば 新年にあたつて
組合の歴史をどうとらえるか
（一～二、附記）竹村民郎
職場の歴史についての対話 土田教助
歴史忘却症 たけむらたみお
職場の歴史のすすめ方について
―夏山フェスティバルの教訓―
岡島 博
銀座の生態（その一）
―一店員の生活の歴史―
肩身がせまかつたころ
母のこと

編集のまど
池田山小唄 地学団体研究会有志
編集後記

第十四号 ＝ 一九五九年三月

会のことば はじめに
愛情と信頼について
―結婚した人々を囲んでの座談会から
土田教助
愛情の深さとひろがり
現実的という事
独立と自信
ビジネス特急 たけむら・たみお
銀座の生態（その二）
―一店員個人の歴史―
田舎つぺ
都会のユーウツ
銀座の空
職人気質とは 藤本敏雄
銀座の生態について 岩浪忠夫
編集後記

第十五号 ＝ 一九五九年五月

会のことば はじめに

銀座の生態（三）
職場の歴史をつくる会銀座サークル
一つの証言　たけむら・たみお
〃職場の壁〃と教師像
ーこれからの職場づくりー
京都市Ａ小学校　吉田三郎
はじめに
子供たちのくらしと学校
職員の実態
組合の指導について
勤務斗争と職場
〃職場の壁〃と教師像　を読んで　高橋秀夫
書評　〃二宮尊徳〃（奈良本辰也）を
読んで　田畑　健
編集後記
第十六号　＝　一九五九年八月
萱屋根の下
ー家と自分の歴史をたどってー　岩浪忠夫
一　庄内平野
二　伝説と家訓　遺訓の覚書
三　祖父と父
私の中にある地主思想
七月十二日の研究会から
編集後記
第十七号　＝　一九五九年十二月
会についての覚書
二つの天皇制論について
井上清・〃皇室と国民〃
松下圭一・〃大衆天皇制論〃を読んで
能塚節子
改作　都会に生きる
恩給局職場の歴史をつくる会
第一章　谷間の生態
第二章　広場と孤独
安保阻止第八時統一行動における成果と
私たちの課題　（一〜三）　清水澄夫
編集後記
第十八号　＝一九六十年一月
魂いあいふれて　臨時増刊
恩給局職場の歴史をつくる会
はじめに
第一章　無権利下における臨時職員と組
合結成の胎動（五三〜五四）
一　田舎から東京へ
二　総理府恩給局に入って
三　臨時職員はただ働いた
四　組合結成は恐ろしかった
五　組合結成の職場の動き
イ　エンピツと同じの臨時職員
ロ　組合結成の動きは近江絹糸に支
られていた
第二章　スパイと自立への脱却
（五四〜五五）
一　十五日休んだらクビになること
二　スパイすれば職員になれる
三　自前の生活へ
四　組合結成后の職場の動き
ー要求は山ほどあるー
第三章　ゴールデンウイーク斗争と
自己の発見ー職場の民主化発展
（五五〜五五・七）
一　有給休暇がほしいけれど
二　賃金カットと超勤手当

三　職場の動き―サークルの発展と
臨時問題の普及

第十九号 ＝ 一九六〇年八月

声明　竹村民郎
自分の歴史をつくる今日的課題
特集　たゝかいの記録
―自分の歴史の前進のために―
組合旗　六・一八の記録　田畑　健
一九六〇年六月一六日　竹村民郎
五月二十日未明　清水澄夫
国民についての対話　高橋秀夫
安保斗争に参加して　渡辺　晃
農村で感じたこと　山形　岩浪　健
デパートと安保反対　飯塚節子
安保批準に思う　伊東喜美子
職場の胎動　秋山ヨリ
安保斗争―農村の場合　青山　崇
山形県鶴岡市
六・一九の日にあらわれた分裂
―全金
オリジン電気の場合　西田秀夫
現代史の方法　―討論のひろば
国民と歴史について　清水澄夫
国民と歴史を読んで　高橋秀夫
一　本書成立の意義について
二　内容の検討
〃大衆こそ歴史の主人公〃この思想を深めていこう　山形より　青山　巣
〃友への手紙〃　書評にかえて　田畑健
私の歴史意識の確立―国民と歴史（竹村民郎）を読んで　岩浪忠夫
書　評　「炭坑に生きる」を読んで
伊東喜美子
安保斗争小史　六月一日～三〇日

第二十号 ＝ 一九六三年十一月

特集　「三河島以後」
三河島以後―「田町電車区はだか事件」にふれて　勝浦　純
現地調査報告　東山十三
（わたしはこう考える）
習慣を権利に　―中小企業労働者の立場から―　村田　伸
気になる事件のあとさき　石原靖子
あいまいな時間のきめ方に問題　江島弘子
調査要項案　村岡雅男
「概　説」　―田町ハダカ事件
「年　表」
会の参考資料
「職場の歴史をつくる会」について　勝浦　純
会の機関誌総目録　村田　伸

編　集　後　記

ー創立十周年記念特集号についてー

原子力潜水艦寄港に反対を表明する。湯川秀樹博士の横顔をテレビがしつかりととらえている。中国の核実験フルチョフ首相の解任、英国労働党の勝利、ジョンソン大統領の当選、世界史は六四年・後半において、大きく転換のきざしを示しているかのようである。

たしかに本年は会員各位の生活にとつても、大きな変化があつた。或者は新しい職場を得、或者は嫁いでいつた。又或る者は新しい生命の誕生を得た。また或る者は本年を飛躍のための沈潜の年としたであろうし或る者はその仕事と生活で大きく飛躍した。卒直に云つてそうした会員の多様な生活は或いはたたかいの内容は会の創造過程に有効な形で集約されてない。我等はこの現実に不満である。したがつて我々の団結と創造の力をより確信するために、創立十年を記念する今日、会の仕事を記念するとともにその伝統と創造の方向をしかとさぐらねばならない。

第一に現状分析に対する激しい関心の存在であり第二に、職場の労働者大衆と結合の方向でのフイルドワークの底着であり第三に、「職場の歴史」研究の体系化についての限りない情熱と探求心の存在であり、第四に従来の科学、とくに現代史の成果の継承にたいする意欲と既存の現代史にたいする挑戦の斗志であり又互に若さと団結から生れる発らつとした精神である。会こそはまさしく名もなく貧しい若者たちにとつて祖国と自らを解放するために必要とされる偉大な形式であつた。

「されど我等が日々」が画いてみせたイメージに共感するとともに我等会員は会と自らの青春を省みて、「けれども我等の日々はより充実していたのではなかつたか」と云うこともできるであろう。それはなぜかと問うならば、吾等会員は労働者の生活に集団としてしつかりとむすびつき、よりヴイヴイツトに歴史の胎動を実感していたからだと答えることもできよう。

転形期の六四年も今や壮絶として暮れていこうとしている。会創立十周年を記念して来るべき年への展望と我等の団結のために、会はここに創立十周年記念特集として「職場の歴史の伝統と創造」を送る。既にみたような会創立期の原型の確認と、この原型がいつどのように変つていつたのか、或いはなお一貫しているものはなにか、どの部分が弱まつたのか、或いは強まつたのか等々を卒直に検証する中から、我等の伝統を掘りおこし、来るべき年において、新しい創造の燈をかかげようではないか。十年の時間はまことに短かかつたと云はねばならぬ。

青春とはそのようなものなのか我等の青春は必ずしも明るくなかつた。しかし日本の青春と我等の青春とはしつかりとオーバーラツプしていたと云う点で、それは天下泰平の今日に比してはるかに充実していたと云えるその意味では幸多き青春であつた。されば会員各位、現在の位置から決して退かず、会の原型を堅持しその創造的発展の方向で来るべき十年の時間と新しい歴史に立ち向おうではないか。歴史に参加することは必ずしもハイペースを必要としない人民大衆と自らを真に解放するために必要な形式をしつかりと堅持し来るべき十年の時間と新しい歴史の中で、その形式にどれだけ新しく豊富な内容をもりこんでいくかにある。　(雲)

１９６４年１２月７日　印刷
１９６４年１２月７日　発行　定価　　　円

編集　東京都小平市喜平町1,０３２　竹村方
発行　職場の歴史をつくる会

転載等のときはご連絡下さい

職　場　の　歴　史

22

編集　職場の歴史をつくる会

職場の歴史研究の現段階

鳥海光

職場の歴史をつくる運動をすすめるための当面の環として個人の歴史をつくる運動の失敗から学ぶことを二十二号（六四年十二月）で提起してから、早くも半年過ぎた。二十二号の村岡雅男の「職場の歴史と生活記録」翌六五年二月二十七日の冬の総会、更に五月八日の春の総会　そして本号における村岡会員の二十二号論文の続編掲載、本年夏の「職場の歴史と生活記録」のセミナー等々の仕事の積み上げは、さきの提案の具体化である。

ここ半年のこうした仕事の積み上げが示した成果は一体何んであつたろうか。

まづ成果の第一は　この仕事が会員一同の支持と共感をえて進んでいるということである。個々の会員は過去になんらかの形で個人の歴史をつくる運動に参加し、その影響をうけ自らをつくり変えていつた実績をもつている。そうした個々の経験は会員個人個人の中に死蔵されていたが、今回の仕事の積み上げの中で、ようやく共通の広場にひき出され、討論される中から、体系化への糸口をつかむことが可能になつてきた。村岡会員の仕事にインパクトを受けて、会員の中から続いて総括の仕事が生まれてくる傾向が強まつていることはその証拠である。そうした体系化の仕事は、六五年夏のセミナーを契機として、飛躍的に発展することとなるだろう。会の歴史の総括が集団的に進められ、理論化されて会に蓄積されることは会員の自覚を高めることとなり、会の団結にも大きく貢献するに違いない。

成果の第二は、過去の運動の失敗を総括する過程で貴重な幾つかの教訓がえられたが、その中でも大切なことは、運動を成功させるための決定的な環としては、会の理論水準が高くなければならないと言うことが確認されたことである。過去に会は、かなり豊富に、着実に、人民大衆の歴史意識を会に集約することに努めてきた。これは会の誇るべき遺産であるし、会が今日なお、労働、文化、科学等の各領域においては注目されている所以もここにある。

しかし会は集約された人民大衆の歴史意識を体系化していくことには、失敗した。生活記録運動一つとつてもわかるように、その仕事に成功することは容易ではない。会は会に死蔵されたままになつている集約された人民大衆の歴史意識を再発掘して、これを体系化する必要がある。そのためにはどうしても、会の理論水準の向上が不可欠となつてくるのである。

六四年度からの理論の研究会の発展、鳥海会員を中心どする日本近現代史研究の蓄積の成果と前述のような会の遺産とを積極的に結びつけることによつて新しい成果を生み出す必要がある。そのコースの成功によつて研究者会員にみられがちな、専門研究至上主義は打破られ、会の発展の新らしい段階ー職場会員と研究者会員との結合による集団研究の実現の土台が確立することとなろう。既にそうした方向への展望は、本年冬の総会でも、国鉄史研究会の再開も要請する声となつて現れている。われわれは集団研究の実現のためにも、集団的に会員すべての参加をえて個人の歴史をつくる運動の総括を早く仕上げる必要がある。

会は昨年で十周年を迎え、今や来るべき二十周年を目標に一歩をふみだした。十年間はまことに短かく成果はあまりにも小さい。しかしこの十年で会は襲いきたつた様々な危機をのりこえて会の独立を達成し、日本の科学運動の中に市民権を獲得することができたことは評価されねばならない。問題はそうした歴史をふまえて、来るべき十年の展望をもてるかどうかにかかつている。地学団体研究会は創立二十年を迎えることとなり、全組織をあげて、今その歴史の総括に着手している。われわれは地団研の評価についてふれる余裕はないが、地団研が茨の二十年をのりこえ、日本の科学運動にいくつかの貢献をしたことについて敬意をもつものである。われわれもまた会の置かれている現時点の課題を自覚し、意欲的に実践する中から、来るべき十年の展望を現実的に把握することができるならば、日本の科学運動の今後に独創的な貢献をするに違いない。

六五年七月十七日記

「職場の歴史と生活記録」

―職場の歴史研究方法を確立するために―

岡村雅男

第三章　生活記録の問題点

1. 生活を見つめる眼の発展

既に述べたように、自己の生活を見つめることは、生活を変えるための力となる。だが、それは直線的に起るのではない。個々の生活の具体性を失うことなく、生活の実態を概念として把握し、認識の度合いを高めていく、その間に何度も具体性を確認しながら、そして、自己の生活と他の生活との関連を把み出し、社会的位置づけを行うことが不可欠なのである。

その過程、経過そのものを描きうることが、生活記録の特質であり、有効性を誇りうる点であろう。集団的な努力を経て、生活実感はより緻密になり、個人の体験は整理されて行く。そうした創作過程を抜きにしては生活記録を理解することはできないともいえよう。従つて生活記録が、生活の単なる「科学的」分析でもなく、生活のありさまを説明するものでもない。だが、発表された作品を読んでいると、その多くが、生活の具体性に眼を奪われ、作品のモチーフを見失いがちであつたり、具体性が感情を刺激し、感覚的な共感に溺れていると、突然結論を押しつけ、とまどらせることがあるように思う。こうした共感の一般的な有効性を否定するつもりはないが、記録方法の発展を押しとどめる役割を果すのではないかと危ぐする。そして、こうした傾向の作品を数編続けて読むと、もうわかつたと、本を開く意欲を失つてしまうことになるのではあるまいか。逆に、かなり筆力もあり文学化されたあるいは機知に富んだ作品に魅惑され、生活記録は「文学」であると考えたくなつてしまいがちである。

生活の実態あるいは条件と意志主体との交流つまり経験、体験とか認識とかを客観化し、より発展させるよりも、その体験のなかでの自己の感情におぼれてしまい、感情による訴えを結論として分析を放棄してしまうことは多い。

意志主体との交流が描かれない記録は、単なる報告、「ルポルタージュ」でしかありえない。

これでもか、これでもかと苦しい生活（現実に存在しているとは言え）を押しつけがちな点に多くの論者が指摘している如く、「生活記録的」記録方法の弱点があるのではないだろうか。

かつて「日本残酷物語」を頂点とする、いわゆるルポルタージュ物が出版界の寵児となつた時期があつた。日本残酷物語の成果は評価するとしてもこれら一連の作品の中に「生活記録」的方法の弱点の極端な拡大がみられるのではなかろうかと言うのは言いすぎではあろうか。生活に対する自己の感情の表現に満足して、生活記録＝生活の変革に参加したと錯覚していたならば、（こうした錯覚はしばしば起るのであるが）状況に埋没したままでの変革意識、さらに傍観者流の自己卑下の入り混つた「大衆崇拝」の迷路をさまようことになるであろう。この弱点を克服した地点での有効性を問題とするのでなく「自分を表現することは人間性をかちとるたたかいであり、自分の問題を出すことは共通の問題をだすことであり、生活を記録することは理論をつくり思想をつくる」（竜田肇「生活記録運動の発展をめざして」P31「日本の記録」4）といわれても当惑してしまうのだ。

このような生活記録の有効性と弱点、つまり、生活の場における形象化の問題を現にある諸作品に即して考察しようと試みた時、ハタと当惑した。類型化した作品の分析、とくに短い作品の分析は、作者のモチーフに対する誤解ないしは極めて直感的な批判になる危険がある。そうした危険を一応無視して、強いて分析の対象を選ぶならば、集団創作の性格を持ち、創作過程もひろく紹介されている木下順二、鶴見和子編「母の歴史」（河出新書）と、新しい記録方法あるいは記録文学として注目された長編、上坂冬子「職場の群像」（中央公論社）が、適当であろうと考える。

2. 生活を記録する会が生れるまで

沢井余志郎氏というすぐれた指導者を持つ東亜紡織労働組合、泊支部「生活を記録する会」の成長をあとずける、この「母の歴史」は河出新書の一冊として一九五四年に出版された。

年若い女子工員である筆者たちの作品は、読者に、彼女たちの生活に対する真摯な態度を強く訴えかける。これらの作品に共通する問題設定は「家が貧しい」「家族が必死になつて働いても良くならない」「それを助けてやりたい」「だが賃金が安く、送金する余裕はない」「でも、家の貧しさの方がひどい、自分の欲望を抑えても送金し援助する」「そして貧しさに苦しむ母へ同情・共感はするが、そんな生活はいやだと拒絶する」という点にあると言えよう。彼女たちは、こうした苦しみがお互いに共通しているとは想像していながら、やはり表現するとなるとはずかしい。知らせたくないと言う感情が先立つていたであろう。

組合員、同じ職場という共通した条件があつても、こうした生活の場での孤立を、打ち壊すのは容易でない。だがばらばらな彼女たちが集団となり、仲間意識を養い、彼女たちの生活の個別性を超えた問題を提起しうる「生活を記録する会」を創り上げられていつた。この経過が、巻末の沢井氏の「ノロノロと歩んできたなかまたちに生き生きと描かれており、その中には、サークル運動の様々な問題点が浮彫りにされている孤独感に悩む彼女たちをなぐさめるものは、組合のサークルだった。だが、自分の生活と結びつかない形での音楽や演劇・文学などの教養主義的なサークル活動は真のなぐさめとはならない。虚勢をはつた仲間づくりは、やがて欠陥を露呈する。経験の差などが、新しいメンバーの参加を妨げ、サークル活動の発展はとまる。この状態を打ちやぶるものとして、心にあるものを素直に訴えようと「日々の歩み」という共同ノートが作られた。お互いどうしで、思つたこと、考えていることを、即ち生活の多様な内容を、ありのままに書きあおうとした。こうした「らくがき帳」的な試みは同じ頃、他のいくつかの職場（近江絹糸など）でも行なわれ、新しい試みとして注目された。

この共同ノートは、文集にまとめられ、多くの反響を呼んだ。だが、何を、そしてどのように書くか、どんな目的かがはつきりしないまま、作文を書くことは、惰性に落ち込みやすい。何を書いたら良いのかということで悩むようになつて、書くことが負担になり、創造のエネルギーは失なわれはじめる。まとめられた文集に対する批判の中にあつた「生活がない」という点を考えあうあいだに、新しい方向を見出した。頭のなかでなく、生活のなかで書こう。お互いの間の虚勢という垣根をとり払うことは、苦しくいやなものだが、生活を見つめあう生活をありのままに書くなかから、「生活のある」作品が生み出されるだろうと。そして、「私の家」「私のお母さん」「母の歴史」と文集が、次々と創られ、「生活を記録する会」がしつかりと創り出された。

筆者たちは、はじめ作品を書くことに、ためらいをもつたと文中の各所で述べている。

また、一九五四年九月の沢井氏解雇に至るまで執ように続けられる会社側のいやがらせにも苦しんだであろう。ためらい、苦しみを集団として乗り越え、作品を書き、発表することによつて、筆者たちは、生活を記録することの意味をしつかり把んだことであろう。また筆者たちの苦しみが、泊工場だけの問題でなく、他の多くの職場にもあるのだと気付いたことも想像される。

問題は、そうした内容が作品の中に、映し出されがいるかまた、その「概念化」が成功しているかどうかにあるだろう。文集中の数編を取りあげ、検討してみよう。

3. 現実への関心と感情

「雑こくだけしか収獲」できない「畑を一町三反作つて」おり家族八人（うち三人は工場に出ているから残り五人）の「食糧だけで八反」が必要であり、「あとに残つた面積は開こん地の収穫の少ない四反と一反だけ」で生活費、農器具代、肥料代などをまかなわねばならない。それができないから、豚を飼つたり、家族のうち三人もが工場へ出て、家計を援助しなければならない。そんな「私の家」を持つ鈴木久子氏は、作品四編「私の家」「わたしの母ちやん」「かあちやんの歴史」「女の問題」を発表している。

最初の作品「私の家」は、前述の家計の概観に終始しているが、ここには単純ではあつても、鋭い家計の苦しみに対する分析と認識が感じとられる。それが最後の数行での、旅行費を無理して作つてくれた父への感謝の中に生き生きと表現されている。だが、この部分と家計の部分とのつながりは、やや唐突な感がある。つまり論理的な飛躍を感情で補つているように感じられるのだ。そんな疑問が次の作品「わたしのお母ちやん」になると、主題が変つたことにもよるが、より大きくなる。

お産で足を痛めた母に対して「どうしたつて母ちやんの生活はひど過ぎる、どんな面から見ても」と激しい感情の高まりを見せるが、母の生活を通じて、農村の嫁一般に対する同情、共感となつていながら、元旦の朝の母と姉妹のやりとりというエピソードによつて、単なる感情の吐露だけとなつてしまう。つまり「働いたつて、働いたつて、母ちやんたちは働きたりない。女は特に、働き過ぎて死んでいくという変な世の中だ」「女は損だ」と愚痴の繰り返しとなり、さらに「金がないから、仕方なしに働くというようなことは、いやだ。誰でも楽しく働けるようになりたい。そうなるためにみんなで話し考えあつて行こう。」と原則論と言うか、彼方にある夢を眺める立場に落ち込んでしまつているように思われる。生活の苦しさに対する同情を「愚痴」という直接の感情の次元から、自分の理想とする状況にすぐ飛躍することは危険ではないだろうか。こうした飛躍は解決への努力や方向を、はるか彼方に押しやつてしまい、逆に誠実主義礼賛となるのではなかろうかと思われる。

その危険は「かあちやんの歴史」のなかにも見られる。ここでは母の思い出ばなしを紹介し、「母ちやんは自分のことを特別わたしたちに話す気にもなれず、ふつと叱る時だけ〃母ちやんの小さい時は苦労したもんだ〃としか言えなかつたのじやないかなと思う。」と鋭い感情の分析にかなり成功した。だが、母の思い出ばなしの中にある、母の苦しみ、天理教にすがりついていく悩みを、どうして、「文学的」とも言えるような感情の分析のなかでしか、取り上げないのかと、もどかしさえ感じてしまう。

しかし、もどかしさを感じながら鈴木氏の作品には、どうしても魅きつけられるものがある。それは最初の作品「私の家」で見られる生活の現実への関心と生活状況の分割、感情分析の鋭さにあるのではなかろうか。その間に飛躍分離があるにもかかわらず、読者に感動を伝えることに成功しているのだ。その点は、母との対話を主軸とする「女の問題」で生活感覚の差異を、単なる世代論でなく、描き出すことに成功している。

また生活環境との対し方を適切な事例を示すことによつて考えさせている。たとえば「だけど母ちやん、知つてほしいことがある。
それは〃わしらの給料には送金する金は一文もない〃つてことを。わしらは最低の生活をするために賃上げをやつた。だけど要求した線は通らずにけずられてしまつたのでわしらの生活は、まだまだ最低の生活もできない。それなのに、母ちやんたちはそれ以上に貧しい。母ちやんも父ちやんも働いているのに……」「うん、でもなあ、でもなあ、まだまだみじゆくだから、働きが足りないもんで。」と、送金することがばからしいと思わないかとの母の質問をめぐる会話の中で、やや対比にこだわつているにしても、自分と母の立場や感覚の相異が鋭く示されている。

つまり、鈴木氏の作品は現実への鋭い関心と状況分割の方法が、感覚の鋭どさを通して、個別性を超えた共通の問題点を提出し、生活記録のすぐれた作品となつていると言える。だがそれにもかかわらず、問題提起が、感情に訴えることで行なわれ、そうした感情に自ら流されがちになるのはなぜだろうか。

4. 文学化、定式化の危険

田中美智子氏の「家の人たち」「母の半生」「新しい愛情」の三作品は、文章がうまく、描写は適確であるし、自己の感情をおさえ、できるだけ公平に客観的にみようとしていることに感心する。

「次男として生れ独立したい一心で講習を終えて村の教師になつたけれど、兄の死亡のため家を継ぐようになつた人。けれど農業があまり好きでなく家は他人にまかし、青年たちを集めて村の仕事をする方がよろこびだつた」祖父、「そんな旦那様をおこりもせず奥様ぜんとして男衆なんか頼んで」いた祖母、こうして家の身代をつぶした今は亡きこの二人。「満州へ召集されて三年間つとめていたけれど、隊長とけんかをしたとかで終戦の二年前に帰され」新しく「農業協同組合を作る仕事」をすすめている父、そのため「家の田畑の仕事」をまかせ切られ、家計の苦しさを一身に背負い「ごつごつした手を持ち、グチをこぼし、何かと言えば涙ぐむ母、「私の送金によつてまかないながら高校へ進学し」「とても気兼ねをして」便りの回数が少なくなる妹、と田中氏は、家族すべてに暖い愛情と共感を持つているようだ。だが、家族関係を、苦しめ、歪めている農村の現実への志向は、この作品の最後の部分に、日本の農村の問題点が手ぎわよく指摘されているにすぎない。

田中氏のすぐれた作品の中に、生活記録の危険な陥穽が、ひそんでいるように思う。鶴見和子氏が指摘したような「調子をよくするための対句や名詞どめを重ねていること、比喩や修飾語が多く、その中にはどうにでもうけとられるアイマイな表現が多い」

「ひとりごとの文体の属性」（「生活記録運動のなかで」P186）とこの場合言い切れないにしても、調子の良い文体、美しい文章表現によつて、現実への鋭い接近が背後に押しやられ隠されてしまつた。同じ様な視点を持ちながら、前述の鈴木氏の作品と、対称的な印象を受ける。つまり文章表現の巧みさが、生活現実の分析の鋭さと結びつかず、かえつてそうした関心を稀薄にしているのではないかと感じられるのである。

次の作品「母の半生」においても、こうした印象は消えない。ここでは母への共感を一般的な嫁姑の関係での苦しみのなかに環元し、さらに特殊な過去を語り、涙ぐむ母として定式化されてしまつているように思う。具体的な例によつて母の生活を説明しながら、そこに、豊かな現実性、具体性を感じさせえず、性急な概念化、定式化にこだわつているようにも考えられる。たとえば自分の現在の生活意識について、次の様に簡単に整理してしまうのだ。つまり「サークルに入つてから私の生活は一変した。すべてが新しく何もかも張り合いが生れた。」と言いながら、その内容を描かない。

また、他の人々に対する理解や共感のあり方も「サークルでは、なかま意識を育てるために自分の感情より先に、みんなの気持ちを考えるように努力していることは将来、きつとよい結果が得られると思う。」とあつさりまとめている。もちろん、こうした文章は単独に提示されているのでなく、前後の文脈との関連があるのだから、安易な評価を下すことは危険であるにしても、あまりにも「模範的な答案」といつた印象を拭い切れない。極端な言い方をすれば書くこと創造することの苦しみを媒介とせず、生活現実の描写から、即座に定式化を行つていると言いうるように思う。

「あたらしい愛情」でも、この点を指摘しておこう。サークル内での恋愛が生じ、それがサークルに動揺をもたらし、二人と他のメンバーとの間に阻隔が見えはじめた時、解決への努力のなかで恋人たち3組が集まつて話し合う。ここにはサークルと個人の生活や意識との関係について、新しい問題を提起しうる状況が生れているし、この問題は現在にいたるも充分には解決しえていないように思う。だが「二人が恋人同志になつたことでプラスした面もあるが、全体からみればマイナスだという結果がでた。」と安直な分析をし、そこから「みんなから信頼され、祝福されるよう少しでも努力しよう。」「プラスの面を多く」するために「自分たち二人の問題などもできるだけ、みんなの話しあいのなかにもちだし、集団の中で解決していく」「前むきの恋愛の実践だ」と考える。

此の時期の反体制運動に色濃く現れていた政治主義的な傾向の影響もあつて、様々なサークルにも共通して現われていたような、安易な集団依存の考え方がみられる。こうした考え方に対して、木下順二氏が、「それはぼくにいわせるとツーハイリッヒ・ウント・ゲズント（あまりに神聖かつあまりに健全）だな。それではそのグループ自体はますますよくなるだろう。だがそのグループと、それ以外の広い人々との間か切れちまうということにはなりませんかね。ぼくは党間で〝恋愛問題を大衆討議にかけよう〟というような考えの若い人が出てくるのとしよつちゆう〝闘つて〟いるんですよ」と言う若いハーリッヒという東ドイツの党員哲学者の言葉を借りて批判している。（「知性」昭和三十年九月号P70）しかも、実際には、恋愛によつて生じた困難は、サークルのハイキングの中で解決されている。だが、その総括も含めて、個人生活の確立のための深刻な苦しみの経過が、こんな安易な不自然なものでなく、記録されていたらと思う。この作業は組織と個人の問題を考察する上で貴重な内容を与えることとなるであろう。

以上、文集から二人の作品のみを取り上げたが、他にもすぐれた作品が、多くの問題を提起している。とくに、記録の方法についての提言を含む志賀はるみ氏の「母のこと」があるが、ここでは論及することを避けたい。

5. サラリーマンの思想「群像」

「中央の視点から書かれた戦後日本史と反対に、自分の身のまわりから見るという方法で書かれた戦後史であり、戦後の総合雑誌で説かれた民主々義、自由主義、社会主義の理念が、ここでは職場の出来事、具体的個人の言動として、につめてとらえられている。」（「思想の科学」一九五九年二月号編集後記）と鶴見俊輔氏に推された「職場の群像ー私の戦後史ー」は、一九五九年に「思想の科学」誌上に連載され、第一回思想の科学新人賞を受け、さらに、中央公論社から出版された。

鶴見氏は、思想の科学研究会の研究方向の一つとして、また生活綴方的方法、その記述方法についての提言として書かれた「記述の理論」（「思想」一九五五年十二月号）の中で「わたしたちは、思想をとらえるための伝記的方法を重くみることから始めて同時代の無名の人々の伝記をつくることを続けている。個人の伝記をつくるという仕事から、だんだんに、ある集団（職場とか、家族とか）の群像をつくる方向に、進んで来た。」（前記P52）と述べ、さらに、この部分の「注」において「この系列の仕事は思想の科学研究会編「民衆の座」（河出新書、一九五五年）におさめられている。集団の伝記としては上坂冬子氏、小社会の伝記としては上山春平氏の仕事が進行している。」（前記P59）と評価している点から見て、上坂冬子氏の「職場の群像」は、思想の科学研究会の目指していた新しい記録方法の試み出現として期待されていたのではないかと考える。

このように注目され、高く評価されたこの作品を、わずかな枚数で論じつくすことは困難であるが、一応のスケッチと問題点の指摘をしてみる。

この作品は、大都市近郊の或る重工業会社（トヨタ自動車であろう）、従業員六千人を数える大企業の人事部労務課の一九五十年から五五年までの「物語」である。主要な登場人物は、「ガンさん」「木野さん」「捻兵衛《ネジベエ》さん」「トウサン」「坊ちやん」「私」の労務課員六人である。この六人の考え方と行動、そしてその位置の据え方に、この作品の特質がかくされているように思う。そこで、誤解する危険があるが、あえて彼らについて概観することによつて、問題点を拾い出してみよう。

「職場斗争委員長」として活躍した若手の「ガンさん」は、組合の立場から会社側と真向うから対立する。斗争の後退期には、「職場新聞」を発行して「社内新聞」と対抗し、やがて組合専従者となる。だが、座右銘として「アンコンシヤス・ヒポクリット（無意識の偽善者）」を自認している「ガンさん」は、組合の後退と共に、不得手の営業部へ配転される。またその間に「健康替歌」に入濅して「私」にショックを与えているのである。

「黒メガネの印象的な色白のおつとりした紳士。温厚な分別で斗争中動揺する人々と、飛躍しがちな討論を常にコントロールしつづけて来た」「木野さん」は、「ガンさん」なきあと「職場新聞」を受けつぐが、成功せず、「販売会社へ転勤の勧誘」を受け悩む。報告と統計のための「労務月報」発行に熱中し、論文と余白を埋める抜萃記事によつて、「スジを通す」抵抗と、「労務課の木野を登用せよ」と言う野心の主張を巧みに表現するが、やがて発行は中止される。出世への野心は、あせりと変り、「部品買付課」に「自己希望屈」をし、さらに重役に接近することさえするが、結局、出世に成功しえない。

「何事にも一応注釈をはさまねばいられない」「謹厳な」「捻兵衛さん」は、現状や歴史を適確に大づかみに把握し、「独特の用心深さ」によつて、「公正中立」という巧みな処正術を見せる。「業務能率の向上」を期待し、「全人格を機能化」して業務にあたり、同時に「社内新聞の書評欄」を担当して博学さを見せる。教養主義は「捻兵衛さん」を「声援者」「同調者」として行動させ、退潮期には消極的な抵抗者たらしめるが、同様に不満を「博学趣味」に発散してしまうことにもなる。

「関西弁丸出しの快活な」「トウサン」は、「勤続の浅い」「学歴のない」ことから、出世コースからはずれたサラリーマンとして「違感」し、「先天的に屈托のない人である」。「労務月報」では「木野さん」の「口上役」「緑の下の力持ち」となり、「親子三人のささやかに満足して安定している」「そんな柄の下に陣取」つている。そのため、職制側とも気易くつきあい、穏当なサラリーマン生活を送つている。

「斗争中賛否の挙手には確実な意志表示をしたけれど、討論には殆んど発言せず、しかも連日の坐り込みを利用して」小説を読み「原語のフランス小説をひもといていた文学青年の坊ちゃん」は、組合の専門委員在職中に病気となつて休職し、「冷静に客観的に純粋にたしかめながら自己の内面を培つて来た。」復職後は、静かな目立たない存在ながら、後退する組合の中で、時には正論をひつさげ、その妥協ぶりをつく。また「レコード鑑賞会」を設立したり、「輪読会」を組織しようとしたり、「労働運動史を作る」計画をたてたりしながら、自分に合つた行動によつて、全体の後退の流れに耐える。

若い女子事務員として「緩衝地帯然と構えている」「私」には、皆ソット本音をもらすことが多い。組合の立場に、そのために活動する人々に共感する、筆者の分身のような「私」は、超然と構え眺めながら、動揺する皆に疑問を投げつけ、考え込ませる。

「労務課員」という特殊な奇妙な地位にあつて、登場人物はかなり複雑な思考と行動を示す。しかし、読者には彼らが「闘士型」「野心型」「君子型」「庶民型」「純真型」そして「傍観型」の「私」と類型化されて印象づけられるようだ。だが、こうした人物配置のなかでサラリーマン一般と組合運動との関係のあり方が、登場人物の行動の複雑さ、具体性の豊かさを通じて描き出されている点に感心する。

「物理学校を目指して」いたという筆者は、従来の生活記録とは異なつて、苦しみたたかう現実の生活、その中での行動者といつた方法をとらない。かえつてそうした苦しみの姿を強い共感を持ちながらも一歩離れた地点から見つめようとしている。この手法は、ひどく知識人的、インテリゲンチア的な臭みを読者に感じさせ、異和感を持たせるだろう。あえてそうした筆者の意図は、何処にあり、また意図が成功したか否かを検討することは、この作品を分析する上で有効な方法だと考える。

たしかに、筆者自ら語つているように「当時の私を支えていたものはイデオロギーではなく私の物理学であり、私の中の反権力は思想ではなく私のエゴイズムの法則だつたのです。強いて言えば法則で埋め尽くされないわずかな部分に、かろうじて私は負け犬に味方する人情をもつていたといえるかも知れません。この物語はそういう鼻持ちならない傲慢さと、無責任さの上に成り立つています。（「あとがき」P207）と言う点から必然的に取られた結果かも知れない。しかしそればかりでなく、記録方法において現実への参加者行動者が同時に記録者であるという立場は、現実の多元的な論理を把えることを妨げ、一つないし二つの論理の可否を考えることになりがちである。だから、現実把握を正しく行うためには、客観的な立場の設定が有効であるという考え方にこそ筆者の真意があつたと思われる。

筆者の意図は、複雑な現実から安易に社会科学的な概念を引きずり出したり、現実との苦闘を「革命的」な精神でつらぬく教訓としたりせず、サラリーマンの意識や行動の人間臭さを描き出そうとした点にあろう。

日本の貧しさの集約点としてしばしば描かれる「底辺」ではなく、筆者が勤務している近代的な大企業にメスを入れ、同時に新しい手法で分析していつた意欲とその分析の鋭どさに敬服する。筆者は、登場人物の行動を善悪や、新旧や、革新か保守かといつた形での割り切り方をせず、暖かい共感を込めながら、人間の弱さを描き出した。このすぐれた視角に対して、筆者みずから「物理学」とか「エゴイズム」だつたと、否定し去つているのには強い不満を持つ、作品を書く動機となつたという「大衆路線方式」を、筆者は、記録の方法のあらゆる部分に適用しうる万能薬と考えて、それと自分の方法との距離に動揺し、未熟な過去として精算してしまおうとしているのではないだろうか。悪しき「大衆路線方式」の表現である「大衆崇拝」に筆者はこだわっているようだ。

公式的な人間像に終始することなく人間の心理のひだにまで立ち入つて、複雑な人間、現実を具体的に描きだそうとしながら、かえつて逆の結果を生んでいるようだ。具体性の迷路の中をさまよい、豊富な現実を持ち出した結果は、先述したような類型的な人間像と配置を描き出したにとどまつたように思う。この逆説的な結果に対して、筆者は「あとがき」の冒頭に「一口で言つてしまえば、この物語は私たちにとつて、もう昔話なのです。そしてこの物語を支えている私の眼はもう化石になりそうなのです。」（前記P204）と語つている。こうした弱点の露呈は、描写の技術に欠陥があつたのではない。筆者の設定しようとした立場ー客観的な描写方法がつらぬかれず、誤まつた「大衆崇拝」への妥協やためらいのなかで、もつとも危険な「傍観者」的立場に堕ち込んだと言えるのではないか。つまり、歴史の傍観者の立場からの現実への接近は、容易に「昔話」となつてしまうと言えよう。

筆者の意図について、上田耕一郎氏は「労働組合の論理を貫徹させようとした「ガンさんの道」の敗北を示し、また逆に「企業の論理」に転向した「木野さんの道」を批判し、その二つの論理をもちまえの誠実さと新しい感覚で折中させようとする「坊ちゃんの道」に作者の共感が寄せられているところに、この記録の新しい問題意識があつたし、雑誌「思想の科学」が一つの軸としてすえようとする独自な座標の設定があつた。」(「プラグマティズム変質の限界」P28「文化評論」一九六二年No.7)と指摘している。この整理は説得的ではあるが、筆者が共感を寄せる「坊ちゃんの道」ですら敗北ないしは不成功に終つている点を指摘することが必要なのではないだろうか。たしかに「坊ちゃんの道」は、現代青年の優れた側面の一つを典型をして示しているとも言えるが、これを「第三の道」として把握する筆者及び上田氏の立場に同意することはできない。この点については、思想の科学研究会の一つの立場、「実生活者民主主義」とその危険性を指摘する上田氏の立場について検討する必要があるので、別の機会にゆずりたい。

この作品から、私は「ガンさんの道」の敗北に視点を据えて、「職場の群像」のなかから、サラリーマンの組合運動のあり方を浮き彫りにする作品を書くことが、生活記録にとつても、また組合運動にとつても、大きな役割が果せると考えずにはいられなかつた。

6. 一応の総括

生活記録の典型例として二つの作品を取り上げて見たが、二作品ともに読者に大きな感動を与え、深刻な問題提起を行なつている。それぞれの作品の検討は、各項で既に述べたから、ここで繰返すことは避ける。ただ二作品の差異として、前者が現実の状況に対して主体的な参加者として、自らの感情までも記録の中に書き込もうとしているのに反して後者は、自らの感情に走ることを抑え、できるかぎり客観的に事実を描出しようとしている。だがこの差異は前章で検討した「農本主義型」「社会対峙型」の分類とは異なる。すでに繰り返して述べる要はないが、生活記録は、この両型と根本的な地点で異なつて、自らの生活を変革する志向を社会的な状況を把握する中で行なおうとしている。たしかに、作品には多くの欠陥があり、また社会科学的認識との接点が明確になつていないなど問題は多いが、生活記録的方法の有効性は確認しうると考える。

北川隆吉氏が「記録は、個と集団(社会)との関係についての内的関連をあきらかにするものとなる」「また個人についてみれば、記録活動のなかで、一人の人間の意識の変容をしめすものとなる。かつてかなり烈しい賛否相方の論議をよんだ東亜紡績工場の女子労働者のそれは、うずもれ、未発表の継続的記録活動の方にこそ、真の意味があつたと伝えられている。そこでは、新しく形成された集団のなかでの個の発展が、特殊例ではあり乍ら、しかも、とくに戦後にうみだされた社会的条件とのかかわりあいとして、一般化できる内容をもつている」（「記録のもつ意味について」Ｐ38「日本の記録」2号）と言つているが、先述したように集団と個の関係においてまだ問題が残つている。またこのように断言するためには「社会科学的認識」との接点を明らかにすることなしには無意味であろう。それを「記録と事実との関係をよみとつていく、一定の視角がさらに必要とされることになる。大げさな言い方をすれば、そこには一定の方法論、史観、世界観などといつたものが前提にされなくてはならぬことになる。」（前記Ｐ39）と安易に、世界観の導入によつて解決できると言うことには疑問を感じる。

また生活記録的方法を「思想をとらえるための伝記的方法」（前掲鶴見俊輔「記述の理論」）とのみ考えることは正しくないのではないかと思う。たしかに上坂氏の作品手法は、前述した点から考えてそう言つても良いようにも思えるのだが、その場合には、「思想」というものを極端に拡大しなければならないだろう。「生活綴方運動は、日本において生れた独創的な思想運動」（前記Ｐ56）であると言う時にも、たんなる「大衆の思想」発掘のための運動と同義語と考えてはならない。鶴見俊輔氏が言うように「生活綴方的方法（この中に私たちのしている伝記の仕事も含めて考えるのだが）それが、自分個人の生活記録から他人の伝記へ、さらに小集団の伝記、さらに小社会の歴史、さらに人間の歴史全体へとより大きな相手を選んでいくことは、この運動の発展として当然である」（前記Ｐ57）と平板に、社会科学的認識との接点を設定する考え方は、鶴見和子氏を含めてかなり見られる。だがこの考え方は生活記録運動のすぐれた指導者である。生活記録運動の独自の役割を過小に評価することになつてしまうのではないかと思われる。

生活の概念化、形象化の運動論理と社会科学的認識との関連を未だ明確にしえない所に、生活記録運動の今日的な問題点があり前述の花田清輝氏の批判、また「革命的な意識というものは、自分自身のまわりの人間関係について話をするということと違つたものだということを考えますね。だから、自分の身のまわりのことを書く生活綴方を自然にひきのばして行つても革命的な実践はでてこないところに問題がある」（「生活綴方運動の問題点」Ｐ37「思想の科学」昭和二十九年八月号）という関根弘氏の批判にも、「実践的」にではなく、「理論的」に充分答えられない原因があるのではないかと考える。

その点について、私なりに論証して来たつもりであるが、さらに、「職場の歴史をつくる」運動の一側面との関連において考えていこうと考えている。

（つづく）

1965年8月 1日 印刷
1965年8月10日 発行

編 集　東京都小平市喜平町1,032　竹村方
発 行　職場の歴史をつくる会

転載等のときはご連絡下さい

職場の歴史

さま

23　職場の歴史をつくる会編

もくじ

研究領域拡大の条件について

鳥　海　光

二十一号で個人の歴史をつくる運動の総括を創立十周年の記念事業として提起してから早くも一年すぎた。いまこゝにこの提案の成果の実が収獲されようとしている。岡村会員は三号にわたって、よく個人の歴史運動を追跡し、会員は数次の合宿或いは研究会の蓄積の中でこれをよくたすけた。本号の論文で岡村会員の仕事は完結する。われわれは、この労作を会の作品集の中にあらたに加えることが出来たことを心から喜んでいる。

岡村論文の創造を主軸としたこの一年の会の仕事の積極的意義はつぎの二点にある。

オ一は、職場の歴史をつくる運動の刻明な分析は、我々に職場の歴史創造についての数々の貴重な方法論についての賜物を与えてくれると云うことである。

従来、今井会員の一連の作品「魂あいふれて」は個人の歴史をつくる運動の中で、もっとも人々に感銘を与え会員はそれを誇りにしてきた。しかしそうした会員の受けとめ方は、はなはだ感傷的なものであり、その積極的な意義を明快に語ることはできない状態であった。岡村論文はそうした課題と正面からとりくみ今井会員の仕事を丹念に読み、ちみつな分析の結果、今井の作品は一見生活記録と類似しているにもかゝわらず、全く異ったジャンルの作品、まさに職場の歴史創造の一つのタイプとして評価しなければならないことをあきらかにしたのである。さらに云うならば、この岡村会員の仕事によって、われわれは個人の歴史をつくる運動否職場の歴史をつくる運動と生活記録運動との関係について明快に位置づけることに成功したと云ってよい、即ち生活記録運動の展開と類似した形で展開していった個人の歴史をつくる運動が、前者と決定的に異る秘密はそこに歴史をつくる主体としての労働者階級の歴史にたいする高い要求が貫かれていることにある。その要求とは一体何んであり、その創意はどのような形で現われてくるのか等について、岡村会員は具体的にあきらかにすることに成功している。

オ二に個人の歴史をつくる運動の失敗から、われわれはなにを学ぶことができるのかについてを岡村論文は明らかにしている。失敗の内容が具体的に明らかでないとき人は敗北感に襲われ、運動の内部にたい廃の諸要因が急速に拡大することは、竹村会員の「国民と歴史」論文が鋭く示しているところである。見よ、岡村会員は勇気をもって運動失敗のくるしい過程を一つ一つ検証し、そこからその原因となつた諸要因をとりだすことに成功した。

岡村会員の仕事は、過去にもつとも積極的に個人の歴史をつくる運動のにない手となり、今日なお、一貫して会を支えている人達にとって、自らの仕事に対する反省と確信を与えるに違いない。

われわれはこゝに個人の歴史をつくる運動の総括の仕事は一応終結することを確認する。この仕事の蓄積の中から一つの秀れた論文が書かれたことはわれわれの大きな喜びである。会は六六年度から、この経験をふまえて、いよいよ集団研究に出発するが、夫々の会員は岡村会員のまだやり残している個人の歴史をつくる運動総括についての諸課題を、更に継続して研究して頂きたい。他日、会はそうした一連の諸成果を「魂あいふれて」と共に「現代史の方法」下に収録し、あらためて世に問うことゝしたい。これは会の社会的責任でもある。

（一九六五年十二月十二日　朝）

職場の歴史と生活記録 (3)

職場の歴史研究方法を確立する為に

岡村雅男

才四章　職場の歴史と生活記録

一、生活記録としての「個人の歴史」

職場の歴史をつくる運動と生活記録運動とが、かなり共通した性格を持つていることは云うまでもない。この二つの運動の関係については、別の機会に触れることにする。が、こゝで職場の歴史をつくる運動の中で提唱された「個人の歴史」の諸作品が、生活記録としての性格を色濃く持つていたことを指摘したい。「個人の歴史」を生活記録としてのみみることは正しくないが、主観的意図はどうあれ生活記録となつている作品も散見できるので、生活記録という側面から諸作品を検討してみたい。

会の初期（先述したように五四〜五六年）には、組合史を職場の歴史として、把握しようとする作業が、広く行われた。それは従来の組合史や労働運動史のあり方（組合の斗争記録を整理するという方法）に対する一定の批判をもとに、出発していた。従来の組合史、運動史が、重要な斗争や事件の記述を主軸としていたものとは異なって、そうした斗争を支えた労働者の生活、あるいは意識を見つめることによつて新しい方法を生み出そうとしたものであつた。つまり、斗争の展開と個人の生活や意識との関連や変化、自らの考え方の中にどのように汲みとつていつたか、自己変革がどのように行われたか、さらにそれが斗争にどのような影響をもたらしたのかという視点を見つけ出したのだつた。しかし、それは必ずしも意図に即した作品がそのまゝ生れたとは云い難い。そこにはいろいろな欠陥や混乱があつたのは争えない事実である。とくに実感主義とも云えるような、労働者の生活実感斗争感のみを描くことで、ことたれりとするような弱点が存在している。

こうした混乱をはらんだまゝ展開した職場の歴史をつくる運動は、その方法として特定の個人の眼から斗争と自分をみつめようとする発想を強く意識したのは当然である。こうした発想と方法による作品の例は、歴史評論六六号「職場の歴史」特集号にみられるが、中でも「きみよの手記」が典型的な作品であろう。

二、「きみよの手記」の位置

「東証の歴史ーー私もついて行く」と題された、この作品は、わずかな加筆修正がされて、新書版「職場の歴史」に「東証の歴史」として、掲せられている。

「私は兜町が好きです。白いドームの取引所が好きです」と始まる文章は若さにあふれた好感のもてる斗争記である。各節の冒頭や文中に短歌が折りこまれ、圧縮された感情を打ちつけてくる。東京証券取引所に入所しその職場に組合が結成されて喜び、才二回の斗争の苦斗、不当弾圧、明日への希望と、激しく動く状況にせい一杯立ち向う意気込みが伝わつてくる。

作品の対象とした時期は一九五三年三月入所から、五四年七月の組合結成を経て、同年末の不当逮捕、起訴である。この時期は経済的には五三年の国際収支危機から、その対策として五四年に金融引締政策が採られ、朝鮮戦争休戦後の不況が続いている。労働運動の側では、総評が高野議長の指導のもとに、地域ぐるみ斗争を主唱し、三鉱連、尼鋼、日鋼室蘭、近江絹糸など激しく苦しい戦いが続けられ、一方中小企業や地方銀行、証券取引所（名古屋、大阪も）など従来組織が遅れていた職場に次才に運動が拡大している。

こうした新しい職場の組織化が進むなかで、生れ育った職場の歴史をつくる会は、中小企業の組合史「N労組の歴史」国鉄「特急さくらが走るまで」「日鋼室蘭青行隊の歴史」、「きみよの手記」と歴評誌上を飾ったのである。だから良い意味でも、悪い意見でも組合をつくること、戦うことが、そのまゝ職場の歴史をつくることゝ結びつき、作品の未熟さ、性急さを乗り越えて、作者たちの感情が読者に伝わるのである。

「徐々に目覚め、成長して行くことを発見した時、この〃私の心の成長〃そのものが、私の愛する職場の歴史となることを知ったのだった。」と。

だが一方斗争の記録としての不充分さもある。この作品に私は組合結成の経過の簡略さ、要求の持つ意味や拒否された理事者側の根拠などと欲張りたい。筆者が初めての事態に、驚きと期待に胸を躍らせている姿のみが浮び上ってくる点もある面では弱点と云えよう。斗争記録としての客観性を思い切って切り捨てた立場が長所とも欠陥ともなっていると云えよう。

作品が組合結成、斗争に興奮しているのは、やむをえないように感じはするが、斗争も組合の仕事も長期間を見れば、実に単調なものでしかないから、結局激動する時期の回顧談の域を出られないのである。若い女性らしい感覚によって各所に適切な描写が入るが、それも読者に興奮を伝えるだけになりがちである。だから読者が次の筆者になる契機は、自らの職場の新しい興奮でしかありえなくなる。斗争記録としての共通性や普偏性は見られないのである。

こうした作品を職場の歴史のすべてとして、礼讃する立場は、常に新しい組合結成、斗争の興奮イコール職場の歴史づくりと、作品を一回限りのものとしがちであり、組合の日常的活動、職場の単調さの中から作品を生み出すことを困難とするだろう。

職場の歴史をつくる運動は、この時期新しい文化運動・科学運動の芽として高い社会的評価を受け、組合史づくりの新しい方法として多くの組合に影響力を持った。多くの組合、サークルとの交流、国民文化会議での活動と会の活動は多彩であり、会の組織も確立している。そのためもあつてか「きみよの手記」に代表される作品系列（個人の眼を通してたたかいをみる）は、しばらく途絶える。続々と生み出される組合史は従来の、あるいはオーソドックスなそれとはちがつていた。労働者の生活の状況とその変化、生活実感、意識の変化と関連されて組合のたゝかいが記録されているのである。そして、国民のための歴史学運動の隆盛とゝもに、日本の民衆の持つ革命的伝統とそれをおゝいかくすものを明らかにしようという立場も強まり、科学的としての歴史学との接点を模索する。そうした方向が五五年九月総会での「職人の歴史」研究の提案となつたと思われる。

三、父の歴史から個人の歴史へ

「きみよの手記」の手法が再現するのは五七年である。会の活動は表面ははなやかであるが、職歴運動の総括、理論的蓄積は、かけ声ばかりで進まず、新しい組合史、斗争史という限界から抜け出そうともがきつづけた時だつた。「ある組合員の歴史」「進むことを知つていた」「筍のうた」「大根物語」と次々、労働者の生活意識と組合運動との接点をえぐろう　する作品が生れる。これら一連の作品は組合運動を描くことによつて、それに参加する労働者の意識の変化を追求しようとしたと云つて良いだろう。多くが集団創作の方法を採つているが、生活記録の手法との類似性を強く感ずる。いわゆる組合史からの脱皮の手段、方向が、職場の状況、その社会的位置ずけ、あるいは歴史的分析といつた点での追求に向わず、労働者個々人の生活意識を追求する方向となつて現われた。

この方向を決定的なものとしたのが「父の歴史」研究の提案であつた。提案が最初に実現した作品「いゝやいかん」は、父の死をいたむ心からの訴えを包み込んだ伝記的な手法を用いつゝ、基本的人権を生活のモラルとして観念的直情的にとらえ、その故に生活することがたゝかうこととなり、苦しみぬいた父の生涯を描きだそうとした。その状況の歴史的な分析を大胆に含めることによつて、作品は現実の戦いへの力を見い出そうとしているように思われる。従つて、それまでの会の運動の方向とは異質な要素を含んでおり、最近思想の科学研究会などで追求されている「伝記」による歴史分析の前駆と云つて良いだろう。しかし、会は先述の状況の故からか、思想、意識形成の追求の成功と把握し、合評会において自分の歴史を書くことを提案するに至った。

四、個人の歴史の展開

「いゝやいかん」と同じく機関紙八号に掲った「魂あいまみれて」に始まる個人の歴史は五八年に入って続々と生み出された。三月には「友達が家を建てた話」「春蚕」「座標」八月には「都会に生きる」「仲間には」十一月には「負けちゃなんねえぞ」「銀座の生態」五九年八月「萱屋根の下」十二月には「改作都会に生きる」六〇年三月には「魂あいふれて」八月には「たゝかいの記録」と多数の作品がつくられた。

これらの作品群を整理し、検討することは至難に近い。また整理することは、それぞれの作品が持つ個性を消し去り、作者にとって又会にとって書くことの持っていた意味を誤解することになりそうである。だがそれらの底に流れている創作方法、あるいは思考方法を問題とすることは避けられない。したがって誤解の危険を冒して、個人の歴史の基調を検討してみる。

個人の歴史は、従来の会の作品とは異質なものである。何故なら、一部の作品を除いて組合史、組合運動史という性格は消えており、個人の思想の成長を跡ずけることに力点が置かれている。思想の成長にとって家族や友人との関係の果す役割は大きい。だから作品の主題はその辺におかれることになる。職場や組合活動がとりあげられる場合も、あくまで個人の思想の成長にとつて意味あるものとしてである。

前述の「きみよの手記」の手法からの脱皮は、その視点を逆転することだったのか。一言にして云えば、組合史から生活記録へ跳躍してしまったと云えるようだ。

ともあれ個人の歴史はこの時期の会活動をおゝいつくし、作品を書くとは限らないが会員のすべてを参加させた。生活記録運動での経験はもちろん会の歴史をふりかえっても労働者が自ら作品を書くということは少ないことである。そうした常識、ためらいをつきくずすものが個人の歴史にはあったのだ。このエネルギーの根元は、一面では生活記録運動の場合と共通する生活と意識に対する感情の凝縮であろう。だが個人の歴史に特殊に存在したエネルギー源を検討しよう。その中でもっとも大きな役割を果したと考えられるのは、既成の価値感の崩壊であった。それをもたらしたのは日本帝国主義の復活を背後に持った社会状況一般の変質であり、またスターリン批判と国内での六全協（日本共産党才六回全国協議会）であつた。これらの展開は避けるがとくに後者は日本の大衆運動を支えていた人々に衝撃を与えたばかりでなく、共産党を中軸に組み立てられていた前衛感‖偶像崇拝的な共産党感の崩壊をもたらした。

それまで展開されていた地域人民斗争、職場へ村へ入り込んで活動していた学生、インテリゲンチアは混乱したまゝ去つていつた。こうした人々の献身的な活動に支えられながら展開していた各種の大衆運動、とくに科学運動は崩壊の危機に頻した。

職場の歴史をつくる会の場合も同様な状態になつていつた。有力な活動家は出席しなくなるか、行動力を失つていつた。だが科学運動全体の後退のなかで、活動の拠点を失い、孤立感に悩まされ、また自分自身の価値感の動揺に悩みながら、会は会員のかなりの部分を強く結束させた。何故結束することが出来たかという点については詳しく触れる余裕はないが、たゞ一つ、会の組織が成立期にしつかりと労働運動と結びつき、単なるインテリゲンチアの集団ではなかつたということを指摘しておきたい。

職場の歴史についての充分な理論化が行われないまゝ、こうした危機（会外部からではあるが）を迎えた。そのため自分自身の思想、意識をたしかめ、自らの価値感を再検討しようという意図が自然に成立したのではないだろうか。こうした会員の意図と個人の歴史の提唱とが一致したが故に個人の歴史をつくるエネルギーが生じ、会も不充分なりに危機を乗り越えることができたのだと考える。

だが結果論から云えば、個人の歴史も会員の永続した運動たりえなかつた。作品の多くも一回限りのものでしかなく、職場の歴史をつくる運動の後退をくい止めるという役割を果して、個人の歴史を書く運動は消滅した。

五、「魂あいふれて」の意義

こうした個人の歴史の中にあつて、唯一つ数回の改作が行われた作品がある。それは「魂あいまみれて」から「都会に生きる」「改作都会に生きる」を経て「魂あいふれて」で〝完成〟する清水澄夫氏の作品である。

清水氏の作品のもう一つの特徴として、他の作品では失われている「きみよの手記」の視点を継続している点を指摘したい。つまり職場の状態にしつようにに眼を向け、個人の思想の成長を自分と職場との

— 7 —

対決のなかではっきりさせようとしている点である。

この二つの特徴は、清水氏の作品群を、他の諸作品ときわだった相異を見せることゝなっている。この時期に、こうした作品を生み出しえたかを、作品とその作成過程を検討することによって明らかにしたい。

一連の作品は、すべて同じ主題を対象として追求されている。それは作者が上京し、就職を待って心配する。叔父の紹介で恩給局へ臨時職員として入所し、組合結成におずおずと参加し、スパイを強要されて断わり、斗争への参加にためらい、自分を除く組合員の賃銀カットにおどろき、やがてデモ、斗争へ参加し、次才にサークル活動へ接近しつゝ、成長して行く過程を繰り返し描写するのである。

だが同じ内容を取り上げながら、それぞれの作品は、かなり異なった印象を残すのである。才一の作品「魂あいまみれて」と才二の「都会に生きる」と才四の「魂あいふれて」（才三の「改作都会に生きるは、ごく短い作品で才四の作品の一部を構成するものと考えられる）の三種に区分しえる。

「職場の歴史」才八号に書かれた才一の作品は、主題の前半部のみを取り上げ、後編は未発表であった。この作品は個人の歴史の最初の作品として、その性格を典型的に示す。叔父、叔母との接触にもっとも力点が置かれ、組合活動接近の前史を、作者の内面的な苦悩として表現しているのである。

才二の作品は「職場と生活」十一号に掲るが田舎の友への書簡体という形式で、完結した作品となっている。書簡体形式の結果として、主題にとってかならずしも必要でない描写が入り込み、また感傷的になりやすいという欠陥を持つ。と同時に作者の感情、激変する状況に揺り動かされる意識を説明しやすいという利点も見られる。職場の生活の描き方は、なかなかすぐれていて、身分、施設、職員の生活などかなり理解しうる。だが職場の状況を描写するのと、自分の意識を説明する部分とが並行し、その相互の関連は作者の感情（直感的な）を通じて直結させられてしまう。つまり、状況と意識との交流が感覚的な段階に止められ、それ以上の分析を妨げることになり、結果として斗争記ないしは組合接近の回顧談といった印象を残すのである。その点で形式も、描写対象も異なりながら、前述の「きみよの手記」と共通した性格を持つように思われる。

才四の作品は「職場の歴史」十八号に掲載される。

前二回の作品の印象は、この作品によって完全に破壊される。会内部あるいは職場においてそれまでに何回も開かれていた作品合評会や読後評の一部が会の機関誌紙上に紹介されている。この合評会での意見は、紹介されたもので見る限り組合史、斗争史への「前進」を要望する「原則的」なものが多いが、文章や描写の細部にわたつていてその点で説得力あるものとなつている。そうした意見に共通する書くことへの積極的な態度や、職場の状況の中で自分の立場をはっきりさせようとする意欲は作者に対する大きなはげましとなつた。

この中から浮き彫りにされた命題、つまり個人の体験、感情が集団的、普偏的なものになる契機、方法はどのようなものかという命題に対する答えとして、職場の状態、労働者の生活を適確に位置ずけ、それと個人の体験、感情との交流を通じて、行動化される意識を描くことではないかとの仮説が才四の作品によって提示されたように思われる。

この作品は、書簡体を放棄したことによって、挾雑物を除き、同時に豊富な事実を描き出すことができ、なおかつ感傷的な描写が避けられた。また組合運動の描写の増大（合評会の意見の反映か）は、組合史への回帰を結果せず、かえつて作者の感情や意識を理解することを助けるものとなつた。

描写の中心はあくまで作者自身の思想の成長をあとずける点にある。が、臨時職員の実体、職場の労務管理、組合の結成と斗争など職場生活を単なる個人の体験としてではなく、客観化して描写し、しかも、それにとゞまらず作者自身の意識と職場の状況をも客観化し、鋭い批判の眼を向けているのである。むろん、これが完全に成功しているとは云えず、後半の斗争描写は原則的な斗争賛美になつてしまっている部分もある。だが、自分の働く職場を個人的な感傷としてでなく、また才三者的立場からの傍観としてでもなく、描写しえたことによって、この作品を普偏的な内容を持つものとしている。

前述した命題に対する解答を清水氏は作品をつくることによって提示した。生活記録運動の中でも、また個人の歴史でも果し得なかつた課題を、未だ不充分な形であれ、達成した意義は大きい。清水氏の作品を才一級の生活記録と位置ずける理由は、そこにある。また、生活記録としてだけではなく、労働者の歴史意識の定着として科学との接点を見出す可能性を生み出した。

ーー　おわりに　ーー

清水澄夫氏の作品を再検討せんがため、生活記録運動と個人の歴史を概観してみたが、充分満足できるものとはならなかつた。

あまりにも厖大な生活記録の作品群を前にしてとまどい、あちらこちらと少しずつかじつては見たが、巨象をなでる思いであつた。またこゝで取り上げた時期の職場の歴史をつくる運動の実際に対する無知をなげくばかりでもあつた。

これまでの分析の途中で、各所に結論めいたものを書いて来たが、それを全体として総括する余力は、現在ない。もう一度、この文を書きなおす機会を持つことを希望し、そこでさらに問題点を明確にしようと考えている。だが、こゝでぜひ指摘しておきたいことは、次の点である。

生活記録は(同様に個人の歴史も)状況に対する感傷と、客観的に要請される課題(行動原理)とを無謀介で直結することによつて満足してしまいがちであること。だから個人の体験を普偏化しえなくなつてしまう。この陥穽を避けるためには、状況の正確な分析とその社会的位置ずけが必要であり、同時に状況と交流することによつて成長しつゝある意識を把握することである。だが、これだけでは不充分であつて、状況変革への主体的参加者として、状況と意識との交流、つまり広い意味での行動を把えなおすことが必要である。

生活記録運動の経験や会の経験からも云えることではあるが、すでに何回も云っているが、作品のこのような成功は集団の作業としてのみ可能となるように思われる。個人の作業として作品がつくられるのはもちろんだが、そこに、自ら作品を生み出そうとする人々の集団の支えを見失うことはできない。集団のこうした有機的結合の保証に、会がかなり成功していた時、清水氏の作品も生れたのだ。

清水氏個人としての、大変な努力は云うまでもないが、それを支え、育てあげた会員の努力を無視しえない。多くの欠陥を持ちながらも個人の歴史の諸作品が、直接に「魂あいふれて」を生みだしたのである。

この点にこそ、個人の歴史という形式を極点まで成長させ、その限界をつき破つて職場の歴史そのものと結びついた作品を生み出しえた、職場の歴史をつくる運動の積極的意義を把えられる。

清水氏の作品をはじめ、その他の作品が、会の機関誌という小規模なものでのみ知られるのを残念に思う。より多くの人々の眼に触れ、検討されうるようにするために、私は努力したいと考えている。

「個人の歴史」をふりかへって

石原靖子

一九五七年「職場の歴史をつくる会」が誕生してから三年程して、私は一サークルの会員としてこの会へ入会した。

サークルの才一回目の作品は「大根物語り」と題して私達が勤めていたデパートの労働条件、組合の事等についてまとめたものだつた。各々が書いて来たものを皆の前で発表し、批評し合い一つの作品につくつていつた。

出来上つたものは今から思えば作品と云うには恥かしいものだけれど始めての書く仕事に皆んなファイトをもつて取り組んだものだ。

機関誌九号の中で、当時会員だつた門さんが私達のその頃のサークルの状態をくわしく報告しているがその中で「大根物語り」に対する運営委員の意見をのせている。

「経営者に対する労働者側の状態については一面的な、視野の狭い見方が強く、労働者の団結を前進させる様なものにならなかつた。

こゝにそれまでの悪い面が集中して表われていると思う。」「良い点としては職場の状態、労働の状態をきわめてわずかだけれど追求し、明らかにしようとしている……。」

「一面的な視野の狭い見方」と云うのは当時の活動家と云われた人達全体にあつたのではないだろうか。何故、こう云う事になるのか不思議に思われるのだが何によらず、余りにも安易に一直線に結論へ結びつけようとしている様な気がした。

当時私達がしていた勉強会にしてもやはりそうだつた。そしてチューターとして来ていた学生の人達より、労働者の立場の私達の方がそう云う安易な結論へ急ぎたがる傾向が強かつたような気がする。

極端に云えば「……だから共産党を強くして革命へ……」常に、これに引きづられていたようにさえ思えるのだが……。

一部の人々のこうした姿勢は、いくら熱心でも大衆を前進させる力になり得るとは思われない。

何はともあれ才一回目の共同作業は失敗に終つた。

その後しばらく賃銀問題等の調査を続けたのだが作品にするまでにはならなかつた。その頃、会の方では〝いゝやいかん〟と云う竹村さんの〝父の歴史〟が書かれて以後、会員各々が自分の歴史を書こうと云う提案がされていた。私達のサークルでも、松本さんと私が参加して書き始めた。会の事務所へ何回も足を運んでは現実に書く仕事をやり始めたあの時は、今思い出しても楽しく皆が生き生きとしていた様な気がする。

私は高校卒業後、デパートに勤め出してから一、二年の事を書いてみた。

今改めて読みかえしてみると、客観性がなく自分の感情の流れだけをつゞつている様な文章である。

しかし作品には表現出来なかつたけれど、あの頃の自分の考えていた事や、苦しんでいた事がまざまざと思い出される。

「父や母の様な平凡な生活はくり返えしたくない。もっと生き甲斐のある毎日を送りたい」そう思ってはやたらと焦りを感じたものだつた。何をやりたいのか自分でもハッキリしなかつたけれど、何か一つ、生涯その仕事のために生きて行けるような、そう云うものが早く欲しかつたのだ……。

あの文章を読むと十年前の若く、真剣だつた自分をみつけ出して、自然と身のしまる思いがする。

しかし内容の点を考えると、書くべき問題を選び出し、整理してから書くとよかつたと思う。あつた出来事をたゞ羅列したに過ぎない文章は技術的にもまづいし、やはり訴えるものが少い。

実際、あの様な作品では全く意味がないのではないだろうか。当時、各会員が書いた作品は、たしかに今迄知らなかつたお互いの生活を知り、弱い面を知り合い、親密さを深める役に立つたかも知れない。

しかし、あの中から新しい力となる様なものが生れ、育つただろうか。

残念ながら、無かつたと判断するのは、私がまちがいだろうか。

こう考えると、貴重な力を出して書いたけれど、「個人の歴史」は失敗だつたと私は思う。それではあの様なものは書いても仕方がないのだろうか。もしそうでないとしたら、一体何が足りなかつたのだろうか。

全般的な質だろうか。問題の取らえ方だろうか。むずかしくて私には結論が出せない。

松本さんが書いた「銀座の生態」と私の「個人の歴史」を比較してみると、その違いに「成る程」と思う所がある。

松本さんの作品が、前半は幼い頃の思い出と苦労ばなしであるがデパートへ入社後、組合の代議員に選ばれた事や、勉強会のグループの人達とのふれ合いが興味深くかゝれている。私個人だけを書くのではなく、同じ職場の人々と自分とを登場人物としているのだ。

それでは、唯複数の人物を扱えばいゝのかと云う事になってしまいそうだ、人数の問題ではない。一つの問題、事件に対して周囲の人達がどんな考えを持ち、どんな態度をとり、お互いの間がどう発展していくか――そして私はどう考えるか――。こう云う事ではないだろうか。松本さんの場合、ハッキリ問題意識をもって書いていたかどうか解らないが代議員立候補と云う事をとおして、周りの人達の動きや、松本さんの立場が良く解る。

これをもっと深く、そして巾広く肉をつけて書けたらきっと面白い作品になったのではないかと思う。

松本さんの作品を考えていた時、前回の総会で出されていた「集団の中での個人、個人の集りの集団」と云う意味が今になって解かりかけて来た様な気がしている。

編集後記

二年がかりの課題であった個人の歴史総括も一応完結することになった。新年からは、鳥海会員も云うように、新しい仕事をはじめることになっています。

その内容は別の機会にゆずって、当面会員の皆さんにお願いしたいことは、書くことをためらわず、思い切ってこの誌上を賑わして欲しいということです。そしてもう一つ会費の滞納なんて格好の悪いことはやめましょう。

（M）

●――編者紹介

竹村民郎（たけむら・たみお）
一九二九年　大阪市生まれ
元大阪産業大学経済学部教授
主要著書　『大正文化帝国のユートピア　世界史の転換期と大衆消費社会の形成』（増補）三元社、二〇一〇年
『竹村民郎著作集』全五巻　三元社、二〇一一～一五年

編集復刻版
「職場《しょくば》の歴史《れきし》」関係《かんけい》資料集《しりょうしゅう》　第2巻　ISBN978-4-86617-037-4
第1回配本［第1巻～第2巻］分売不可　セットコード ISBN978-4-86617-035-0
2017年11月30日発行
揃定価　本体40、000円＋税

編者　竹村民郎

発行者　山本有紀乃
発行所　六花出版
〒101-0051　東京都千代田区神田神保町1-28
電話 03-3293-8787　ファクシミリ 03-3293-8788
e-mail : info@rikka-press.jp

組版　昴印刷
印刷所　栄光
製本所　青木製本
装丁　臼井弘志